P9-DSW-251

la vie chère
et
le mouvement social
sous la Terreur

★ ★

LE REGARD DE L'HISTOIRE
collection dirigée par Claude Mettra

ALBERT MATHIEZ

la vie chère et le mouvement social sous la Terreur

Tome deuxième

PAYOT, PARIS
106, BOULEVARD SAINT-GERMAIN

1973

Cet ouvrage a été précédemment publié dans la « Bibliothèque Historique » des Éditions Payot (1927).

TROISIÈME PARTIE

LE GOUVERNEMENT RÉVOLUTIONNAIRE ET LA VIE CHÈRE

CHAPITRE PREMIER

LE VOTE DU MAXIMUM GÉNÉRAL

(*septembre 1793*)

La législation sur les subsistances, votée pendant les mois d'août et de septembre 1793, était une législation improvisée, imposée par les circonstances ou par l'émeute à une assemblée qui restait en très grande majorité convaincue de la nocivité, sinon de toute réglementation, du moins de toute taxation. Si le maximum des grains n'avait pas été levé à la fin de juillet, c'est que les menaces d'insurrection qui précédèrent la Fédération du 10 août avaient intimidé la Convention.

Les lois ordonnant la répression de l'accaparement, les déclarations et recensements obligatoires, la formation des greniers d'abondance et la construction des fours publics, remettant en vigueur la taxe des grains et l'étendant aux farines, aux fourrages, aux combustibles, autorisant enfin les réquisitions de denrées et de main-d'œuvre, s'étaient succédé coup sur coup, mais au hasard et sans plan d'ensemble. Le 4 septembre, sous la pression de la foule amassée sur la place de Grève, la Convention avait promis d'instituer sous huitaine le maximum de toutes les denrées de première nécessité. Cette promesse ne fut tenue que le 29 septembre. Pourquoi ce retard ? Faut-il supposer que la Convention et ses comités ont essayé après coup d'éluder l'engagement pris ? L'étude attentive des faits nous permettra de répondre.

LA COMMISSION DES SIX.

La Commission des Six chargée d'élaborer le projet de loi sur le maximum général comprenait, à l'origine : Jay de Sainte-Foy, Coupé (de l'Oise), Boucher Saint-Sauveur, Chabot, Danton et Merlino, tous Montagnards. Le 4 septembre, au moment même où l'assemblée votait le principe du maximum général, elle adjoignit à la Commission trois nouveaux membres : Lecointre (de Versailles), Valdruche et Girard. Lecointre fut chargé de rapporter la loi qui remit en vigueur le maximum des grains. Cette loi fut votée définitivement le 11 septembre. Si on songe qu'au cours de la discussion, le député de Paris Raffron avait insisté pour faire inscrire dans le texte voté le maximum général et qu'il fut battu, on se rend compte que la Commission ne mettait aucune hâte à tenir la promesse faite au peuple de Paris. Cela est si vrai que, le 14 septembre, Génissieu dut intervenir pour réclamer le prompt dépôt du projet de loi sur le maximum général, « afin, dit-il, que les marchands ne continuent pas de vendre leurs draps bien cher, tandis qu'ils achètent le pain à bon marché ». Génissieu se faisait l'organe des intérêts des cultivateurs. Le maximum des grains et fourrages lésait, en effet, les récoltants. Leurs représentants désiraient maintenant le maximum général pour rétablir l'équilibre entre le prix des denrées alimentaires et le prix des marchandises ouvrées. Un membre de la Commission, Lecointre, réclama l'adjonction de cinq nouveaux membres à la Commission pour hâter son travail [1]. L'Assemblée fit droit à cette demande et décida que le projet de loi que la Commission était chargée de présenter soumettrait à la taxe en principe tous les objets de première nécessité déjà énumérés dans la loi du 26 juillet sur l'accaparement. Il faut croire cependant que toutes les résistances n'étaient pas brisées, car la Commission travailla très lentement. Une semaine s'écoula sans qu'elle fît son rapport.

La Commission était divisée. Certains de ses membres étaient effrayés par le maximum général. Ils prévoyaient

[1] Les noms de ces cinq membres ne sont pas donnés par les *Archives parlementaires*.

des difficultés graves. Ils essayèrent de temporiser et d'opposer la force d'inertie. Ils cessèrent de se rendre à la Commission, qui fut réduite, en fait, à un petit nombre de membres, à ceux qui étaient gagnés à la taxe [1]. Ceux-ci mêmes furent ébranlés un moment par les arguments des adversaires qui essayèrent de résoudre le problème au moyen d'une diversion.

LA DIVERSION DE COLLOT D'HERBOIS.

Le 18 septembre, lendemain du jour où la loi des suspects avait été définitivement votée, Collot d'Herbois s'avisa que cette loi nouvelle, appliquée d'une certaine façon, permettrait d'éviter la taxe en atteignant le même but. « Il est temps, dit-il, que vous portiez le dernier coup à l'aristocratie mercantile ; c'est elle qui arrête les progrès de la Révolution et qui nous a empêchés jusqu'à ce moment de jouir du fruit des sacrifices que nous avons faits. Je demande que vous mettiez au nombre des gens suspects les marchands qui vendent des denrées à un prix exorbitant. Cette addition à la loi est d'autant plus nécessaire que ceux qui sont chargés de l'exécution de vos décrets, pénétrés d'un respect religieux pour la lettre de la loi, n'osent l'interpréter et trompent le vœu au moins secret des législateurs. Je vous réponds des bons effets que produira une telle mesure. Nous en avons fait usage dans le département de l'Oise et aussitôt la livre de beurre, qui se vendait 40 sous, est descendue à 20. Adoptez-la et vous pouvez être assurés de la tranquillité publique et du succès de nos armes. Elle est la garantie de la victoire des jeunes citoyens qui vont partir pour combattre les esclaves des tyrans de l'Europe ; elle est commandée par les circonstances... Je demande que vous compreniez dans la *classe des gens suspects les marchands qui vendent les marchandises de première nécessité à un prix exorbitant.* »

Un député non désigné demanda l'ajournement de la motion jusqu'au dépôt de la loi sur la taxe générale des denrées. Mais une preuve que la commission chargée de pré-

[1] Voir le rapport de Coupé (de l'Oise) du 23 septembre 1793.

senter cette loi ne tenait pas autrement à la faire aboutir, c'est que Coupé (de l'Oise), qui sera précisément son rapporteur, appuya la proposition de Collot d'Herbois et en demanda le vote immédiat : « *La peine proposée par Collot d'Herbois,* dit-il, *produira plus d'effet que toutes les lois.* »

Cependant Fabre d'Églantine, dont les liaisons avec l'aristocratie mercantile sont connues, combattit la mesure par cet argument : « Ce n'est pas à l'individu à juger quand le prix d'une denrée est exorbitant, ce n'est que par la clameur publique que nous pouvons le connaître. » Le vieux Raffron lui répliqua : « Je demande que lorsque le peuple trouvera une denrée trop chère, il soit autorisé à citer le marchand devant le commissaire de police, qui jugera, dans son âme et conscience, à quel prix doit être vendue la marchandise. Voilà la mesure qu'il faut prendre. On abuse de la patience du peuple, ne le poussez pas à bout. » Mais cette intervention du commissaire de police ne parut pas très pratique, et Lecointe-Puyraveau, venant au secours de Fabre d'Églantine, estima que le projet de Collot prêterait trop à l'arbitraire et fit craindre que les marchands persécutés n'abandonnassent en foule leur commerce. Robespierre appuya : « Je suppose votre loi entre les mains d'une administration corrompue, si elle prête à l'arbitraire, le riche accapareur, en corrompant le magistrat infidèle, échappe à la loi, qui, alors, pèsera sur l'indigent. » Cette intervention déplut fort à Collot, qui interrompit : « Vous désapprouvez donc l'arrêté que nous avons pris dans notre mission et qui a produit les plus heureux effets ? » Mais Robespierre fit une distinction entre les mesures exceptionnelles qui pouvaient être utiles par leur exception même et les lois : « Laissez-moi finir mon opinion. Je suis bien loin de désapprouver votre conduite ; tout magistrat qui est témoin d'un acte vexatoire doit punir le marchand avide qui veut écraser le peuple... Mais il faut mettre une différence entre une mesure particulière prise contre un individu reconnu coupable et une loi générale, qui, étant vague, donnerait les moyens à des administrateurs peu patriotes de vexer les bons citoyens. Je demande que vous approuviez les arrêtés pris par Collot d'Herbois et que vous invitiez les commissaires qui sont dans les départements à en prendre de semblables... » La

Convention adopta la proposition de Robespierre et ajourna celle de Collot. Il devenait impossible de résoudre le problème de la vie chère par un biais terroriste. Il fallait revenir à la taxe.

L'INTERVENTION POPULAIRE ET LE VOTE DE LA LOI.

La Commission n'aurait peut-être pas osé aller de l'avant et déposer enfin son rapport, si elle n'y avait été encouragée ou contrainte par une nouvelle intervention de la rue.

Le 22 septembre, la Commune et les 48 sections, lasses d'attendre, s'ébranlèrent et déléguèrent à la barre une députation qui rappela les députés au respect de leurs promesses antérieures : « Législateurs, vous avez décrété le principe que toutes les denrées de première nécessité seront taxées... Le peuple attend votre décision avec l'impatience du besoin ; il espère que le prix des denrées n'excédera pas le minimum de ce qu'on les vendait en 1790, qui sera le maximum actuel, leur prix est effrayant et toujours croissant. La loi contre les accapareurs doit faire connaître le dépôt de toutes les denrées ; aussitôt que vous aurez réglé la taxe, le peuple pourra en jouir sans commettre aucune injustice. » Cette mise en demeure fut suivie le lendemain du dépôt du projet. Coupé (de l'Oise) en fut le rapporteur plus résigné que convaincu : « Cette loi, dit-il, est attendue avec la plus grande impatience et la malveillance, la cupidité, combinant leurs opérations détestables avec celles de nos amis du dehors, ne nous permettent pas de la différer. »

La pétition de la Commune et des sections avait demandé qu'on prît pour base les prix de 1790. Personne dans la Commission n'avait cru la chose possible. Certains de ses membres, tenant compte du renchérissement qui s'élevait souvent au triple et au quadruple de la valeur de 1790, auraient voulu que le maximum fût fixé au double des prix de 1790. Mais la majorité estima que cette proportion était trop forte et qu'elle ne contenterait pas le peuple. Elle proposa de prendre pour base les prix de 1790 augmentés d'un tiers, « de manière que ce qui valait 3 livres en 1790 ne pourrait pas excéder 4 livres en 1793 ». La Commission fut aussi d'avis de permettre des dérogations locales au principe général ainsi posé. Ces dérogations seraient réclamées par les représentants en mission et homologuées ensuite par un vote de la Convention.

Coupé ajoutait que la Commission ne croyait pas possible de fixer le prix des denrées et marchandises sans fixer aussi les salaires des ouvriers. Ici aussi elle prit pour base les prix de 1790. Une partie de ses membres voulait les doubler. La majorité fut d'avis de fixer le maximum des salaires aux prix de 1790 augmentés de moitié, de manière qu'un ouvrier qui gagnait 30 sols avant la hausse en gagnerait maintenant 45. Si on songe que le maximum des denrées n'était fixé qu'à un tiers en sus des prix de 1790, on voit que la loi favorisait la classe ouvrière.

Alors que le maximum des grains, farines et fourrages, voté le 11 septembre, était uniforme dans toute la République, le maximum des denrées de première nécessité proposé par Coupé devait varier de district à district. Les districts étaient chargés de dresser les tableaux du maximum dans leur ressort. Les contrevenants, vendeurs ou acheteurs, seraient punissables d'une amende solidaire d'un montant double de la valeur de l'objet vendu en fraude et applicable au dénonciateur. Les ouvriers qui refuseraient de travailler au prix officiel seraient mis en réquisition par les municipalités et pourraient être punis par elles de trois jours de prison.

La Convention, sans débat, vota l'impression et l'ajournement du rapport de Coupé. Le même jour on avait donné lecture d'une lettre de la petite ville de Châteauneuf, dans l'Eure-et-Loir, qui réclamait la taxe comme le complément de la loi sur l'accaparement. La discussion du projet commença deux jours plus tard, le 25 septembre. Coupé vint proposer, au nom de la Commission, quelques articles additionnels destinés à renforcer les prohibitions d'exportation. Dorénavant, les magasins de blé seraient placés à une distance de 12 lieues des frontières. Thuriot combattit la proposition avec véhémence : « Veut-on donc affamer ainsi nos armées qui, pour la plupart, ne sont qu'à 3 ou 4 lieues des frontières ? » Puis, élargissant le débat, Thuriot prononça un plaidoyer enflammé en faveur de la liberté du commerce : « Soyez-en sûrs, citoyens, pour que le peuple soit heureux, il faut que le commerce ait toute sa vigueur ; et ceux-là sont bien criminels qui veulent faire croire à la nation qu'elle ne peut arriver à la félicité, si l'on ne coupe toutes les branches du commerce ; ceux-là sont bien coupables aussi qui veulent condamner le peuple à l'ignorance et lui faire abjurer les principes de la philosophie, qui veulent persuader au peuple que la liberté et la philosophie sont incompatibles. » Thuriot parlait maintenant comme Buzot et Barbaroux. Il se livrait ensuite à une violente attaque contre les partisans de la taxe qu'il représentait comme des hommes de sang : « On cherche maintenant à accréditer dans toute la République qu'elle ne peut se soutenir, si l'on n'élève à toutes les places des hommes de sang, des hommes qui, depuis le commencement de la Révolution, ne se sont signalés que par leur amour pour le carnage. Il faut arrêter ce torrent impétueux qui nous entraîne à la barbarie. » Et brusquement Thuriot tourna court. Il conclut qu'on devait se hâter de faire imprimer une feuille de morale qui présenterait à l'admiration des Français les actes héroïques accomplis par eux depuis la Révolution. Après les menaces qui l'avaient précédée, cette conclusion était une sorte d'aveu d'impuissance.

La discussion reprit le lendemain. Lecointre, qui était négociant en étoffes, combattit les bases proposées pour l'établissement du maximum. Prenant comme exemple le prix de la viande, il montra qu'en Alsace et dans le Nord, le prix en était de 6 à 7 sous en juin 1790 et qu'en juin 1793, dans les mêmes contrées, il s'était élevé à 24 et 26 sous. Si le maximum était porté au tiers en sus du prix de 1790, c'est-à-dire à 9 sous et 4 deniers, ces départements ne pourraient plus être approvisionnés. Il demandait donc que le maximum fût fixé en principe au double du prix de 1790. Mais, pour des raisons particulières, il proposait aussi que ce prix général fût modifié selon les régions, non pas sur l'initiative des commissaires de la Convention, comme l'avait proposé Coupé, mais par la Convention elle-même et dans le texte de la loi en discussion. Examinant ensuite chaque denrée, les toiles et les draps après la viande, l'eau-de-vie, le bois à brûler, le sel, il essayait de démontrer que la base uniforme du tiers en sus des prix de 1790 était inopérante et inapplicable. Il terminait en s'élevant avec force contre ceux qui flattaient le peuple. Il préférait, lui, ne pas le tromper, et il accumulait les faits pour établir que la rareté des marchandises était le facteur principal de la hausse. De son exposé très précis se dégageait une impression pessimiste qui provoqua les protestations et les murmures des tribunes et d'une partie de l'Assemblée. Il ne put achever son discours. L'Assemblée lui retira la parole (1).

Thuriot essaya de reprendre son argumentation et de montrer, lui aussi, que la base unique du tiers en sus était insuffisante. Il demanda qu'on décrétât un maximum particulier pour chaque article de consommation. Il est visible que sa manœuvre ne visait qu'à gagner du temps en provoquant un nouvel ajournement du débat par un renvoi à la Commission.

Le député Dupont (des Hautes-Pyrénées) joignit ses critiques à celles de Thuriot et de Lecointre et demanda que le maximum fût complété par une indemnité de transport. Il voulait aussi que le maximum, défalcation faite de cette indemnité, fût uniforme dans toute la France et non pas variable de district à district, comme le proposait Coupé.

L'évêque du Cantal, Thibaut, demanda enfin que toutes les denrées sans exception, et non pas seulement celles de première nécessité, fussent taxées et qu'on prît pour base, non pas le prix de 1790, mais la moyenne des prix de 1788, 1789 et 1790 augmenté de 30 %.

Il est significatif qu'aucun orateur ne prit la défense du projet. La Convention désorientée renvoya toutes les propositions à la Commission pour un nouveau rapport.

Coupé (de l'Oise) ne se découragea pas. Dès le lendemain il remontait à la tribune et réclamait d'urgence le vote du maximum du bois à brûler. Après des observations de Thuriot, de Gossuin, de Charlier et de Raffron, le maximum était fixé au vingtième en sus des prix de 1790.

La discussion continua, assez confuse, les 28 et 29 septembre. Finalement, la plupart des dispositions du projet de Coupé furent adoptées, avec quelques modifications toutefois. Le maximum des combustibles ne fut plus fixé par les administrations départementales, comme l'avait ordonné la loi du 19 août, mais par les communes. Le maximum du

(1) C'est ce qu'il dit lui-même dans son opinion publiée aux *Archives parlementaires*, en annexe de la séance.

tabac, du sel et du savon fut un maximum uniforme dans toute la France, comme le maximum des grains, farines et fourrages [1]. Le maximum des autres denrées de première nécessité fut fixé au tiers en sus du prix courant de 1790. Le tableau devait en être dressé par les districts dans le délai de 8 jours, à peine de destitution. Le maximum des salaires était de la moitié en sus du prix de 1790 et devait être fixé par les municipalités. Il n'était plus question des dérogations que le projet primitif avait prévues. Il n'était pas question davantage d'indemnités de transport. Trois jours plus tard, le 3 octobre, la Convention chargeait le Conseil exécutif de prendre les mesures les plus promptes pour l'exécution simultanée de la taxe dans toute la République.

En apparence tout au moins, l'interventionnisme triomphait. Par la loi du 27 juillet, qui obligeait tous les possesseurs de denrées de première nécessité à en faire la déclaration, par la loi du 29 septembre, qui soumettait ces denrées à une taxe fixe, toutes les richesses agricoles, industrielles et commerciales de la France étaient placées sous la main des autorités. Celles-ci sauraient-elles, voudraient-elles, pourraient-elles saisir et manier le lourd levier qui leur était remis ? Avant de répondre directement à la question, il est peut-être utile de jeter un coup d'œil sur l'application des lois économiques et sociales précédemment votées depuis le mois d'août. Les difficultés que celles-ci rencontrèrent nous expliqueront mieux les terribles obstacles auxquels va se heurter la nouvelle loi.

LES GRENIERS D'ABONDANCE.

La loi sur les greniers d'abondance, votée le 9 août, n'avait pas encore reçu au début d'octobre le moindre commencement d'exécution [2]. Et cela se comprend ! Comment aurait-

[1] La carotte de tabac fixée à 20 sols la livre, le tabac à fumer à 10 sols, le sel à 2 sols la livre, et le savon à 25 sols.

[2] Les cent millions mis à la disposition du Conseil exécutif pour l'établissement des greniers d'abondance étaient encore intacts dans la caisse aux 3 clefs le 27 brumaire an II, comme le constate le procès-verbal de la commission des subsistances en date de ce jour. Le même

on réussi à accumuler du blé de réserve quand on ne parvenait pas à assurer l'approvisionnement journalier? A ce point de vue, la lecture de la correspondance administrative est très intéressante. En frimaire an II, il n'y avait pas encore de grenier d'abondance dans la Haute-Marne, parce que les grains provenant des domaines d'émigrés ainsi que ceux provenant des contributions en nature étaient versés dans les magasins militaires. Ce n'est que le 13 nivôse (2 janvier 1794) que le district de Chaumont ordonna la formation d'un grenier d'abondance dans l'ancien couvent des Carmélites, et encore cet arrêté était-il purement théorique, car le district déclarait qu'il s'en remettait sur le pouvoir central pour approvisionner le grenier.

A la fin de septembre, le représentant Maure, en mission dans l'Yonne, considérait la loi du 9 août comme une simple loi de principe qui avait besoin d'être complétée par une loi réglementaire. « Hâtez-vous donc, écrivait-il d'Auxerre, le 24 septembre, au Comité de Salut public, de décréter le mode d'exécution des greniers d'abondance, et les bénédictions du peuple s'accumuleront sur vos têtes heureuses... »

Dans certaines régions, comme à Marseille, il se manifestait une hostilité systématique contre le principe même de la loi. Les sociétés populaires du Midi avaient tenu au début d'octobre un congrès à Marseille. On s'y occupa du problème des subsistances. Le rapporteur chargé de proposer les résolutions, Pierre Dedelay, déclara le 5 octobre : « En se passant de greniers d'abondance, on évite l'effrayante chance de confier à un petit nombre d'hommes qui peuvent être corrompus la subsistance du peuple... Qui vous dit qu'une autorité arbitraire, qu'une faction, ne trouvera pas les moyens de s'en servir pour votre ruine? » Quand la défiance est poussée à ce point, l'exécution des lois devient périlleuse.

Dans le Toulousain, au début de l'année 1794, aucun grenier d'abondance n'existait encore. Le district de Toulouse expliquait, le 5 pluviôse, « qu'on avait fourni pour acquitter

procès-verbal expose que le Conseil exécutif ne put pas employer ces fonds, car le décret du 9 août portait, dans son article 11, que le comité d'agriculture présenterait un projet de décret réglementaire sur l'organisation des greniers d'abondance, et le comité d'agriculture s'abstint de rien proposer.

certaines réquisitions en blé des bons à valoir sur les contributions foncière et mobilière ». Ces réquisitions furent versées dans les magasins de l'armée [1].

Il est probable qu'il en fut à peu près partout ainsi. La loi du 9 août était donc lettre morte quand le maximum général fut institué.

LES RECENSEMENTS ET LES BATTAGES.

En fut-il de même des lois ordonnant les recensements et les battages (lois des 14, 16, 17 et 23 août) ? Dans l'Allier, un agent du ministre de l'intérieur, Diannyère, écrivait de Moulins, le 27 août, que le recensement des grains avait été délégué par les districts « à des hommes connus la plupart pour un patriotisme nul ou au moins douteux ; aussi les déclarations ne sont-elles pas vérifiées ; aussi les prend-on telles que les propriétaires de grains les donnent ; aussi les marchés ne sont-ils pas fournis ; aussi est-on tourmenté de la disette après une récolte réellement abondante... » Il faudrait, ajoute Diannyère, « que les commissaires au recensement ne fussent ni propriétaires, ni fermiers et ne pussent, sous des peines quelconques, outrepasser leurs pouvoirs ; il faudrait évaluer par approximation la quantité de grains nécessaire à la consommation de chaque ménage et ne lui laisser que celle-là et celle qui est nécessaire aux semences »...

Presque partout, en effet, les fraudes dans les recensements et la clause sur la réserve familiale paralysaient les réquisitions.

Dans la Haute-Marne, l'arrêté du département ordonnant le recensement général de tous les grains est du 16 septembre, alors que la loi datait d'un mois plus tôt. Cet arrêté dit que le recensement nouveau devra être fait avec plus de soin que celui qui avait été fait en vertu de la loi du 4 mai. Par une bonne précaution, le département ordonne que les commissaires qui en seront chargés devront être étrangers aux communes où ils opéreront. Dans beaucoup de départe-

[1] ADHER, *Les subsistances dans la Haute-Garonne*, p. 40, note, p. 48, note, etc.

ments, par exemple dans le Doubs ([1]), on prit des précautions analogues.

En Auvergne, Couthon faisait surveiller les officiers municipaux chargés de recensements par les membres des clubs. Il menaçait les fraudeurs de les traduire au tribunal révolutionnaire ([2]).

Malgré toutes les surveillances, les recensements se firent, en général, très lentement, peut-être à dessein. Dans la Charente, Roux-Fazillac s'en plaignit dans sa lettre du 27 septembre. Dans la Haute-Marne, à la date du 28 octobre 1793, toutes les communes sauf cinq avaient fourni leurs états de recensements ([3]).

Il était facile d'excuser le retard des recensements par le retard des battages. La moisson avait coïncidé avec la levée de la première réquisition, qui avait privé tout à coup les campagnes de 500 à 600 000 jeunes gens en pleine vigueur. Dans la Haute-Marne, l'administration départementale lança, le 20 septembre, une invitation aux bons citoyens pour les exhorter à aider les cultivateurs aux travaux des champs et au battage des grains. Donnant l'exemple, le procureur général syndic, qui avait, dans l'administration, le rang de notre préfet actuel, s'offrit lui-même à tenir la charrue. Les communes dresseront, dit l'arrêté qu'il fit rendre, un double état des bras manquants et des bras oisifs. Elles indiqueront aux personnes sans profession le cultivateur chez lequel elles devront se rendre le lendemain matin pour s'occuper, selon leurs forces, aux travaux qui leur seront désignés. Ceux qui ne se rendront pas à l'invitation seront déclarés suspects. Ceux qui exigeront le paiement de leur journée ne pourront prétendre à plus de 40 sols sans nourriture et de 20 sols avec nourriture.

En Normandie, où on souffrait cependant de la disette, le battage traînait, et Robert Lindet écrivait de Caen, le 6 septembre : « les cultivateurs avouent que si on ne les avait pas pressés, ils n'auraient pas fait battre leurs grains ».

Dans l'Yonne, Maure ne trouve pas d'autre moyen pour

([1]) Archives départementales. Dans le Doubs, les commissaires aux recensements étaient étrangers au district où ils opéraient.

([2]) Lettre datée de Riom le 25 septembre.

([3]) Ch. LORAIN, *Les subsistances dans le district de Chaumont*, t. I, p. 462.

faire battre la récolte et ensemencer les terres que d'accorder aux jeunes gens de la première réquisition des congés pour se rendre chez les cultivateurs. Il est probable que cet exemple ne fut pas isolé.

Il faut croire cependant que, dans certains départements, la loi ordonnant le battage et les recensements était comme inexistante, car le représentant Ingrand écrivait de Châteauroux, le 8 septembre, au Comité de Salut public, qu'il était urgent que la Convention pressât le recensement général des grains.

LA TAXE DES GRAINS.

La taxe des grains devait être plus difficile encore à faire exécuter que les recensements et battages. La loi du 4 mai était tombée en désuétude à la fin de juillet à peu près dans toute la France. La loi du 25 août, qui la remit en vigueur, se heurta à de nombreuses résistances, et il en fut de même de la loi du 11 septembre qui substituait aux taxes locales une taxe uniforme sur tout le territoire.

A Chartres et dans la Beauce, la disette se fait sentir au début de septembre, parce que le nouveau maximum institué par la Convention est plus bas que l'ancien qu'avaient fixé les autorités locales (1).

Dans le Doubs, où la taxe des grains avait été suspendue, le 20 juillet, par un arrêté du conseil général du département approuvé par les représentants Bassal et Garnier, elle fut presque aussitôt rétablie, pour les marchés officiels du moins, dès le milieu d'août, quand la perte des lignes de Wissembourg fit craindre une invasion de la Franche-Comté. Le 9 août, le conseil général du département ordonna une réquisition de 60 livres par journal sur les districts de Besançon, Baume, Quingey et Ornans. Le blé ainsi réquisitionné devait être payé à raison de 15 livres la mesure de 60 livres. Pour l'approvisionnement de la population civile, le département essaya d'acheter de gré à gré. Il confia à deux commissaires, Kilg et Roussel-Galle, la mission de se rendre à Gray et à

(1) Lettre de Thirion, datée de Chartres, 10 septembre, dans Aulard, *Recueil*, t. VI.

Langres. Ceux-ci passèrent quelques marchés, mais le département de la Haute-Saône prit un arrêté pour empêcher la sortie des grains de son territoire et, sur ces entrefaites, la loi du 11 septembre vint annuler tous les marchés particuliers conclus au-dessus du maximum. La mission Kilg et Roussel-Galle n'aboutit à rien. Le 20 septembre, le département du Doubs, sur une réclamation de la commune de Morteau, arrêta que « la mesure de bled pesant 60 livres ne pourrait passer la somme de 15 livres », c'est-à-dire que le maximum déjà en usage pour les réquisitions militaires s'appliquerait aussi aux achats pour les particuliers (1). Décision purement théorique, d'ailleurs, qu'il fallait faire exécuter.

A Mamers, le maximum fut remis en vigueur dès le 19 août 1793, sur l'ordre du département de la Sarthe, qui avait rapporté ses arrêtés des 28 juin et 28 juillet sur la liberté de la vente des grains (2).

Mais il y eut des départements qui mirent la plus grande mauvaise volonté à appliquer la taxe. Robert Lindet et Bonnet de Mautry, en mission à Caen, avertissaient le Comité de Salut public, par lettre du 29 août, que la loi du 4 mai n'était toujours pas exécutée dans l'Ille-et-Vilaine et que le résultat de cette négligence volontaire, c'est que les départements voisins se vidaient à son profit. Dans la Manche, où le maximum était appliqué, le sac se vendait 55 livres, dans l'Ille-et-Vilaine il se vendait 110 livres. Le 10 octobre, la situation était toujours la même et Coupé (de l'Oise) dénonçait à la tribune la conduite du département d'Ille-et-Vilaine.

A la séance du 29 septembre, un député des Landes se plaignit à la Convention que la loi n'était pas exécutée de la même façon par les départements pyrénéens. Alors que les Landes faisaient appliquer la taxe dans toutes les transactions, les autres départements ne l'appliquaient qu'aux blés réquisitionnés pour l'armée. La Convention, par un nouveau vote, dut confirmer la loi du 11 septembre et stipuler formellement qu'elle ne s'appliquait pas seulement aux achats de l'armée, mais à toutes les ventes sans distinction. Cet incident en dit long sur la façon dont les lois étaient

(1) L'arrêté est analysé dans la *Vedette* du 20 septembre.
(2) FLEURY, *Mamers sous la Révolution*, t. II, p. 19.

obéies, trois semaines pourtant après que la Terreur avait été placée à l'ordre du jour.

Dans beaucoup de contrées frontières, en Alsace, en Franche-Comté, en Roussillon, dans l'Ariège, les paysans ne voulaient se défaire de leurs grains que contre de l'argent en espèces. Ils refusaient les assignats. En Normandie, Delacroix, Louchet et Legendre signalent, le 8 septembre, de Rouen, « que les riches propriétaires, cultivateurs et fermiers, mécontents de la loi qui met un frein à leur insatiable cupidité, se sont coalisés pour ne rien porter aux marchés... Les ingrats! Les barbares! Ils sont les ennemis d'une Révolution qui a tout fait pour l'agriculture, ils nagent dans l'abondance et ils font éprouver au peuple les horreurs de la famine... » Dans la Charente, le représentant Roux-Fazillac exprime ses inquiétudes lorsqu'il reçoit la loi du 11 septembre : « Lorsque tous les officiers municipaux des campagnes sont propriétaires et qu'ils ont des grains à vendre, pouvons-nous espérer qu'ils se prêteront à l'exécution d'une loi qui diminue considérablement les profits qu'il comptaient faire sur la vente de leur récolte et que la force armée se prêtera dans les campagnes à cette exécution (1)... ? » Inquiétudes fondées! Quelques jours plus tard, le même représentant signalait une coalition de meuniers qui, furieux de ne plus pouvoir se faire payer en nature, avaient contracté entre eux l'engagement par écrit de ne plus laver les grains avant de les moudre. Roux-Fazillac, pour briser leur entêtement, dut faire exposer la guillotine sur la place d'Angoulême.

Bien entendu, les réquisitions ne s'exécutaient qu'au prix de difficultés considérables. On assistait encore, par-ci, par-là, à des attroupements qui essayaient d'arrêter les voitures, à des émeutes qui obligeaient les autorités à abaisser le prix du pain. Ainsi à Besançon, le 16 août, la foule exigea la diminution de la miche de 6 livres de 2 livres 2 sols à 1 livre 5 sols. La différence dut être payée par un impôt sur les riches dont le revenu annuel excédait mille livres.

La plupart des armées n'étaient plus approvisionnées que par les réquisitions. C'était le cas des armées des Alpes, des Ardennes et du Nord. Mais les représentants de l'armée des

(1) Lettres d'Angoulême, 27 septembre.

Pyrénées acceptaient à la fin d'août de payer les grains au-dessus du maximum [1]. Garrau écrivait, le 24 août, de l'armée des Pyrénées occidentales, qu'on faisait payer à la République 80 livres un sac de blé du poids de 115 livres et que la livre de pain coûtait 20 sols.

LA DISETTE.

Malgré les réquisitions ordonnées dans l'intérieur pour nourrir les villes, les marchés restaient dégarnis et, à tout instant, on craignait de manquer de pain. Ce n'était pas seulement le prétexte des recensements, ou du retard du battage, ou de leur réserve familiale, que les paysans invoquaient pour se soustraire à l'approvisionnement des marchés, mais leurs officiers municipaux, s'avisant d'une disposition de la loi qui leur permettait de créer de nouveaux lieux de marchés, s'en servaient pour instituer des marchés fictifs uniquement dans le but d'échapper aux réquisitions qui leur étaient délivrées pour garnir les marchés anciens [2]. Il fallut, par une nouvelle loi [3], leur interdire de changer le siège des marchés.

En attendant, les villes manquaient de pain. Le représentant Pinet écrivait de Périgueux, le 5 septembre, que le pain était resserré par les manœuvres infâmes des accapareurs au point qu'il était presque impossible de s'en procurer. Le lendemain, 6 septembre, Delacroix, Louchet et Legendre constataient que la disette était absolue à Rouen et dans les villes environnantes, que le pain qu'on mangeait était affreux et encore qu'on n'en avait pas assez. La veille, à Elbeuf, un attroupement autour d'une voiture de grains avait failli dégénérer en émeute. L'agent Garnier écrivait, le 11 septembre, que la ville de Moulins avait eu des inquiétudes sur les subsistances et que le pain blanc y valait encore 10 sols la livre, preuve, entre parenthèses, que la taxe n'y était pas exécutée [4]. A Morteau, dans le Doubs, la livre de pain se ven-

[1] Lettre de Chaudron-Rousseau et Leyris datée de Toulouse, le 25 août.
[2] Voir la lettre de Lindet et Oudot datée de Caen le 25 septembre.
[3] Rendue le 18 vendémiaire (9 oct. 1793).
[4] Pierre Caron, *Les rapports des agents du ministre de l'intérieur*, t. I, p. 436.

dait 12 sols au milieu de septembre. A Besançon, vers le même temps, la municipalité ne parvenait à nourrir la population que par des prélèvements sur les magasins de la place [1]. Dans la Creuse, au moment où fut promulguée la loi du 11 septembre, le pain se vendait 12 sols la livre [2]. A Caen, le pain valait au début de septembre 5 ou 6 sols la livre et la journée de manœuvre se payait de 25 à 30 sols. A Bordeaux, la disette fut chronique pendant les mois de septembre et d'octobre.

L'ACTION DES REPRÉSENTANTS EN MISSION.

Pendant la crise analogue qui avait sévi en mai et juin, on n'avait vu comme remède que la levée du maximum. C'était le temps où les Girondins gouvernaient encore. Cette fois, le point de vue des dirigeants s'est modifié. Ce que demandent les représentants en mission ou les agents du ministre de l'intérieur, ce n'est pas l'abolition de la taxe des grains, c'est au contraire son extension à toutes les autres denrées de première nécessité. Ils imputent la disette non pas au fait de la loi, mais à son inexécution. De Châteauroux, le 6 septembre, Ingrand écrit que le défaut d'exécution stricte de la loi du 4 mai est cause de la gêne qu'on éprouve à garnir les marchés. Le même recommande, le 27 septembre, de faire exécuter la nouvelle loi du 11 septembre le même jour dans tous les départements, et on a vu que le conseil fut suivi. De Caen, le 29 août, Robert Lindet et Bonnet mettent en garde le Comité de Salut public contre la suppression de la taxe : « On ne peut se dissimuler, disent-ils, que les cultivateurs désirent la révocation de la fixation du maximum ; mais on peut s'assurer que si l'on accorde la liberté indéfinie de vendre les grains de gré à gré, les prix en tripleront avant trois mois... Supprimez la fixation du maximum, vous verrez tripler le prix des denrées de première nécessité. Le triplement, que l'on doit regarder comme certain, entraînera la ruine d'une partie du peuple. Ne vaudrait-il pas mieux faire exécuter la loi du

(1) Autorisés par les arrêtés de Bassal et Bernard des 31 août et 18 septembre.

(2) Lettre d'Ingrand de Guéret, le 28 septembre.

4 mai ? C'est faire la loi à la richesse. N'est-ce donc pas pour la richesse que les lois sont faites ?... Lorsque les prétentions de la richesse se trouvent en opposition avec les droits naturels de l'homme, il faut les réprimer. » Il y avait là en germe toute la politique de classe qui va s'imposer de plus en plus à la Convention. Pour faire appliquer les taxes, il faudra que le gouvernement s'appuie avec confiance sur ceux pour qui ces taxes sont faites. Cette nécessité apparaissait du premier coup avec évidence à un homme de la valeur de Robert Lindet, mais elle ne fut pas aperçue tout de suite par les autres représentants. La plupart notent le mécontentement que produit le maximum dans la classe des récoltants et ils proposent comme remède le maximum général. Ainsi Ingrand qui, le 28 septembre, insiste sur la nécessité de taxer tous les objets de consommation. Ainsi Dartigoeyte qui, le 2 octobre, écrit au Comité de Salut public qu' « on désire la taxe de tout le reste et que cette taxe est nécessaire, si l'on veut favoriser la culture des terres, car sans cela il n'y aurait plus de proportion ». Ce manque de proportion frappait le peuple. Sur un marché de la Bresse, un vieillard de 78 ans avait apporté une mesure de blé qu'il ne voulait pas vendre moins de 30 livres, c'est-à-dire bien au-dessus de la taxe. On le questionne, on lui demande pourquoi il refuse de se conformer à la loi. « Il répond que depuis soixante ans il a toujours eu une paire de souliers pour une mesure de blé, qu'il en avait besoin en ce moment, qu'on avait qu'à la lui donner et qu'il donnerait son blé. » L'autorité, désarmée par cette logique, remit le vieillard en liberté [1].

Au mois de mai et de juin, les autorités, qui avaient subi la taxe à contrecœur, s'étaient empressées de s'en défaire aux premières difficultés. Cette fois, la situation est toute différente. Les difficultés, les résistances sont les mêmes, mais les autorités, pour des raisons diverses, parce que la taxe permet d'économiser sur l'entretien des armées, parce que la taxe est réclamée par la Sans-Culotterie, parce que sa suppression serait périlleuse, ne songent plus à revenir en arrière. Elles ont pris leur parti d'une mesure qui leur a sans doute été imposée, mais qu'elles adoptent faute de pouvoir faire autre-

[1] Lettre de Pannetier, La Boissière et Fromentin au ministre Paré, datée de Bourg le 4 octobre 1793, dans P. Caron, t. I, p. 220.

ment. Elles se décident donc à faire le nécessaire pour la mettre en vigueur. Or, il apparaît de plus en plus que l'exécution de la loi n'est possible que par une politique de centralisation et de contrainte vigoureuses.

Ce sont les représentants à poigne, les Fouché, les Taillefer, le Baudot, les Dartigoeyte, les Laplanche, qui imaginèrent cette politique au cours de leurs missions, avant qu'elle ne s'imposât par la force de l'exemple au Comité de Salut public et à la Convention.

Alors qu'à Paris l'armée révolutionnaire n'était pas encore organisée au début d'octobre et qu'elle n'existait à ce moment que sur le papier ([1]), dans les départements où opèrent ces représentants, les armées révolutionnaires locales sont déjà sur pied et commencent à prêter main-forte à l'application des lois sur les subsistances. Fouché, qui est à Moulins à la fin de septembre, lève une armée révolutionnaire de 150 fantassins, 50 cavaliers et 50 canonniers, dont les membres touchent 3 livres par jour. Dès le 25 septembre, Baudot écrivait de Toulouse : « Je viens de former une petite armée révolutionnaire à Montauban et une autre à Toulouse... Depuis un mois, j'ai fait arrêter plus de mille personnes suspectes. » Trois jours après, le même Baudot disait ironiquement dans une lettre au Comité de Salut public que son armée révolutionnaire « ajoutait un prix infini à ses discours et à ses instructions civiques ». Grâce à elle, la ville de Castres avait changé de face en deux jours. Le 29 septembre, Taillefer, en mission dans le Lot, annonçait qu'il avait formé, lui aussi, une armée révolutionnaire qui jetait l'épouvante parmi les malveillants.

Ces représentants énergiques ne se bornaient pas d'ailleurs à une politique purement répressive. Ils associaient à leur œuvre la masse des petites gens en édictant des taxes forcées sur les riches, et ces taxes ne servaient pas seulement à payer les dépenses de l'armée révolutionnaire, mais à entretenir toutes sortes d'œuvres sociales. A Moulins, Fouché décidait qu'il n'y aurait plus désormais qu'une seule espèce

([1]) C'est le 1er octobre seulement que le Comité de Salut public nomme son état-major. La Commune de Paris elle-même était hostile à l'armée révolutionnaire (voir dans Tuetey la correspondance de Descombes).

de pain, le pain bis, et que ce pain serait payé 3 sols la livre, alors que le prix courant était depuis deux mois de 10 sols la livre. Une indemnité proportionnelle était accordée aux boulangers, d'après le système déjà en vigueur dans la capitale. Le même arrêté établissait un hospice pour les vieillards et les infirmes au moyen d'une contribution sur les riches.

A la même date exactement, Baudot et Chaudron-Rousseau, par arrêté du 23 septembre, fixaient à 3 sous la livre le prix du pain à Toulouse.

Laplanche à Bourges, Taillefer à Cahors n'opéraient pas autrement à la fin de septembre. A Bourges, la taxe sur les riches ordonnée par Laplanche se montait déjà, le 29 septembre, à 800 000 livres. « Jugez, écrivait-il triomphalement, si je dois avoir des partisans parmi le peuple et si ces moyens révolutionnaires qui ne pèsent que sur les riches sont faits pour conquérir tous les cœurs à la Convention. »

L'heureux résultat de ces initiatives hardies montrait que si on voulait réellement appliquer les taxes sur les denrées, il fallait mettre à leur service toute la Terreur organisée au profit de la classe populaire.

Si les lois sur le maximum des grains n'étaient exécutées que là où opéraient les Fouché, les Taillefer, les Laplanche, les Baudot, à plus forte raison la loi nouvelle sur le maximum des denrées de première nécessité aurait besoin des mêmes méthodes pour recevoir son application. Les lois sur les grains ne lésaient, en effet, que les cultivateurs. Mais la loi sur les denrées de première nécessité lésait en outre les marchands et les fabricants. C'était contre toute la classe possédante que la Révolution allait maintenant engager un combat formidable, au moment même où elle avait à vaincre l'Europe monarchique, la Vendée et le fédéralisme.

Les résistances ne s'abritaient pas seulement derrière le tout-puissant bouclier de l'égoïsme individuel, elles trouvaient, dans les institutions mêmes, des facilités précieuses. Les autorités régulières chargées d'appliquer les lois étaient des autorités élues, très indépendantes du pouvoir central. Il avait fallu attribuer aux représentants en mission des pouvoirs illimités pour triompher de leur mauvaise volonté. Les Fouché, les Laplanche, les Baudot agissaient en dictateurs, en proconsuls, mais leur action restait isolée. Il s'agissait maintenant de concentrer la dictature et de l'étendre à toute la France. Pour appliquer les taxes, il ne suffira pas de proclamer la Terreur, il faudra bientôt organiser le gouvernement révolutionnaire, lui donner une constitution. Cette nécessité s'imposera dès qu'on essaiera de mettre en vigueur le maximum général, après le maximum des grains.

CHAPITRE II

LA MISE EN VIGUEUR DU MAXIMUM GÉNÉRAL

(*octobre 1793*)

Le maximum général, voté le 29 septembre 1793, avait été réclamé avec insistance et même avec menaces par la Sans-Culotterie des villes et par une partie de la classe paysanne ; la première le considérait comme un complément du maximum des grains, la seconde comme une compensation et comme un correctif. Entre le vote et l'application de la loi, la Convention reçut de nombreuses félicitations, enthousiastes et naïves.

LES FÉLICITATIONS POPULAIRES.

Legendre (de la Nièvre), en mission dans l'Allier, écrit de La Charité-sur-Loire, le 1er octobre, que « le décret sur la taxe des subsistances a été reçu par le peuple de ces départements comme un des plus grands bienfaits de la Convention nationale ; il a rehaussé l'esprit public, il a fixé d'une manière certaine l'opinion des Sans-Culottes sur les travaux constants et sur les efforts redoublés des mandataires du peuple pour créer son bonheur et assurer sa liberté ». Même son de cloche dans la lettre du représentant Paganel, datée de Toulouse, le 20 octobre 1793. Les Jacobins de Saint-Jean-du-Gard écrivent, le 10 octobre, à la Convention, qu'elle vient de « frapper d'un grand coup les intrigants et les modérés en décrétant le prix des denrées de première nécessité ». Les Jacobins de Beaune s'écrient, dans une adresse enthousiaste, le 9 octobre :

« Législateurs, vous avez fait un grand acte de justice et tout à la fois de politique, quand vous avez fixé le prix de tous les objets nécessaires à la vie des hommes. Ainsi, vous avez déjoué les noirs projets de l'aristocratie intrigante, qui voulait amener la contre-révolution par la famine... Votre décret est bon par cela seul que les riches le censurent et le calomnient. Les malheureux, les pauvres, le peuple ont béni la loi du maximum et les applaudissements du peuple sont la meilleure de toutes les sanctions... Que le négociant ambitieux qui osera vous faire parvenir les doléances mensongères de son insatiable cupidité soit déclaré par vous un ennemi de l'espèce humaine. Décrétez que son nom sera imprimé et publié dans toute la République, afin que dans la France entière il soit regardé comme l'opprobre et la honte de son pays... »

Mêmes félicitations, mêmes menaces, à l'adresse des marchands, dans la pétition des Jacobins de Saint-Symphorien-du-Lay, datée du 9 octobre ; dans celle de la ville et du port de Cette, lue le 23 octobre ; dans celle des administrateurs du département du Tarn, datée du 9 octobre ; dans celle des Jacobins de Charolles, datée du 22 vendémiaire ; dans celle des Jacobins de la Bazoche, lue le 26 octobre ; dans celle des Jacobins de Pont-l'Évêque, datée du 20 vendémiaire ; dans celle des Jacobins de Guérard (Seine-et-Marne), datée du 6 octobre, etc.

Il n'est donc pas douteux que la loi du maximum ait été accompagnée d'un mouvement d'opinion qui eût dû en faciliter l'application. Et cependant sa mise en vigueur fut loin de répondre à l'attente des Sans-Culottes. L'événement justifia, au contraire, les craintes des hommes d'État qui auraient voulu éviter une expérience redoutable.

Sans doute, dans certains cas exceptionnels, il y eut des propriétaires généreux ou peureux qui se soumirent de bonne grâce au tarif. Dans leur adresse du 9 octobre, les Jacobins de Saint-Symphorien-du-Lay citent avec éloge les noms de leurs concitoyens qui s'étaient empressés d'offrir leurs grains au prix de la taxe, aussitôt qu'ils avaient eu connaissance du décret, sans attendre sa promulgation. « En conséquence, disent-ils, le pain, qui valait jusqu'à 15 sols, a été de suite pour 2, 3, 4 et 5 sols la livre. » Il ne dut pas y avoir beaucoup d'exemples de ce genre.

De toutes parts les résistances des commerçants ne tardèrent pas à s'organiser. La loi les forçait à vendre à perte, sans indemnité, des marchandises qu'ils vendaient auparavant à un prix double ou triple. On conçoit leur mécontentement et on comprend qu'ils aient cherché à éluder une mesure qui les atteignait dans leurs intérêts.

L'APPLICATION DE LA LOI A PARIS.

A Paris, la taxe fut affichée le 12 octobre, quatorze jours après le vote de la loi. Les marchands eurent donc deux semaines pour prendre leurs dispositions. Ils continuèrent pendant ce temps à vendre au prix habituel, ce qui provoqua la colère populaire. A la séance du 7 octobre, le député Petit se plaignit à la Convention des retards apportés à la promulgation des taxes. Il fit décréter que le ministre de l'Intérieur serait tenu de rendre compte, séance tenante et par écrit, de l'exécution de la loi. Paré se justifia le lendemain. Dès le 1er octobre, la loi avait été imprimée ; le 2, elle avait été envoyée à tous les départements par des courriers extraordinaires. Les districts avaient un délai de huit jours pour rédiger les tableaux du maximum de leur circonscription. Le délai n'était pas encore expiré. Personne n'était fautif.

Les citoyennes républicaines révolutionnaires, dont le club n'était pas encore fermé, n'en vinrent pas moins se plaindre à la Commune, le 9 octobre, de l'inexécution de la taxe. « L'insolent marchand sait profiter de votre lenteur à exécuter cette loi bienfaisante. » L'orateur des citoyennes compara le peuple à « l'aveugle à qui l'on promet la lumière et qui emporte au tombeau le regret d'avoir mal choisi son médecin ». La Commune rassura les pétitionnaires.

Dès que le texte fut affiché, les consommateurs se précipitèrent sur les boutiques des commerçants, afin d'acheter le plus possible de marchandises à un prix deux ou trois fois moindre que le prix antérieur. Il y eut des rassemblements tels que la police dut intervenir, par exemple rue de Bièvre [1]. Les jours suivants, les rassemblements grossirent. En un clin

[1] Voir la séance de la Commune du 21 du 1er mois, 12 octobre, dans le *Moniteur*.

d'œil, les boutiques furent vidées de leur contenu par une foule avide et exigeante. Un membre de la Commune signala le péril le 14 octobre. Il avait vu « plusieurs marchands fermer leurs boutiques ; plusieurs ont annoncé qu'ils n'avaient plus ni sucre, ni huile, ni chandelle ». Les habitants qui n'avaient pas fait leurs provisions allaient-ils être réduits à la disette ? Était-ce là le résultat de la loi bienfaisante ? Le membre de la Commune s'éleva contre les marchands, qu'il rendit responsables de ce qui s'était passé. Il demanda qu'on fît venir à la Commune ceux d'entre eux qui avaient fermé leurs boutiques et qu'on leur fît des reproches sur leur conduite. Chaumette, à son tour, se répandit en paroles menaçantes et parla d'exproprier les maisons de commerce récalcitrantes : « Les bénéfices immenses qu'ont faits les marchands en gros ont bien suffi pour les indemniser, dit-il ; ils ont sollicité les pillages ; en trois ans, ils ont accru leurs fortunes immensément, et ils ne veulent pas faire le sacrifice d'une partie de leur gain. Si les fabricants quittent leurs manufactures, il faut que la République s'empare des matières premières et de leurs ateliers, car, avec des bras, on fait tout dans le système populaire et rien avec de l'or. Il faut examiner la conduite de ces hommes qui ont voulu remplacer l'ancienne noblesse. En 1789, 90 et 91, les marchandises ont circulé pour les étrangers et pour les armées qui attaquent la République ; le prix des denrées a gagné sur l'assignat, les marchands enfin ont fait fortune. Le conseil général est composé d'hommes-peuple, le législateur est peuple aussi ; il a fixé le prix des denrées, nous maintiendrons cette loi salutaire ; ce n'est pas la loi martiale ; elle est toute pour le peuple et contre ses sangsues. Peu nous importe, si nos têtes tombent par le fer des assassins, pourvu que nos neveux gravent sur nos crânes décharnés : *Exemple à suivre*. On voudra mettre le peuple dans la nécessité de demander le rapport de cette loi bienfaisante, mais on n'y réussira pas ; souffrez quelques moments, et tous les efforts de nos ennemis seront impuissants... Et vous, membres du Conseil, qui avez juré de ne vous écarter jamais des intérêts du peuple, soyez sourds aux réclamations de ces sangsues, faites exécuter la loi dans toute son intégrité. » Chaumette requit en conclusion que le Conseil n'entendît aucune pétition ni motion contre le maximum et qu'on chargeât une commission de rédiger une pétition à la Convention, « tendant à fixer son attention sur les matières premières et les fabriques, afin de les mettre en réquisition en prononçant des peines contre les détenteurs ou fabricants qui les laissaient dans l'inactivité, ou même de les mettre à la disposition de la République qui ne manque pas de bras pour mettre tout en activité ». Le réquisitoire de Chaumette fut adopté au milieu de vifs applaudissements (1). Au bout de la voie qu'il avait tracée, il y avait le collectivisme, la République faisant valoir elle-même toute la production agricole et industrielle. Il était peu probable que la Convention, qui n'avait voté le maximum qu'à regret, consentît, pour en assurer l'application, à faire une révolution sociale.

En attendant, la Commune fut réduite à des moyens de police pour procurer, tant bien que mal, l'exécution de la taxe et pour parer, chose plus grave, à la disette qui en avait été la conséquence immédiate.

Chaumette fit décider, le 17 octobre, que les membres des comités révolutionnaires « se transporteraient chez les différents marchands de leur arrondissement... et leur feraient faire une déclaration signée des marchandises qui leur restent, des demandes qu'ils ont faites au-dehors et des espérances qu'ils conçoivent des arrivages ». Les marchands qui quitteraient leur commerce ou le laisseraient languir par malveillance seraient réputés suspects et traités comme tels (2).

Un peu plus tard, les comités révolutionnaires contrôlèrent entièrement le commerce du sucre. Les épiciers de leur circonscription ne s'approvisionnaient plus que chez le marchand en gros qu'ils leur désignaient et pour lequel ils leur remettaient des bons. L'épicier, une fois approvisionné, ne pouvait plus vendre son sucre qu'à des clients inscrits sur les

(1) Il trouva de l'écho même en province. Ainsi les Jacobins de Grenoble demandèrent que les chefs de fabrique ou d'atelier qui suspendraient les travaux de leurs manufactures en fussent privés à l'instant, que ces manufactures fussent nationalisées et que leurs anciens propriétaires fussent obligés de travailler comme ouvriers au profit de la nation (*Archives parlementaires*, séance du 15 brumaire, 5 novembre 1793).

(2) Cet arrêté pris par le corps municipal, le 16 du 1er mois, existe en affiche à la bibliothèque nationale. Lb40 1.

registres du comité et dans leur ordre d'inscription. Chacun de ces clients recevait un bon du comité. L'épicier ne pouvait se réapprovisionner à nouveau qu'en présentant au comité les bons de consommation de sa clientèle. Le prix était taxé à 36 sous la livre [1].

Le jour même où elle avait organisé le contrôle du sucre, la municipalité adressait aux Parisiens une belle proclamation pour les inviter à ne pas faire « d'une loi bienfaisante un germe de troubles et d'inquiétudes », en se portant en foule dans les boutiques et en achetant au-delà de leur consommation courante, ce qui était un véritable accaparement : « Usez de la loi, mais n'en abusez pas ; elle a voulu pourvoir à vos besoins et non à votre superflu ; ce que vous prendriez au-delà serait un tort que vous feriez à vos frères ; bornez donc votre provision à votre absolu nécessaire. » Je ne sais ce qu'il advint de cette homélie. A coup sûr, la Commune devait recourir à des moyens plus efficaces pour empêcher la mise à sac des boutiques. Dès le 13 octobre, Hanriot ordonnait à la garde nationale de disperser les attroupements à la porte des marchands de toute espèce, et de ne laisser sortir de Paris ni pain, ni bois, ni charbon, ni chandelle. L'ordre fut répété à plusieurs reprises.

Le 17 octobre, le Comité de Salut public arrêtait, par la main de Saint-Just, que le maire de Paris lui remettrait chaque jour l'état des arrivages de toutes les denrées sur les ports de Paris et chez les marchands merciers, et que le maire ferait procéder en outre au recensement des magasins en gros [2].

LES FRAUDES.

Le jour même où la municipalité de Paris s'adressait au bon sens de ses administrés et menaçait les marchands de la loi des suspects, une nouvelle conséquence fâcheuse de

[1] La Commune avait décidé que les marchands en gros ne délivreraient plus de sucre aux détaillants que sur le bon des comités révolutionnaires et à raison de cent livres au maximum. (Voir la délibération du comité révolutionnaire de la section de l'Observatoire en date du 28 nivôse. Archives nationales. F^7 2514.)

[2] Archives nationales, AF^{II} 68.

la loi se manifestait. Une députation de la section de Marat vint se plaindre à la Commune que les marchands de vin et d'eau-de-vie falsifiaient leurs boissons. Elle demanda que les comités révolutionnaires fussent autorisés « à défoncer dans la rue les tonneaux qui contiendraient de ces marchandises mixtionnées ». Pour se rattraper de la perte que leur infligeait la taxe, les marchands recouraient à la fraude. La Commune consacra de nombreuses séances à l'étude des moyens répressifs. Le 4 frimaire, elle entendit à ce sujet les commissaires des 48 sections. Elle avait déjà institué 4 commissaires dégustateurs qui examinaient les vins et les eaux-de-vie et dressaient procès-verbal des falsifications. On proposa de nommer un commissaire dégustateur dans chaque section et d'envoyer les délinquants au tribunal correctionnel. Finalement, on se borna à ratifier les pouvoirs des 4 commissaires dégustateurs déjà nommés. Leurs procès-verbaux seraient transmis à l'administration de police qui leur donnerait suite. Chaumette adressa aux commissaires de police une vive mercuriale. Il leur reprocha notamment de ne pas tenir la main à l'application de la taxe. Certaines sections allaient de l'avant. La section de Beaurepaire mettait les scellés sur toutes les caves des marchands de vin de son ressort et procédait minutieusement à la vérification de leur contenu. Les comités révolutionnaires entendaient les dénonciations des consommateurs et citaient devant eux les marchands fraudeurs. Ainsi le comité de la section de l'Observatoire, dans sa séance du 28e jour du 1er mois, réprimandait le marchand de vin Leclère et l'obligeait à restituer la somme qu'il avait reçue d'une citoyenne à laquelle il avait vendu du vin frelaté.

Ce n'est pas seulement les boissons qui furent fraudées, mais toutes les marchandises. Ainsi Lecointe-Puyraveau dénonçait, à la séance du 7 brumaire (28 octobre), la falsification de la flanelle. La flanelle véritable était taxée 8 livres 10 sous. Les marchands se procuraient une imitation qu'ils achetaient 4 livres 10 sous et qu'ils revendaient au maximum comme de la flanelle authentique.

LA DISETTE ACCRUE.

On comprend que la déception populaire fut d'autant plus profonde que la loi s'était présentée sous des dehors plus séduisants. A la fin d'octobre, l'agitation devint fort vive dans la capitale. Ce n'était pas seulement l'épicerie qui manquait, les boissons et les denrées qu'on fraudait, mais le pain recommençait à manquer comme à la fin de juillet. Les attroupements aux portes des boulangers, qui n'avaient jamais complètement cessé, se font plus nombreux et plus tumultueux. Le 4 brumaire, 25 octobre, l'administrateur des subsistances de la ville, Champeaux, écrit à son agent Descombes, qui presse les arrivages à Corbeil : « Il n'existe pas en ce moment 100 sacs de farine dans les magasins municipaux, quand il en faut 2 000 par jour. » On ne cesse de trembler à la municipalité : « Paris un seul jour sans subsistances, c'est l'anéantissement de la République par les secousses et le bouleversement général communiqué à toute la France [1]. » Comme à la veille de la Fédération du 10 août précédent, des meneurs obscurs cherchent à soulever les sections contre la municipalité. Le 5 brumaire, 26 octobre, l'assemblée générale de la section du Panthéon français décide d'agir auprès des autres sections pour former une commission centrale de 96 membres pris dans les 48 sections, « à l'effet d'aviser à tous les moyens possibles d'approvisionner toutes les sections de cette ville de toutes les denrées et marchandises indispensables à la vie ». Le même jour, l'hébertiste Vincent réclamait au club des Cordeliers les mesures les plus sévères pour assurer l'exécution de la loi du maximum [2]. Dès le lendemain, 6 brumaire, les délégués des 48 sections se présentent au corps municipal « et demandent fraternellement qu'il soit pris de nouvelles mesures pour calmer les inquiétudes qui s'accroissent avec la difficulté d'avoir du pain ». Pache essaie de prêcher le calme. Il insinue que les meneurs des sections poursuivent une intrigue contre-révolutionnaire dans le but de sauver les

(1) La correspondance de Descombes avec Champeaux est analysée dans Tuetey, *Répertoire*, t. X, nº 2593 et sq.

(2) *Antibrissotin* du 6 brumaire.

Girondins, dont le procès s'achève. Il invite les délégués des sections à maintenir l'ordre. Réal, qui arrive de Rouen, annonce que la Normandie envoie de grandes quantités de farines à Paris. Les commissaires des sections se retirent satisfaits. Cependant, les jours suivants, ils continuent à se réunir et à se former en Comité central révolutionnaire. Un délégué de ce comité central se présente même, le 11 brumaire, au Comité de Sûreté générale, pour lui annoncer que, le lendemain, on procédera à des visites domiciliaires dans toute l'étendue de la capitale pour découvrir les denrées cachées. Le Comité de Sûreté générale s'émeut. Il en réfère au Comité de Salut public, et les deux comités réunis, considérant que ces visites domiciliaires « peuvent avoir des suites funestes à la tranquillité publique et favoriser les vues des ennemis de la liberté », décident que ces visites n'auront point lieu et ordonnent aux autorités et à la force armée de les empêcher (1). Le même jour, le Conseil exécutif provisoire, délibérant sur l'arrêté de la section du Panthéon, rappelle que la loi du 25 août interdisait toutes commissions particulières relatives aux subsistances de la ville de Paris et prononçait leur dissolution.

Il ne semble pas que les sections aient essayé de passer outre aux défenses qui leur furent faites. Mais l'alarme avait été chaude.

Au moment où l'agitation battait son plein, le 6 brumaire, 27 octobre, les Jacobins s'étaient occupés, eux aussi, du problème des subsistances. L'un d'eux, Guirault, recommanda, pour faire cesser les attroupements aux portes des boulangers, l'institution d'une carte de pain municipale. Jusque-là, la carte de pain, essayée au début du mois d'août par la section du Gros-Caillou, n'avait été appliquée que dans quelques sections. Avec la carte, dit Guirault, « on ne pourra plus aller chez un autre boulanger, ni en demander (du pain) deux fois ; il n'y aura plus à craindre d'attroupements, parce que chacun sera assuré d'avoir son pain. Les malveillants ne pourront plus opprimer les mères de famille, les étrangers emporter le pain hors de Paris ; plus de baïonnettes aux portes des boulangers, ni de garde aux barrières, parce que

(1) L'arrêté est de la main de Robespierre.

cela deviendra inutile ». Le club ne prit pas de décision, mais les conseils de Guirault furent suivis. Deux jours plus tard, le 8 brumaire, la Commune décida d'instituer une carte de pain municipale. Les cartes, attendues avec impatience, furent distribuées aux sections le 23 frimaire.

Ainsi, dans la ville même où le maximum général avait été réclamé avec le plus d'insistance, dans la ville où la Sans-Culotterie était la mieux organisée et la plus puissante, la loi n'avait pu recevoir un commencement d'application qu'au prix d'une surveillance policière de tous les instants et d'une réglementation tracassière. La Commune avait dû contrôler le commerce du sucre comme la fabrication et la distribution du pain. Bons de sucre et cartes de pain établissaient un rationnement obligatoire. Des commissaires dégustateurs, institués en marge de la loi, réprimaient les fraudes des boissons. Les comités révolutionnaires appliquaient aux commerçants la loi des suspects. Mais, si la répartition des denrées existant en magasin s'opérait tant bien que mal, le réapprovisionnement devenait de plus en plus difficile, sinon impossible. Les pays de production ne communiquaient plus avec les pays de consommation. Le commerce était paralysé.

La raison du phénomène avait été donnée à la Convention par le député Sergent, à la séance du 7 brumaire. Le beurre avait été taxé à Paris à 20 sous la livre, c'est-à-dire exactement au même prix que dans les pays de production, par exemple à Corbeil, à six lieues de Paris. Les marchands n'avaient donc aucun intérêt à transporter le beurre de Corbeil dans la capitale. C'étaient les administrations de district qui étaient chargées de dresser les tableaux de maximum. Elles taxaient cher les denrées et marchandises que leur arrondissement produisait, et bon marché celles dont elles avaient besoin [1]. Résultat : rien ne circulait plus. Pour préciser la situation, jetons un coup d'œil sur les départements.

[1] Les Jacobins de Blois informent la Convention (séance du 20 octobre) que le district d'Orléans a fixé si haut le prix des dentrées que si son maximum n'est pas diminué, tous les objets qui servent à la nourriture et au vêtement dans les départements voisins s'écouleront dans celui du Loiret.

LA LOI DANS LES DÉPARTEMENTS.

Dans la Haute-Saône, la promulgation de la taxe eut pour effet immédiat d'aggraver la crise des subsistances. Les administrateurs du département durent faire afficher, le 19 octobre, une proclamation attristée et menaçante : « De toutes parts on resserre les subsistances, de toutes parts les cultivateurs refusent de battre et de conduire leurs grains aux marchés... et cela au sein de l'abondance. Les riches habitants des campagnes, tenant plus à leur intérêt qu'au bonheur d'alimenter leurs frères, ont refusé d'obéir aux réquisitions, et le département a été obligé de sévir contre eux. Ils sont en état d'arrestation. Mais cette peine est trop légère pour les monstres qui conspirent la perte de la République en provoquant la famine ; il faut des mesures plus efficaces, il faut une armée révolutionnaire. »

Le département se tournait alors vers les cultivateurs, faisait une dernière fois appel à leur raison, à leur patriotisme, et leur disait : « Si vous forcez l'administration à des mesures sévères, elle vous déclare que, pour l'exécution de la Loi, elle emploiera les moyens les plus terribles ; vous n'en serez pas quittes pour la confiscation des grains ni pour l'emprisonnement... »

Le département se tournait enfin vers les ouvriers et les chapitrait à leur tour : « Et vous, citoyens, artisans et manouvriers, qui ne vivez que du travail de vos mains, vous devez aider les habitants des campagnes à battre leurs grains ; vous savez que les bras sont rares, que l'agriculture est languissante, que les cultivateurs, occupés à fournir leur contingent en grains pour les armées, ne peuvent, aussi promptement qu'ils le désireraient, approvisionner les marchés ; allez donc dans les campagnes vous offrir pour battre les grains et cultiver les terres ; soyez raisonnables, n'exigez pas l'impossible, travaillez au prix de la taxe, et comptez que ceux d'entre vous qui refuseront de travailler seront punis aussi sévèrement que celui qui refusera de vendre son grain (1). »

Deux jours plus tard, le 30 du premier mois, 21 octobre,

(1) Archives du Doubs, L 624.

un arrêté du même département sanctionnait ces conseils et ces menaces. Le procureur général syndic faisait observer que les boulangers refusaient de cuire, que les aubergistes ne voulaient plus nourrir les étrangers, sous prétexte qu'ils manquaient de pain. Il dénonçait « l'égoïsme des propriétaires qui ne voulaient ni battre, ni faire battre, ni vendre leurs denrées », « l'entêtement des ouvriers, qui préféraient de rester dans l'oisiveté plutôt que de travailler au battage du grain au prix de la taxe », la cupidité des boulangers et aubergistes qui, jusqu'à la publication du maximum, ne se plaignaient pas de manquer de pain « et ne refusaient pas d'alimenter pour un prix scandaleux les citoyens et les voyageurs ». Il réclama « les mesures les plus sévères et les plus révolutionnaires contre les nouveaux ennemis du peuple » et, sur son réquisitoire, les administrateurs du département prirent l'arrêté suivant :

« 1° Dès ce moment, tous les cultivateurs sont en réquisition pour battre ou faire battre les grains de la dernière récolte ; ceux qui refuseront sont, dès ce moment, déclarés suspects et ennemis du bien public, leur procès leur sera fait en conséquence.

« 2° Tous les manouvriers et artisans, à l'exception de ceux occupés à la fabrication des armes, sont aussi, dès ce moment, en réquisition, pour battre les grains ; les municipalités demeureront expressément chargées, sous leur responsabilité, de faire travailler les ouvriers et, en cas de refus, de les punir conformément à l'article 9 du décret du 29 septembre dernier...

« 3° Tous les boulangers du département sont également en réquisition. Ils sont tenus de cuire, vendre du pain comme du passé, à peine d'être réputés étrangers à la République et, comme tels, destitués de leurs droits de citoyen pendant cinq années et punis d'un an de gêne, en conformité à l'article 10 du décret du 9 août dernier, et, pour qu'ils ne puissent pas objecter la difficulté d'acheter du grain sur les marchés publics, les directoires des districts, sur les attestations des municipalités où résident les boulangers, constatant la quantité de grains qui leur est nécessaire, leur délivreront des réquisitions pour leur en procurer au prix de la taxe, à charge par les municipalités de nommer deux commissaires pour surveiller les opérations des boulangers et prévenir les abus, en leur enjoignant de ne faire à l'avenir qu'une sorte de pain appelé pain bis.

« 4° Tous les aubergistes et autres débitants de comestibles sont aussi en réquisition ; il leur est enjoint de continuer leur commerce comme du passé ; ceux qui refuseraient de le faire sont déclarés suspects à la municipalité et les comités de surveillance demeureront expressément chargés de les faire mettre en arrestation sur-le-champ, à peine de responsabilités...

. . . .

« 6° Outre les mesures ci-dessus adoptées, le département va provoquer l'organisation d'une force révolutionnaire pour faire justice de tous les égoïstes qui, par leur cupidité et leur insouciance, auraient pu occasionner un instant la disette [1]. »

L'arrêté fut approuvé à Montbéliard, le 8 brumaire, par le représentant Bernard (de Saintes) alors en mission dans le Doubs et la Haute-Saône.

Il faudrait se livrer à des recherches d'archives pour déterminer quelle fut l'efficacité de pareilles mesures et jusqu'à quel point elles purent être appliquées. Mais le fait seul qu'elles durent être prises montre à quelle résistance générale se heurtait dans ce département agricole, pourtant docile, la mise en vigueur du maximum.

Dans le département voisin de la Haute-Marne, la résistance ne fut pas moindre. Par un arrêté en date du 2 frimaire, 22 novembre 1793, le district de Chaumont constate que les marchands, fabricants et débitants éludent la loi en exigeant à titre d'épingles des sommes excédant le maximum, que certains vendent au maximum des denrées de mauvaise qualité, que d'autres laissent leurs magasins dégarnis, etc. En conséquence, le district ordonne aux officiers municipaux et aux membres des comités révolutionnaires de faire des visites domiciliaires chez tous les marchands et

[1] Archives du Doubs, L 624, imprimé de 4 pages.

fabricants et même chez les particuliers dénoncés comme recéleurs. Il ordonne encore de traduire au tribunal révolutionnaire en vertu de la loi sur l'accaparement tous ceux qui feraient de fausses déclarations. Quant aux fraudeurs, à ceux qui quitteraient leur commerce, à ceux qui vendraient au-dessus de la taxe, à ceux qui n'afficheraient pas le tableau du maximum, ils seraient inscrits sur la liste des suspects et traités comme tels. La loi ne peut donc être exécutée qu'au moyen de la police et des tribunaux. Les documents publiés par M. Ch. Lorain montrent que le marché de Chaumont n'est approvisionné en blé que par des réquisitions et celles-ci ne sont exécutées que par le déploiement de la force armée. Gendarmes et vétérans nationaux sont envoyés en garnison dans les villages récalcitrants.

A Besançon, la promulgation du maximum eut les mêmes effets qu'à Paris et sans doute que dans toutes les autres villes. « La loi était à peine promulguée, dit la *Vedette* du 4e jour du 2e mois (25 octobre), en s'adressant aux campagnards, qu'on vous a vus fermer vos greniers, déserter nos marchés et vous précipiter cependant dans nos villes, chez nos marchands, épiciers, pour enlever les huiles, les savons et même jusqu'au sucre ; nous vous avons remarqués dans les boutiques de nos drapiers, où vous avez pris les peluches et les gros draps au prix fixé par la taxe ; nous vous avons vus successivement chez les cordonniers et dans nos auberges payer vos souliers, le vin et les vivres que vous aviez consommés au prix rigoureux fixé par la loi. Voilà, citoyens, ce que vous avez fait et ce que vous faites journellement chez nous, et vous nous refusez le bled sans lequel nous ne pouvons faire le pain que vous venez de manger ; vous nous refusez les œufs et le beurre dont nous ne pouvons nous passer ; vous nous laissez dans le besoin des objets de première nécessité, tandis que vous nagez dans l'abondance ou la médiocrité. Où est donc cet esprit de justice qui doit animer des républicains tels que vous vous flattez de l'être ? » Le club de Besançon invita les autorités à prendre un arrêté aux termes duquel les marchands de la ville ne délivreraient rien aux campagnards qui n'auraient pas justifié au préalable qu'ils avaient apporté du blé, des œufs, du beurre, de la crème ou du lait.

Dès le 17 du premier mois, le représentant Bassal, en mission dans le département, avait annoncé au club qu'il allait organiser une armée révolutionnaire pour arrêter les projets des conspirateurs, couper racine à l'agiotage et aux accaparements. Le conseil général du département nomma, le 11 brumaire, deux commissaires par district pour procéder au battage des grains par voie de réquisition. Les commissaires eurent le droit de procéder à des arrestations et de se faire accompagner de la force armée.

Ces mesures assez anodines n'avaient en vue que l'approvisionnement en céréales. Il ne semble pas qu'on ait pris des mesures spéciales pour l'application du maximum. Aussi, le 29 brumaire, la *Vedette* se lamentait-elle sur la violation de la loi : « Le vendeur convient du prix fixé par la loi, mais il se fait payer des épingles qui équivalent au prix le plus élevé qui se soit payé avant la loi du maximum ; d'où il résulte que, sous peu de temps, le pauvre ne pourra plus se procurer le nécessaire. »

De la frontière de l'Est, passons à la frontière des Alpes.

Dès le 12 octobre, le département de l'Isère, « pour prévenir les fraudes suggérées par l'avidité mercantile », assujettit tous les marchands à fournir, dans le délai de six jours, l'état de toutes les marchandises par qualité, quantité, poids et mesures, et à tenir, jour par jour, un registre exact de leurs ventes. Les municipalités devaient procéder, tous les huit jours, à des visites domiciliaires chez tous les marchands et « dans tous les lieux où il pourrait avoir été déposé des marchandises ». Aucun négociant ne pourrait transporter des marchandises hors de sa commune sans en faire déclaration à la municipalité, qui lui en délivrerait certificat sous caution. L'arrêté du département de l'Isère fut approuvé par le représentant Simond, alors en mission à Chambéry, et adopté par le département de la Savoie. Il fut complété, un peu plus tard, le 6 brumaire, à la demande de la ville de Chambéry, par un règlement qui défendait de s'approvisionner au-delà de ses besoins, sous peine de 8 jours de prison. Il était de même interdit d'acheter à la fois plus d'un habit complet. Les commerçants devaient inscrire sur leurs livres les noms, prénoms et domiciles de tous les citoyens qui leur achetaient quelque chose.

Il va de soi que l'exécution de pareilles prescriptions ne dut pas être chose aisée.

La correspondance des représentants en mission confirme l'impression qui résulte de l'examen des autres sources. La loi ne peut être appliquée généralement que par des moyens de force et de police. Maure dans l'Yonne, Guimberteau dans l'Indre-et-Loire organisent aussitôt, comme Bassal dans le Doubs, une armée révolutionnaire. Dans l'Yonne, le procureur général syndic Delaporte dépeignait en ces termes la situation, dans un discours prononcé le 2 brumaire, 23 octobre : « Citoyens, à peine ces lois justes et bienfaisantes (des 11 et 29 septembre) ont-elles été promulguées que les hurlements de l'avarice et de la soif des richesses se sont fait entendre jusque dans cette enceinte. Les uns ont crié à l'injustice, comme si les marchands, après avoir été l'éponge des ressources des peuples depuis quatre ans, après leur avoir extorqué jusqu'à leur dernier billet de dix sous, étaient spoliés dans le tiers qui leur est accordé en sus du prix de 1790. Les autres ont caché leurs approvisionnements, ont fermé leurs boutiques, ont refusé de vendre, comme si la volonté qui a fait la loi n'avait pas la force de la faire exécuter. Des municipalités, établissant le plus absurde des fédéralismes, se sont opposées à la sortie des grains, les ont en quelque sorte consignés chez le propriétaire, qui n'était déjà pas absolument tenté de les mettre en évidence, etc. » Le procureur général syndic concluait que la raison étant impuissante à convaincre une classe aveuglée par l'égoïsme, il fallait employer la force : « La France est en révolution, agissons révolutionnairement. » Le département prit un arrêté qui assimila les délinquants aux suspects. Mais paysans et marchands ne se laissèrent pas intimider. M. Charles Porée note que, dans beaucoup de communes, il y eut des troubles et des petites émeutes. Le représentant Maure, par une virulente proclamation du 27 novembre (7 frimaire), dénonça les méfaits de la nouvelle aristocratie ; il flétrit « l'odieux fédéralisme municipal ». « Fruit de la malveillance et de la peur, semblable à ce reptile venimeux dont la piqûre coagule le sang, il paralyse le corps politique de l'État et présente le tableau d'une famine effrayante. »

Paganel, commissaire à Toulouse, avait applaudi au vote

de la loi, mais, dès le 5 brumaire, 24 octobre, il déchantait en ces termes : « Tel est l'effet de la cupidité que la ville de Toulouse semble cernée par une armée ennemie ; les subsistances cessent d'y parvenir, les habitants des campagnes ne s'y rendent que pour vider les boutiques. Partout on resserre les subsistances ; c'est une sorte de moyen de contre-révolution qui, s'il n'était pas détruit de bonne heure, aurait des suites funestes. Je viens, de concert avec le comité de surveillance, le procureur général syndic et autres membres du département, d'arrêter l'organisation d'une armée révolutionnaire de 100 hommes d'infanterie, 100 de cavalerie et une compagnie de canoniers. » Toujours le même refrain, la loi n'est applicable que par la force.

A Bordeaux, Ysabeau et Tallien écrivent au Comité de Salut public, le 29 octobre, que « l'égoïsme, l'esprit mercantile, la malveillance et le négociantisme s'agitent dans tous les sens pour détruire les heureux effets que doivent nécessairement produire les bienfaisantes lois relatives au maximum ; qu'on resserre les marchandises, qu'on enfouit les denrées ». Ils se proposent de faire marcher l'armée révolutionnaire « pour arracher aux accapareurs les subsistances et les besoins du peuple qu'ils vexent depuis longtemps et qui veut enfin qu'on lui fasse justice ». Il faut croire que l'emploi de la force ne donna pas grands résultats, car les mêmes représentants, trois semaines plus tard, le 26 brumaire, 16 novembre, mandaient de nouveau au Comité de Salut Public qu'ils avaient « chaque jour l'âme déchirée par le spectacle d'une disette telle qu'un grand nombre de familles passent plusieurs jours sans pain, avec des patates, quelques pois et châtaignes, ressources précaires qui seront bientôt épuisées... »

Les représentants, dont nous venons d'analyser la correspondance, voulaient sincèrement appliquer la loi. Il y en avait d'autres qui la subissaient et qui ne manquaient pas une occasion d'en montrer les inconvénients et d'en atténuer l'application par des interprétations favorables aux commerçants. De ce nombre étaient les trois commissaires envoyés à Rouen : Legendre de Paris, Louchet et Delacroix. Dès le 3 octobre, ils représentent au Comité de Salut public que les navires neutres n'apporteront plus rien en France, s'ils sont obligés de vendre leurs marchandises au maximum. Les

Américains, disent-ils, murmurent et protestent. Ils conduiront leurs grains dans les ports ennemis, au lieu de les débarquer en France. « Ne serait-il pas politique de décréter que les grains qui nous seront apportés de l'étranger ne seraient point assujettis au prix du maximum et qu'ils ne pourraient être achetés que par le gouvernement ? » L'observation était si juste que le Comité du Salut public y fit droit. Il décida, le 17 brumaire, 7 novembre, que les navires neutres qui apporteraient dans nos ports des marchandises de première nécessité pourraient les vendre de gré à gré à des agents du gouvernement, qui seraient spécialement désignés à cet effet, et qu'ils pourraient de même acheter, pour leur cargaison de retour, des marchandises françaises dont ils auraient le droit de débattre le prix.

Les mêmes représentants, Delacroix, Legendre et Louchet, décidèrent, le 5 octobre, par un arrêté interprétatif de la loi, que les vins en bouteilles, n'étant pas destinés à la consommation de la classe indigente, échapperaient au maximum, de même que les liqueurs en bouteilles, les étoffes de soie, les linons et batistes, les souliers de soie brodés à l'usage des femmes.

Il semble que les trois représentants se préoccupaient avant tout de procurer des grains aux villes et qu'ils laissèrent volontiers sommeiller la loi du 29 septembre. Même ainsi limitée, leur tâche n'était pas facile. Ils racontent, dans leur lettre du 1er novembre (11 du 2e mois), que la commune de Belleville-en-Caux ayant refusé d'approvisionner la halle de Caudebec, la municipalité de ce dernier bourg y envoya des commissaires qui coururent les plus grands dangers. Le district ordonna l'arrestation du maire de Belleville, mais la force armée fut enveloppée par un rassemblement qui fit prisonnier l'officier de gendarmerie qui la commandait. Il fallut que les habitants de Bolbec vinssent au secours de ceux de Caudebec. A la même date, Rouen souffrait de la disette. On distribuait aux habitants une demi-livre de pain au plus, Delacroix expliquait que s'il n'employait pas la manière forte, c'est qu'il craignait d'allumer la guerre civile entre les villes et les campagnes. Sa mollesse et celle de ses collègues lui valut les attaques de Coupé de l'Oise, l'auteur de la loi du maximum. Coupé leur reprocha, le 9 brumaire, aux Jacobins, de favoriser hypocritement l'aristocratie marchande. Il remarquait que des blés embarqués sur l'Oise, à destination de Rouen, n'arrivaient jamais dans cette ville. Où passaient-ils ? Quelques jours plus tard, le 26 brumaire, un délégué du club d'Yvetot, Lenud, dénonça de nouveau Legendre et Delacroix aux Jacobins pour leur négligence systématique à appliquer la loi. Hébert et Coupé appuyèrent Lenud, et le club demanda leur rappel au Comité de Salut public, qui fit droit à la demande. Coupé fut envoyé à leur place dans la Seine-Inférieure.

Legendre, Delacroix et Louchet eurent des imitateurs plus ou moins timides. D'Arras, le 20 brumaire, 10 novembre, le représentant Laurent écrivait avec une sorte de satisfaction que les réclamations affluaient contre la taxe. D'Angoulême, Harmand de la Meuse signalait, le 19 brumaire, que depuis deux jours plus de 400 personnes n'avaient pas de pain, et, un peu plus tard, le 3 frimaire, il montrait que la taxe avait augmenté en Saintonge le prix de beaucoup de denrées. « Avant la loi du maximum, le foin ne s'était jamais vendu au-dessus de 25 à 30 livres le millier, et la loi l'a fixé à 60 livres ; l'avoine n'avait jamais excédé 5 à 6 livres le quintal ; si la taxe des vins n'eût pas été faite, le prix n'eût pas excédé 30 à 36 livres le tonneau du pays et la taxe l'avait porté à 50 et 52 livres. Les eaux-de-vie suivraient la même proportion. »

Harmand de la Meuse racontait ensuite que, sur les réclamations des sociétés populaires, il avait abaissé la taxe en fixant le prix du vin rouge à 40 livres le tonneau, celui de l'avoine à 10 livres le quintal, celui de la paille à 20 livres le millier. C'est le seul exemple que j'aie trouvé d'un renchérissement provoqué par la loi.

Il y eut des représentants qui délibérément refusèrent d'appliquer le maximum et sous leur responsabilité. Ainsi Robespierre jeune écrivait de Nice au Comité de Salut public, le 2 brumaire, 23 octobre : « Nous avons été obligés d'autoriser les régisseurs des vivres de cette armée à l'approvisionner au-dessus du prix du maximum ; nous vous avons instruit de l'urgence de cette mesure et de sa nécessité, augmentée depuis les événements de Gênes. » L'armée d'Italie tirait auparavant de Gênes une partie de ses approvisionnements, mais les Anglais étaient entrés dans le port de Gênes et y avaient coulé une frégate française. Les Génois n'osaient plus nous approvisionner. Le Comité de Salut public approuva, au moins tacitement, la conduite des représentants à l'armée d'Italie.

LES CRITIQUES D'ALBITTE.

La critique la plus complète et la plus saisissante de la loi du maximum fut faite au moment même par le représentant Albitte, qui fut envoyé à Lyon à la fin d'octobre. A peine arrivé, il fit part au Comité de Salut public de ses observations dans une longue lettre du 5e jour du 2e mois (26 octobre) : « Il m'a paru constant, par les renseignements que j'ai pris, et par l'expérience la plus chagrinante, qu'une disette factice désolait toute la portion de la République qui s'étend depuis Paris jusqu'à Ville-Affranchie. Partout j'ai vu le peuple occupé à chercher du pain, en manquant dans divers endroits et mangeant le peu qu'il peut obtenir très mauvais ; il m'est arrivé trois fois à moi-même de n'en point trouver dans les auberges, ni chez les maîtres de poste. Le maximum sur les grains, l'avidité du laboureur, la malveillance des aristocrates et des égoïstes, et les immenses approvisionnements pour les armées en sont la cause... J'ai vu encore, collègues, avec bien du chagrin, l'effet que produit la loi générale du maximum sur tous les objets nécessaires à la vie dans tous les lieux où j'ai passé. Cette loi, bien conçue, bien rédigée, bien travaillée dans les détails, aurait pu faire un bon effet ; mais, telle qu'elle existe, elle doit nécessairement entraîner des suites funestes. D'abord elle s'étend sur trop d'objets ; secondement, elle n'admet aucune distinction dans ceux de même espèce, mais de valeur différente ; troisièmement elle ruine le petit marchand, favorise l'avidité de l'égoïste riche qui s'approvisionne de tout, tandis que le pauvre, n'ayant aucune avance, n'y gagne rien que quelques friandises qui flattent pour l'instant son goût. Elle est conçue de manière que le détaillant, ne pouvant trouver un gain honnête, cesse tout approvisionnement et abandonne son état. Presque partout, j'ai trouvé disette des objets les plus nécessaires à la vie, les marchés déserts et vides et beaucoup de boutiques fermées. Vous trouveriez à peine à dîner très sobrement dans les auberges, et il est presque aussi difficile de trouver un œuf qu'un bœuf. Un des maux qu'entraîne cette loi, qui pourrait être bonne, est aussi la manière de l'exécuter et de l'entendre. Le maximum est différent partout ; les objets premiers propres aux fabriques sont soumis à un maximum plus haut dans tel endroit que la matière ouvrée qui en provient ne l'est dans tel autre. Par exemple, à Elbeuf, la laine crue se vend tant la livre ; à Dijon, le drap d'Elbeuf se vend à un prix beaucoup inférieur. Autre exemple, la municipalité du Havre a taxé le sucre à 36 sols, à Chalon-sur-Saône on le fait payer 30 ; à Tournus, municipalité du district de Chalon, les commissaires communaux l'ont fait taxer à 28 sols. Ici, on met le maximum sur les pommes ou les poires ; là jusque sur les noisettes. Ici, le laboureur est forcé de vendre son blé au maximum ; le vigneron, son vin, là, le marchand de bas ou d'habits, les chaussures et les étoffes. Qu'arrive-t-il ? Le laboureur requis apporte son grain, il veut un habit, il ne trouve plus de drap et la boutique est fermée. Le vigneron vend en frémissant son vin à 12 sols, après trois mauvaises années, et on lui refuse des bas. Une indignation sourde se prépare, la haine et la misère s'établissent au milieu des citoyens, et les aristocrates s'habillent, achètent les sucres, les toiles, les étoffes, etc., et se réjouissent ; tous adorent la Convention dans le maximum. Ainsi, collègues, le bien mal préparé fait le mal. »

Cette critique d'Albitte, qui portait juste, est d'autant plus remarquable qu'elle émane d'un député montagnard, qui n'était pas en principe hostile à la taxe, mais qui croyait possible d'améliorer la loi.

LES RAISONS GOUVERNEMENTALES.

Que ferait la Convention en présence de cette situation ? Que ferait le Comité de Salut public ? S'ils avaient été libres d'agir à leur guise, je pense qu'ils auraient rapporté la loi désastreuse, la loi qui leur avait été imposée. Mais les circonstances, qui les avaient obligés à l'accepter, subsistaient toujours. Sans doute les Enragés, dispersés et persécutés, n'existaient plus comme parti. Leurs chefs étaient arrêtés, leurs organisations brisées. Mais le programme des Enragés avait été repris par les Hébertistes et, depuis la journée du 4 septembre, les Hébertistes étaient les maîtres de la capitale. Ils régnaient à la Commune et dans les sections. Ils étaient maîtres, avec Bouchotte et Vincent, des bureaux de la guerre. Ils avaient un parti dans la Montagne. Ils avaient fait entrer Billaud-Varenne et Collot d'Herbois au Comité de Salut public. Or, la Convention et ses dirigeants ne croyaient pas pouvoir, à cette date, engager le combat contre l'Hébertisme. Les révoltes intérieures n'étaient pas encore apaisées. Toulon révolté tenait toujours. Les lignes de Wissembourg venaient d'être forcées. L'union de toutes les forces de gauche s'imposait. Puisqu'on ne pouvait pas rompre avec l'Hébertisme, il fallait s'accommoder du maximum et tâcher de l'améliorer, comme le conseillait Albitte. Le problème des subsistances n'était pas, aux yeux des gouvernants, qu'un problème économique. Il avait un aspect politique qu'ils ne pouvaient négliger.

CHAPITRE III

LA DICTATURE ÉCONOMIQUE DU COMITÉ DE SALUT PUBLIC

Il faut rendre justice aux hommes d'État qui eurent le périlleux honneur de gouverner la France pendant la crise tragique qu'elle traversait depuis le mois de juin 1793 ; crise nationale, l'invasion entamant toutes les frontières, la rebellion girondine doublant la révolte royaliste et couvrant la moitié des départements ; crise économique, conséquence de la guerre et de la chute de l'assignat qui perdait plus de 50 %, les ouvriers luttant pour la hausse des salaires contre l'augmentation inouïe du prix de la vie, les gens des villes sans cesse menacés de la famine, les paysans accablés de réquisitions militaires et civiles cachant leurs subsistances dans leur affolement, etc. Quand les membres du Comité de Salut public durent subir la Terreur, c'est-à-dire l'état de siège généralisé, la procédure sommaire des tribunaux révolutionnaires, et le maximum, c'est-à-dire la taxe de toutes les denrées de première nécessité, ils ne se firent pas une minute illusion sur les difficultés nouvelles que leur courage et leur intelligence auraient à surmonter. Dès le premier jour, avant même que la loi du 29 septembre 1793 sur le maximum général eût commencé de produire ses effets, ils comprirent qu'ils ne pourraient la mettre en application qu'au prix de changements profonds dans les institutions comme dans le personnel administratif.

Les Hébertistes, qui avaient fait la loi, avaient réclamé en même temps l'épuration énergique des administrations, et résolument ils s'étaient mis à la besogne là où ils étaient les maîtres. La Commune de Paris s'était épurée elle-même au lendemain de la grande manifestation du 5 septembre, qui avait imposé la Terreur à la Convention. L'épuration gagna de proche en proche. Elle était la condition obligée de la politique de classe qui commençait. Mais comment épurer, si on conservait la décentralisation ancienne ? si les autorités restaient indépendantes les unes des autres ? si elles continuaient à ne devoir leur existence qu'aux hasards de l'élection populaire ?

LE PROGRAMME DE SAINT-JUST.

La Terreur et le maximum exigeaient la dictature d'un centre. Le Comité de Salut public se rendit compte de cette nécessité et, trois jours avant que la taxe ne fût affichée dans Paris, le 10 octobre, son orateur le plus philosophe, Saint-Just, exposa à la tribune de la Convention tout un nouveau plan de gouvernement, l'esquisse d'une constitution provisoire qui permettrait de surmonter les obstacles immenses opposés à l'exécution des lois révolutionnaires. « Les lois sont révolutionnaires, déclarait Saint-Just. Ceux qui les exécutent ne le sont pas. » C'était regarder le problème en face.

Du principe posé, Saint-Just tirait immédiatement cette déduction : « Il est temps désormais d'annoncer une vérité qui ne doit plus sortir de la tête de ceux qui gouvernent ; la République ne sera fondée que quand la volonté du souverain (c'est-à-dire du peuple, en qui réside la souveraineté) comprimera la minorité monarchique et régnera sur elle par droit de conquête. Vous n'avez plus rien à ménager contre les ennemis du nouvel ordre de choses et la liberté doit vaincre à tel prix que ce soit. » Il s'agissait donc de réduire à l'impuissance tous les adversaires avoués ou secrets des lois révolutionnaires. « Vous avez à punir non seulement les traîtres, mais les indifférents mêmes ; vous avez à punir quiconque est passif dans la République et ne fait rien pour elle ! » « Il faut gouverner par le fer ceux qui ne peuvent l'être par la justice ; il faut opprimer les tyrans ! »

Saint-Just justifiait cette politique terroriste en en rejetant la responsabilité sur la bureaucratie civile et militaire : « Vous avez eu de l'énergie, l'administration publique en a manqué. Vous avez désiré l'économie, la comptabilité n'a point secondé vos efforts. Tout le monde a pillé l'État. Les généraux ont fait la guerre à leur armée ; les possesseurs des productions et des denrées, tous les vices de la monarchie enfin, se sont ligués contre le peuple et vous. »

Après avoir développé longuement les critiques qu'il adressait aux ministres et à leurs agents, Saint-Just montrait que les taxes votées en faveur du peuple s'étaient retournées contre lui. Il dénonçait les nouveaux riches qui, avec l'argent volé dans les fournitures, accaparaient les denrées, achetaient les juges et les administrateurs : « Vous avez porté des lois contre les accapareurs : ceux qui devaient faire respecter les lois accaparent ; ainsi les consuls Papius et Poppæus, tous deux célibataires, firent des lois contre le célibat. » Quel remède à cela ? Saint-Just n'en voyait qu'un qui fût efficace, mais qui était impraticable pour le moment : retirer le plus d'assignats possibles de la circulation, puisque c'était la baisse de l'assignat qui avait causé la crise économique, puisque la baisse de l'assignat faisait perdre à l'État dans la rentrée des contributions comme dans la vente des biens nationaux des sommes immenses, etc. Il songeait à créer une sorte de chambre ardente, de tribunal extraordinaire, qui aurait obligé les nouveaux riches à partager leurs bénéfices avec la République [1]. Mais il se rendait compte que cela ne suffirait pas. Il conseillait l'économie, il voulait qu'on fît réparer les routes et les canaux, qu'on stimulât la production. Programme à longue échéance ! En attendant, il fallait vivre, Saint-Just n'avait visiblement qu'une confiance limitée dans la valeur du maximum. Il rappelait la malheureuse expérience de la loi du 4 mai 1793 sur le maximum des céréales, qui avait accru la misère loin d'y porter remède. Pour éviter

[1] Cette chambre ardente ne fut jamais constituée, mais un décret du 28 du premier mois, rendu sur la proposition de Portiez, de l'Oise, institua une commission chargée d'examiner les comptes des subsistances fournies par le gouvernement depuis 1789. Ce décret fut rapporté le 2 brumaire sur la proposition de Barère et la commission des subsistances, créée la veille, fut chargée de l'examen des comptes en question. Dès le 27 brumaire, cette commission fixait, dans un rapport au Comité de Salut public, à 98 500 000 livres la totalité des fonds avancés pour les subsistances en 1791, 1792 et 1793.

de retomber dans la même erreur, il ne voyait qu'un moyen : « Vous devez vous garantir de l'indépendance des administrations, diviser l'autorité, l'identifier au mouvement révolutionnaire et la multiplier. Vous devez resserrer tous les nœuds de la responsabilité, diriger le pouvoir souvent terrible pour les patriotes et souvent indulgent pour les traîtres. Il est impossible que les lois révolutionnaires soient exécutées, si le gouvernement lui-même n'est constitué révolutionnairement. » Il conclut en proposant de décréter que le gouvernement de la France était révolutionnaire jusqu'à la paix et qu'en conséquence les ministres, les généraux, les corps constitués fussent placés sous la surveillance du Comité de Salut public ; que le Comité de Salut public correspondît directement désormais avec les districts dans les mesures de salut public, au lieu de passer par l'intermédiaire des administrations départementales ; que le recensement général des grains fût dressé sans délai pour toute la France, de manière à permettre d'exécuter le droit de réquisition à coup sûr ; que Paris fût approvisionné pour un an au moyen d'une zone de réquisition à déterminer, etc. La proposition fut décrétée. La double esquisse de centralisation politique et de centralisation économique qu'elle renfermait ne tarda pas à être développée et précisée parallèlement.

LA CENTRALISATION POLITIQUE ET ADMINISTRATIVE.

Le 28 brumaire, 18 novembre 1793, Billaud-Varenne reprit les critiques de Saint-Just contre l'inertie et la mauvaise volonté des autorités chargées d'appliquer les lois : « Vous serez effrayés, dit-il, en apprenant qu'il n'y a que les décrets ou favorables à l'ambition des autorités constituées, ou d'un effet propre à créer des mécontents, qui soient mis à exécution avec une ponctualité aussi accélérée que machiavélique. » Il se plaignit que les décrets instituant des secours en faveur des parents indigents des soldats restaient lettre morte : « Les décrets sur les accaparements tombent insensiblement en désuétude, parce qu'ils frappent sur l'avidité des riches marchands, dont la plupart sont aussi administrateurs. La même cause a rendu les lois sur les subsistances toujours insuffisantes, souvent meurtrières, en empêchant qu'elles aient une exécution uniforme et générale. Ainsi, dans une République, l'intérêt particulier continue d'être le seul mobile de l'action civile ; et les leviers du gouvernement agissent plutôt pour ceux qui les meuvent que pour le peuple, qu'on semble vouloir dégoûter de la liberté, en le privant sans cesse des bienfaits de la Révolution. » Billaud-Varenne ne voyait de ressources que dans l'épuration des autorités, dans la punition prompte et exemplaire des coupables et dans le perfectionnement de la centralisation. Il proposait de réduire la formalité de la publication des lois à leur insertion dans un bulletin *ad hoc*, le *Bulletin des lois*, d'obliger toutes les autorités à rendre compte de leurs actes tous les dix jours, de soumettre les fonctionnaires à des responsabilités pécuniaires et pénales, d'autoriser le Comité de Salut public et les représentants en mission à casser et à remplacer les autorités défaillantes ou suspectes, etc. La discussion de son projet de loi fut ajournée, mais, le 5 frimaire, Barère fit décréter que désormais les représentants du peuple en mission seraient tenus de se conformer exactement aux arrêtés du Comité de Salut public, et que les généraux ou autres agents du pouvoir exécutif ne pourraient s'autoriser d'aucun ordre particulier pour se refuser à leur exécution. Ainsi tout serait ramené à l'unité. « L'unité est notre maxime fondamentale, l'unité est notre défense anti-fédéraliste, l'unité est notre salut ! » Les représentants en mission ne seraient plus désormais que les agents du Comité de Salut public. Une conduite uniforme leur serait imposée. Billaud-Varenne proposa, le 9 frimaire, quelques articles additionnels à son projet de décret sur le gouvernement révolutionnaire dictés par le même esprit. Dorénavant, les représentants ne pourraient plus créer dans les chefs-lieux de départements des commissions centrales, car il ne fallait pas qu'il y eût un intermédiaire quelconque entre le Comité de Salut public et les districts (1).

(1) Le 3 frimaire, les administrateurs du département de l'Yonne, sur l'initiative du représentant Maure, avaient décidé de former un comité départemental des subsistances composé de trois citoyens nommés par le représentant et par l'administration départementale sur la présentation des districts. Le district de Sens se refusa à exécuter l'arrêté et protesta auprès de la Convention. Barère au nom du Comité du Salut public félicita ce district de sa protestation et, le

Les représentants ne pourraient plus créer d'armées révolutionnaires départementales. Il n'y aurait plus qu'une seule armée révolutionnaire pour toute la République et sous les ordres directs du Comité de Salut public. Les armées révolutionnaires précédemment instituées seraient dissoutes. Les dispositions proposées par Billaud-Varenne furent définitivement votées dans la grande loi du 14 frimaire, qui fut la Constitution provisoire de la France sous la Terreur. Non seulement toutes les autorités, à commencer par les représentants, furent subordonnées aux deux comités de gouvernement, au Comité de Salut public pour tout ce qui concernait l'administration des choses, au Comité de Sûreté générale pour tout ce qui concernait les personnes, mais de nouveaux fonctionnaires, les *agents nationaux*, nommés par la Convention sur la proposition du Comité de Salut public, étaient institués auprès de chaque administration élue, district, municipalité. Ils étaient pourvus du droit de réquisition et spécialement chargés de dénoncer les fonctionnaires négligents ou prévaricateurs. Désormais la centralisation administrative était achevée. Toute l'administration aboutissait au Comité de Salut public, qui était maintenant en mesure d'imprimer au gouvernement révolutionnaire l'unité d'impulsion et la rapidité d'exécution qui sont les deux conditions essentielles du plein rendement des services publics.

LA CENTRALISATION ÉCONOMIQUE.

La centralisation économique avait marché de pair avec la centralisation administrative. Le 10 octobre, sur la proposition de Coupé de l'Oise, l'ancien rapporteur de la loi du maximum général, la Convention avait décidé de renvoyer à l'examen du Comité de Salut public la question de savoir s'il ne conviendrait pas de donner au ministre de l'Intérieur un adjoint, qui aurait dans ses attributions toute la partie des subsistances. Après dix jours de réflexion, le Comité estima

15 frimaire, un décret cassa l'arrêté de l'Yonne et renouvela la défense faite aux administrations de former aucune commission centrale, les commissions de ce genre ne pouvant qu'engendrer « le fédéralisme des subsistances ».

qu'au lieu de donner un nouvel adjoint pour les subsistances au ministre de l'Intérieur, « mesure qui ferait reposer sur une seule tête une responsabilité effrayante, même pour la République », il valait mieux établir une commission spéciale de trois membres, « à qui l'on confierait l'approvisionnement des armées et le soin de faire parvenir des subsistances aux départements qui en manqueraient (1) ». La commission empêcherait la concurrence dans les achats provoquée jusque-là par l'action isolée des agents des trois ministres de l'Intérieur, de la Guerre et de la Marine. L'Assemblée adopta sans débat le projet du Comité présenté par Barère dans sa séance du 1er du deuxième mois, 22 octobre. Si l'on songe qu'elle avait repoussé à diverses reprises le projet analogue que lui avait soumis l'hébertiste Léonard Bourdon, plus de deux mois auparavant (2), on mesure le chemin parcouru dans la voie de la centralisation.

Cinq jours plus tard, le 27 octobre, Barère fit approuver par la Convention la liste des trois membres qui composeraient la commission des subsistances. « Le Comité de Salut public, dit-il, les avaient choisis parmi les administrateurs des départements, parce que c'est dans les départements que sont les subsistances et que c'est dans les départements que sont ceux qui doivent les faire circuler. » Ces trois membres étaient Raisson, secrétaire général du département de Paris ; Goujon, procureur général syndic du département de Seine-et-Oise, et Brunet, administrateur du département de l'Hérault.

Raisson, âgé de 33 ans, avait été limonadier à Paris avant d'entrer dans l'administration. Il avait signé avec La Chevardière l'importante adresse par laquelle le département de Paris avait demandé, le 18 avril précédent, l'établissement du maximum des grains.

Goujon avait rédigé l'adresse du 19 novembre 1792, par laquelle les électeurs du département de Seine-et-Oise avaient réclamé, parmi les premiers, le maximum à la Convention (3).

Brunet, sans doute désigné par Cambon au choix du

(1) Discours de Barère du 22 octobre 1793.
(2) Dès le 5 août aux Jacobins et dès le 6 août à la Convention.
(3) Voir sur Goujon le livre de L. Thénard et R. Guyot, Paris, 1908.

Comité de Salut public, avait imaginé, dans la crise du mois d'avril, un ingénieux système de réquisition pour la levée des volontaires, qui lui avait valu les félicitations de la Convention. Il était, comme Cambon lui-même, partisan des mesures révolutionnaires et du maximum.

En choisissant ces trois hommes pour composer la commission des subsistances, le Comité de Salut public marquait sa ferme volonté de faire exécuter les lois selon leur esprit. Barère n'avait-il pas dit, le 22 octobre, que le Comité choisirait « trois hommes probes, patriotes éclairés et *surtout révolutionnaires*, qui connaissent le commerce, l'administration départementale et les lois des étrangers sur la navigation et le commerce »?

Le jour même où Barère fit ratifier ces nominations par la Convention, il annonça que le Comité de Salut public avait pris la résolution de rappeler Robert Lindet de la mission qu'il exerçait dans le département du Calvados, afin de lui confier la haute surveillance de la commission des subsistances, de la même façon qu'avait été confiée, quelque temps auparavant, le 14 août, à Prieur, de la Côte d'Or, et à Carnot, la haute surveillance de la fabrication des armes.

L'ARMÉE RÉVOLUTIONNAIRE.

En attendant que la commission nouvelle pût s'organiser et fonctionner, le ministre de l'Intérieur Paré, par une circulaire du 2 brumaire, 22 octobre, stimulait le zèle des autorités locales dans un langage véhément, où il dénonçait les avares possesseurs de grains qui avaient formé le projet d'affamer la France. Il invitait la justice du peuple à faire entendre sa voix terrible aux scélérats : « L'œil du souverain, cet œil à qui rien n'échappe, est ouvert, il suit les perfidies de tout genre dans leurs ténébreuses manœuvres, et ceux qui méchamment ont laissé leurs frères entre la faim et le désespoir, ceux-là n'ont point de grâce à attendre! » En finissant, Paré annonçait que l'armée révolutionnaire se mettait en marche « pour assurer partout l'exécution de la loi ». « N'appréhendez point sa venue, disait-il, l'armée révolutionnaire appartient à la République entière ; elle n'est composée que de patriotes reconnus. Ce n'est point un torrent débordé dans les campagnes et entraînant indistinctement dans son cours et les vastes maisons du riche et la chaumière de l'indigent ; sa marche, éclairée par la justice, ne doit effrayer que la trahison qui se cache, l'aristocratie hypocrite, le sectarisme ambitieux (1). »

L'armée révolutionnaire, dont le ministre menaçait les accapareurs, commençait, en effet, à être utilisée pour protéger les arrivages destinés à Paris, mais il faut avouer que ses débuts avaient plutôt été tumultueux. Quatre escadrons de cette armée, formant 500 hommes, avaient été envoyés à Beauvais les 27, 28 et 29 septembre. Le bruit courut aussitôt dans les campagnes de l'Oise que les cavaliers de cette armée « pendaient les fermiers pour les forcer à donner leurs grains ». Le bruit était faux, mais il fit impression. Les jours suivants, plusieurs cavaliers se firent recevoir au club de Beauvais et, sous prétexte que ce club renfermait des membres feuillantins, ils en exigèrent l'épuration. Le président du club fut changé. Le lendemain, 4 octobre, un cavalier du nom de Ramon se plaignit au maire que les édifices publics de la ville présentaient encore sur leurs façades les emblèmes de la royauté, et que sur des pièces de drap il avait vu les mots de *Vive le Roi!* Le maire ne mit que peu d'empressement à faire droit à cette plainte. Alors l'armée révolutionnaire dénonça le maire et réclama sa destitution. Les sections se réunirent, mais refusèrent de changer de municipalité. Les partisans du maire lancèrent des pierres sur le local du club. Le lendemain, les gens des campagnes vinrent en groupe prêter main-forte à la municipalité contre les cavaliers. Deux commissaires de la Commune de Paris, Girard et Grammont, furent arrêtés. Il y eut des troubles. En somme, l'armée révolutionnaire ne s'était pas renfermée dans sa mission de protéger l'arrivage des subsistances. Elle avait pris des initiatives politiques. Le Comité de Salut public approuva néanmoins sa conduite et Barère, qui fut chargé du rapport sur les troubles de Beauvais, fit décider que les instigateurs du mouvement

(1) La circulaire de Paré fut imprimée par les soins de l'administration départementale du Doubs à la suite de sa délibération du 11 brumaire an II (archives du Doubs, L 239).

sectionnaire seraient traduits au tribunal révolutionnaire et qu'un représentant du peuple serait envoyé dans l'Oise pour épurer les autorités [1]. Cela seul suffirait à montrer que le Comité de Salut public était à cette date résolu à appliquer les lois sur les subsistances à la manière hébertiste.

LA CAMPAGNE DE CHAUSSARD.

D'autres indices encore confirment cette impression. Il faut chercher la pensée du gouvernement dans la feuille officieuse qu'il avait fondée et qu'il subventionnait, dans l'*Antifédéraliste.* Dans les numéros des 13, 14 et 15 octobre de ce journal, un publiciste, qui fut chargé à diverses reprises de missions officielles, Publicola Chaussard, fit paraître sous le titre : « Quelques idées sur les subsistances », tout un programme d'action économique très apparenté à celui de Chaumette et d'Hébert. Analysant les causes de la pénurie des subsistances, il les trouvait d'abord dans la mauvaise organisation du système des réquisitions. Ces réquisitions émanaient d'autorités différentes : représentants, commissaires des villes ou des administrations ; elles se gênaient, elles se croisaient les unes les autres. Il fallait mettre fin aux « moyens bornés, partiels et lents » employés jusqu'à ce jour, car le péril était « vaste, général, imminent ». Non pas que les grains fissent défaut, les greniers étaient remplis, la moisson avait été abondante. « Les obstacles, dit Chaussard, sont dans les hommes. » Il dénonçait le fédéralisme latent des administrations départementales. « Leurs auxiliaires naturels ont été les fermiers qui n'ont qu'une âme de propriétaire et non de républicain ; tous les égoïstes et tous les malveillants, ceux qui sèment la terreur et ceux qui la reçoivent. Je remarquerai, en passant, que la crainte d'un danger imaginaire est pire que celle d'un danger réel, parce que l'esprit voit le remède du dernier et n'en aperçoit pas à l'autre. Ce parti s'est grossi de tous les groupes des intérêts froissés, des passions irritées, des amours-propres mécontents, des *Nihilistes* qui suivent en troupeau l'opinion dominante, de toutes les es-

[1] Séance de la Convention du 17 du premier mois (octobre 1793).

pèces de contre-révolutionnaires ouvertement ou sourdement actifs qui n'ont plus d'espoir que dans un mouvement sur les subsistances qu'ils ont cherché et qu'ils cherchent encore à exciter. » Mais, pour Chaussard, l'obstacle n'était pas uniquement dans les personnes, il était aussi dans les choses. Il dénonçait alors le manque d'uniformité des lois et de leur exécution, l'inexpérience des agents qui ne restaient pas assez longtemps en fonctions, la multiplicité de autorités, etc. Il concluait que pour mettre de l'ordre dans le service des subsistances, il ne restait plus d'autre parti que « de déclarer nationales toutes les récoltes ». « Tout ce qui est nécessaire à tous est une propriété commune, que font valoir les particuliers. » En temps de révolution, on ne pouvait pas « laisser le commerce des objets de première nécessité dans les mains des particuliers, surtout lorsqu'un régime qui enfante la liberté frappe, ainsi qu'il doit le faire, sur les gains illicites et sur tous les vices que traîne à sa suite le commerce en général et bien plus encore le commerce né et grandi sous le despotisme... ». Chaussard reconnaissait sans doute qu'on avait déjà « frappé avec activité sur toutes les branches des abus commerciaux, mais c'est au tronc qu'il fallait porter les coups ». Une mesure grande et générale a deux effets que n'atteignent jamais les mesures multipliées et de détail, quelque bonnes qu'elles soient d'ailleurs. Le premier, c'est d'élever et d'agrandir l'esprit national, et le deuxième, c'est d'être plus universellement senti et apprécié par le peuple pour qui elle est faite ; on peut ajouter qu'elle a une extension plus rapide et une action plus sûre et plus directe. En déclarant la récolte nationale, il résultera : 1° que dans les endroits frumenteux, les alarmes excitées par l'aristocratie seront neutralisées. Le système de terreur qu'elle voulait retourner sur nous est renversé. On ne pourra plus dire au cultivateur : si vous laissez aller vos grains à Paris, le département en manquera, car on répondra : ce n'est plus en un approvisionnement communal mais national, réparti dans une proportion telle qu'il est versé sur les points nécessiteux et impératifs et que la part est en raison des besoins de leur grandeur et de leur urgence. Dans les cantons infertiles, on verra passer avec respect les convois pour l'approvisionnement de Paris, parce qu'on sentira que les mêmes besoins trouveront les mêmes ressources et que le trop-plein des endroits abondants doit s'écouler, par une pente naturelle, dans les endroits stériles. Alors s'évanouissent les défiances et les craintes réciproques. Ainsi la nationalisation des subsistances paraissait à Chaussard le corollaire indispensable des réquisitions et des taxes.

DUCHER.

Un autre publiciste officieux, Ducher [1], soutenait les mêmes thèses quelques jours plus tard dans le *Moniteur* du 6 brumaire (27 octobre 1793). Pour lui, l'État avait un droit de mainmise et de préemption sur toutes les propriétés foncières ou mobilières, en payant une juste indemnité. « Si la mainmise ou préférence de l'État n'avait pas lieu, l'État serait toujours rançonné, les prix deviendraient excessifs indéfiniment contre lui... Ce droit reconnu, la France entière est le magasin, le grenier, l'arsenal de la République ; les rassemblements des accapareurs sont pour elle, leurs magasins lui appartiennent. L'exercice de ce droit est nécessaire, surtout dans une guerre de liberté et lorsque les ennemis de la France entreprennent de la bloquer ; le prix exorbitant demandé par les accapareurs intérieurement bloquerait en quelque sorte tous les magasins particuliers du dedans et la République serait en pénurie au milieu de l'abondance des productions de son sol et de l'industrie de ses membres ou l'épuisement de ses moyens pécuniaires serait accéléré d'une manière effrayante ; si, en vertu du droit de préemption, l'État prend des denrées et marchandises, il en indemnise, il paie ; l'armée victorieuse les prendrait sans indemnité, c'est le droit de Cobourg. Tous les Français sont soldats, tous soumis à la loi de réquisition personnelle, pourquoi le magasin de ce citoyen-soldat ne pourrait-il pas être atteint par le droit de préemption ? »

En formulant ces doctrines socialistes, d'un socialisme expérimental imposé par l'état de guerre et de révolution,

(1) Sur Ducher, consulter l'ouvrage de M. Frederick L. Nussbaum, *Commercial policy in the French Revolution. A Study of the career of G. V. A. Ducher*, Washington, 1923.

Ducher n'avait fait en somme que développer quelques phrases du discours de Barère du 22 octobre. « Les productions territoriales, avait dit Barère, sont une propriété nationale ; toute propriété réelle ou immobilière appartient à l'État ; la Révolution et la liberté sont les premières créancières des citoyens et la République doit être préférée quand elle veut acheter (1). »

Quand les journaux officieux inséraient des articles comme ceux du publiciste Chaussard ou de Ducher, on peut déjà se faire une idée du ton du *Père Duchesne*. Celui-ci ne décolérait pas contre les marchands, les fermiers, les accapareurs « qui se f... des décrets de la Convention ». Il expliquait que la rareté du pain à Paris était le résultat d'un complot pour sauver les Girondins, mais une fois que ceux-ci auraient « la tête dans le sac », « l'argent, l'or, les farines reviendront en abondance. Voilà le nœud gordien et nous allons le délier ».

LA RÉVISION DU MAXIMUM.

Pendant qu'Hébert se livrait à ses déclamations démagogiques, le Comité de Salut public se mettait résolument à l'œuvre. Puisque la loi du maximum était inapplicable telle quelle, on l'améliorerait sans retard. Les autorités récalcitrantes seraient brisées.

Le 6 brumaire, 27 octobre, lendemain du jour où la Convention avait ratifié la nomination des trois membres de la commission des subsistances, les Comités de Salut public, du Commerce et d'Agriculture se réunirent en commun et décidèrent que pour faire cesser les entraves apportées à l'exécution de la loi sur le maximum du fait de l'arbitraire des administrations qui fixaient la taxe, on chargerait la commission des subsistances de préparer un tarif général uniforme pour toute la République. Ce tarif serait établi d'après les cinq bases suivantes : 1° le prix de fabrique en 1790 augmenté d'un tiers ; 2° le prix de l'apprêt pour celles des denrées qui en exigent ; 3° 5 % de bénéfice pour le marchand en gros ; 4° 10 % de bénéfice pour le marchand détaillant ;

(1) D'après le *Journal des Débats*.

5° enfin une indemnité fixe par lieue de transport à raison de la distance à la fabrique. Ces cinq bases devaient former irrévocablement le prix de chacune des marchandises pour toute la République.

Le même soir la question faisait l'objet d'un débat aux Jacobins. Hébert, prenant la parole, regrettait que « dans la fixation du maximum, on n'eût pas prévu les pertes que les détaillants doivent nécessairement éprouver », il demandait, en conséquence, que le tarif des détaillants leur laissât un bénéfice de dix sous sur le tarif des marchands en gros, Billaud-Varenne lui répondit que l'intention de la Convention n'avait jamais été « de vexer les détaillants au profit des fabricants » et il fit connaître aux Jacobins que les comités venaient de décider la révision du maximum.

LA COMMISSION DES SUBSISTANCES.

En ce temps-là, les actes suivaient immédiatement les résolutions. Dès le 8 brunaire, 28 octobre, la commission des subsistances tenait sa première séance. Brunet, appelé de Montpellier, était absent [1]. Mais ses deux collègues, Raisson et Goujon, organisaient le travail « vu l'urgence », dit leur procès-verbal [2]. Provisoirement, la commission siégea au ministère de l'Intérieur, puis, à partir du 5 frimaire, dans la maison de l'ancien duc de Penthièvre, enfin, après le 18 frimaire, dans un hôtel d'émigré, l'hôtel de Toulouse, rue de la Vrillière.

Le décret qui l'avait instituée lui avait accordé des attributions très étendues : les marchés passés à l'étranger pour le ministre de l'Intérieur, le recensement des grains, les réquisitions pour l'approvisionnement des armées, la répartition de ces réquisitions sur les divers départements, l'importation des matières premières, la répartition des denrées et marchandises selon les besoins locaux dans tous les départements, l'ensemencement et la reproduction de tout genre de

[1] Il n'arrivera à Paris que le 27 brumaire.
[2] Archives nationales, F. 19 269-275. Depuis les procès-verbaux de la Commission des subsistances ont été publiés par M. P. Caron dans la Collection du Ministère de l'Instruction Publique.

subsistances, l'amélioration de l'agriculture, les fabrications et les manufactures, l'approvisionnement de Paris, la formation des greniers d'abondance, la coupe des bois, leur flottage, l'exploitation des charbons, l'exploitation des mines, etc. Pour mener à bien des besognes si diverses, la commission pourrait exercer par elle-même ou par la voie des corps administratifs le droit de réquisition et même le droit de préhension « en fournissant des récépissés et des rescriptions nationales pour être acquittés sur-le-champ par les receveurs des districts... en se conformant pour le prix aux lois sur les subsistances... » La commission était en outre chargée spécialement de l'exécution des lois des 11 et 29 septembre sur le maximum. Elle ordonnançait les dépenses sous la surveillance du comité des finances. Elle pouvait requérir la force armée dans les départements, districts et municipalités pour l'exécution des mesures qui lui étaient confiées, mais elle ne pouvait mettre en mouvement l'armée révolutionnaire que sur l'autorisation du Comité de Salut public. Elle correspondait directement avec les administrations de département et de district. Chacun de ses membres présidait les séances pendant quinze jours et ce membre siégeait pendant ce temps au conseil des ministres.

Certains jours, avec les membres ordinaires venaient siéger à la commission des personnalités de toute sorte qualifiées par leurs fonctions ou par leur expérience ; ainsi, le 15 brumaire, assistaient à la séance Robert Lindet et Prieur (de la Côte-d'Or) du Comité de Salut public ; Pache, maire de Paris ; Hassenfratz et Monge, de la fabrication des armes ; Gauthier, adjoint au ministre de la Guerre, etc. Ainsi, le 18 brumaire, le procès-verbal note la présence de Robert Lindet et de Prieur (de la Côte-d'Or), de Pache, Hassenfratz, Monge, Gauthier, d'un adjoint au ministre de la Marine, des administrateurs des subsistances militaires, dont le nommé Johannot. Pour cette séance du 18 brumaire, chacun des commissaires de la guerre et de la marine avait été invité à apporter à la commission la détermination précise de leurs centres de consommation, l'état des besoins et le cercle des arrondissements à fixer pour pourvoir à ces mêmes besoins. Ils devaient tracer sur des cartes séparées les différents centres d'approvisionnement soit en grains, soit en fourrages, viande et autres subsistances. Le 1er frimaire au soir, siègent R. Lindet, Cambon, Pache, d'Albarade, ministre de la Marine, Fauchet, chef de la légation envoyée en Amérique pour achat de denrées et de matières premières. On s'occupe des approvisionnements de l'armée du Nord et des achats de grains à faire aux États-Unis. Le 2 frimaire, les mêmes personnes prennent séance et s'occupent de la même affaire. Le 2 frimaire au soir, le citoyen Gillin, principal payeur du Trésor, est présent.

Tout au début, dans sa seconde séance (9 brumaire), la commission avait divisé son travail en trois grands compartiments : 1° la connaissance de la situation de la République relativement à ses besoins, à ses ressources, aux moyens de les perfectionner — ce qu'on appela d'un mot plus bref la situation, ce que nous appellerions aujourd'hui la statistique ; 2° la distribution des différents approvisionnements en nature, tant aux armées qu'aux départements, les marchés et les réquisitions nécessaires pour mettre en activité toutes les ressources de la République, d'un seul mot la distribution (ou la répartition) ; 3° la comptabilité relative à toutes les parties.

Chacune de ces trois divisions avait à sa tête un directeur : Prony pour la situation, Moreau pour la distribution et Louvet neveu pour la comptabilité. Le même jour, on décida d'adresser trois circulaires, une aux administrations départementales, une aux officiers municipaux, une aux sociétés populaires, pour leur demander de faire connaître d'urgence l'état de leurs ressources et de leurs besoins. Comme les réponses menaçaient d'être longues à venir, on décida le lendemain, 10 brumaire, de demander au Conseil exécutif et ensuite au Comité de Salut public le transfert et l'adjonction à la commission des bureaux du cadastre jusque-là rattachée au ministère des contributions publiques. Trois jours plus tard, la Convention fit droit à cette requête. Le 27 brumaire, le Comité de Salut public invita les ministres des contributions publiques et de l'intérieur « à faire rechercher, dans les dépôts de leurs départements et dans tous les dépôts qui sont sous leur surveillance ou à leur disposition, les recensements ou les états de produits des revenus de la France qui ont été dressés sous les ministères de Turgot et de Terray », et de mettre ces statistiques à la disposition de la commission des subsistances. Ce fut Goujon qui fut spécialement chargé de cette partie statistique, autrement dit de la situation. Dès son arrivée, Brunet fut chargé, le 28 brumaire, de la distribution. Raisson eut la comptabilité. Mais il fut bien stipulé que « cette division (de travail), établie pour l'ordre et la célérité des affaires, ne pouvait soustraire aucune partie du travail à l'inspection perpétuelle des trois commissaires » (délibération du 28 brumaire).

Plus tard, les services se multiplièrent avec une tendance à la spécialisation. Le 15 brumaire, la commission avait décidé, pour accélérer l'examen et les décisions des objets qui lui étaient renvoyés, de former à côté d'elle un conseil consultatif ou technique qui fut d'abord composé de trois membres qui furent les citoyens Moutte, Laiguillier et Vilmorin. Ce conseil donnerait son avis sur les marchés à faire, sur les propositions d'achat, sur les moyens d'importation des denrées et matières premières, sur les fabrications et les manufactures. Moutte avait dirigé une grande maison de banque à Rome ; Vilmorin est le chef de la grande maison de graines et semences qui existe encore ; Laiguillier ou Lesguilliez, épicier en gros du quartier des Lombards, avait présidé le Tribunal de commerce de la ville de Paris. Le 27 frimaire, Gilbert et Besson remplacèrent Moutte et Laiguillier au conseil consultatif.

Déjà depuis le 1er frimaire, la première division, celle de la situation, avait été dédoublée. Une section, on dit aussi un bureau, fut chargée du perfectionnement du cadastre et des transports, une autre des opérations relatives aux subsistances et aux matières. Prony prit la direction de la première (1) et Laugier celle de la seconde.

Le 10 frimaire, au cours d'une grande séance où assistent Cambon, Lindet, Monge, Pache, Humbert, chef du bureau des fonds au ministère des Affaires étrangères, et Lermina, fonctionnaire important de la trésorerie, on s'accorde à reconnaître que le décret qui a déterminé les attributions de la commission y a fait entrer à tort deux objets qui demandent

(1) Prony n'y resta pas longtemps. Il fut tout de suite remplacé par Desrues qui fut lui-même nommé le 16 frimaire chef du bureau du maximum.

évidemment des connaissances particulières et une expérience commerciale, à savoir l'importation des matières premières d'une part et les fabrications de l'autre. « Pour bien opérer ici, dit le procès-verbal, il faut être négociant et aucun des membres de la commission ne l'a été [1] et, quand ils l'eussent été, il leur serait impossible de faire aucun usage de leurs connaissances, la marche révolutionnaire qu'ils doivent suivre étant totalement étrangère à ces calculs mercantiles que demandent nos relations avec l'étranger. » On décida en conséquence de créer à côté de la commission une *agence de commerce*, composée de cinq membres et chargée d'examiner toutes les propositions et marchés qui lui seront renvoyés par la commission. Cette agence était spécialement chargée 1° de l'importation des matières premières et de tous autres objets en déficit et de l'exportation des marchandises de luxe et objets en surabondance; 2° de veiller à la fabrication des objets de première nécessité.

Quand la loi du 14 frimaire organisa le gouvernement révolutionnaire, une nouvelle division, la cinquième, fut créée à la commission des subsistances, sous la direction du secrétaire général qui était le beau-frère de Goujon, Tissot. Cette division fut chargée de la surveillance et de l'exécution des lois et arrêtés du ressort de la commission. Elle devait rendre compte aussi de l'activité des agents qu'elle employait et contrôler en même temps leur civisme.

Plus tard, le 21 nivôse, les bureaux de la commission furent encore une fois réorganisés. La situation et la distribution furent réunies dans chaque division nouvelle sous un même directeur. Il y eut une direction des subsistances végétales, une des subsistances animales, une des matières, une du cadastre et des transports, et une de la comptabilité.

BARÈRE ET LA RÉFORME DE LA LOI.

Une des attributions importantes de la commission était l'exécution de la loi du maximum. Tout au début de son existence, le 11 brumaire, 1er novembre, Barère avait exposé

[1] Raisson avait été limonadier, mais le mot négociant s'appliquait exclusivement au gros commerce.

à la Convention la politique qu'entendait suivre en cette matière délicate le Comité de Salut public, et il avait tracé en même temps à la commission des subsistances un vaste programme d'action.

Après avoir rappelé ce que la Révolution avait fait pour l'agriculture, qu'elle l'avait délivrée des droits féodaux, des dîmes et impôts arbitraires et onéreux, ce qu'elle avait fait pour le commerce, qu'elle avait affranchi des entraves des péages et des corporations, Barère se plaignait amèrement de l'ingratitude des paysans et des commerçants qui avaient tenté d'affamer la liberté naissante, leur bienfaitrice. Il justifiait ensuite le maximum comme le seul remède aux excès des spéculations criminelles des grands propriétaires, à l'avidité des capitalistes négociants et à l'avarice des marchands détaillants. « Mais le sordide amour du gain menaçait de faire échouer cette grande mesure populaire. L'aristocratie profitant de ses richesses avait vidé les boutiques des marchands. Il a fallu que la police municipale vînt mettre des bornes à ces achats trop considérables et qu'elle vînt présider aux ventes quotidiennes ; il a fallu défendre aux marchands de débiter plus de chaque marchandise à un citoyen qu'à un autre. » Ces palliatifs étaient insuffisants. Il fallait prendre des mesures plus énergiques et plus vastes. Ce sera l'œuvre de la nouvelle commission des subsistances. « C'est à elle à généraliser les mouvements de la circulation, à accélérer les moyens de fabrication, à dégager les amas de marchandises, à désobstruer les grands magasins, à ouvrir tous les canaux à la circulation et à rétablir le commerce dans toutes ses ramifications. » Elle se servira au besoin du droit de préemption « qui rend la République propriétaire momentanée de tout ce que le commerce, l'industrie et l'agriculture ont produit et apporté sur le sol de la France ».

En attendant, Barère dénonçait deux vices essentiels de la loi du maximum qu'il fallait réformer sans tarder. Le premier, « qui était le plus dangereux, consistait dans la mollesse des administrations, la versatilité de leurs principes, la malveillance même de quelques-unes, le défaut d'unité dans l'exécution de la loi ». Certains administrateurs avaient des parents dans l'industrie et le commerce, ils se servaient de la taxe pour favoriser leur industrie particulière. D'autres favorisent leurs amis, leurs voisins, au détriment de l'intérêt général. A ce vice, un seul remède : *taxer au centre,* frapper à la bourse les administrateurs négligents et infidèles en ordonnant par une loi pénale la confiscation d'une partie de leurs biens.

Le deuxième vice que Barère dénonçait dans la loi du 29 septembre, c'était que le marchand en gros et le fabricant étaient favorisés au détriment des détaillants, puisque le maximum était le même pour les uns et pour les autres. « En faisant la loi qui taxe les denrées chez le marchand ordinaire, nous avons ressemblé à ce financier qui portait la perception des droits à l'embouchure de la rivière au lieu de la porter à la source et dans ses divers embranchements ou dans son cours. C'est à la source que le maximum doit donc commencer : 1° aux magasins de matières premières ; 2° à la fabrique ; 3° au marchand en gros ; 4° au marchand détaillant ; 5° il faut, pour être entièrement juste, ajouter à ces bénéfices graduels un prix fixe par lieue de transport de la fabrique ou du magasin. » Alors la paralysie cessera, la circulation reprendra. Barère se penchait avec attendrissement sur la classe des petits détaillants et des petits artisans, sur « cette classe de bons républicains qui achète et vit au jour le jour ». Il demandait qu'on accordât des indemnités « aux citoyens, marchands ou fabricants qui, par l'effet de la loi du maximum, justifieront avoir perdu leur entière fortune ou seront réduits à une fortune au-dessous de 10 000 livres de capital ». Toutes les propositions de Barère furent votées sans débat. La commission des subsistances fut chargée de présenter le tableau du prix de toutes les marchandises dans leur lieu de production ou de fabrique en 1790, augmenté d'un tiers. Au prix de fabrique viendraient s'ajouter des indemnités de transport et les bénéfices du marchand en gros, 5 %, et du détaillant, 10 % (1). Un article du décret rangeait légalement dans la catégorie des personnes suspectes les fabricants et marchands en gros qui cesseraient leur fabrication et leur commerce.

(1) L'indemnité pour l'*apprêt* des marchandises prévue par la délibération du Comité de Salut public en date du 6 brumaire avait été abandonnée sans doute parce qu'elle prêtait à l'arbitraire.

LES TABLEAUX DU MAXIMUM.

Dès le lendemain du vote de ce décret, le 12 brumaire, la commission des subsistances, qui ne comprenait encore que Goujon et Raisson, organisait le travail préparatoire à l'établissement des tableaux du nouveau maximum. Elle décidait de confier la tâche immense de rassembler les éléments statistiques nécessaires à la confection des tableaux à douze commissaires spéciaux dont huit seraient choisis à Paris et quatre dans les départements. On prendrait indistinctement ces commissaires parmi les marchands et autres citoyens, mais on aurait soin que chacun d'eux « ne se trouve pas uniquement attaché à ce qui regarde son commerce ». Le travail des commissaires serait partagé en 4 divisions ou sections : 1° aliments ; 2° vêtements ; 3° chimie et droguerie ; 4° métaux et combustibles. Pitra et Hardy furent chargés de la division des aliments, Laiguillier et Moutte, qui quittaient le conseil consultatif, dirigèrent la section de l'épicerie, Mollard et Renoud celle des vêtements, Chicoult et Ducher celle des métaux et combustibles. Ce bureau du maximum fut placé sous la haute surveillance de Goujon.

Sur-le-champ on décida d'écrire aux villes commerçantes et maritimes, aux fabriques principales, aux chefs-lieux de districts, aux sociétés populaires, pour avoir les cours de 1790 de toutes les denrées et marchandises tarifiées. On leur demanda d'envoyer les factures de cette époque. On décida aussi de fixer le prix des transports par eau et par terre sur d'autres bases que celles qui avaient déjà été posées dans le décret sur le maximum des grains.

Neuf jours plus tard, le 21 brumaire, la commission organisait définitivement le bureau du maximum sous la direction de P. Pitra. Les membres du bureau étaient invités « à s'assembler journellement et à ne pas perdre un seul instant : le salut public en dépend essentiellement ».

Il faut croire que le citoyen Pitra ne remplit pas toutes les espérances qu'on avait mises en lui, car, le 16 frimaire, il fut remplacé à la tête du bureau par le citoyen Desrues, précédemment chef de bureau des transports, « pour imprimer, dit l'arrêté de nomination, un mouvement rapide à ce bureau ».

LES DEUX CENTRALISATIONS.

Ce bref aperçu de la formation, des attributions et de l'organisation intérieure de la commission des subsistances nous permet déjà de nous rendre compte de l'impulsion vigoureuse que le Comité de Salut public avait su imprimer à un service public créé de toutes pièces et dont le bon fonctionnement était chose essentielle pour la défense nationale comme pour la tranquillité publique. Un mois avait suffi pour monter les rouages de la machine énorme qui allait désormais assurer la vie économique de la nation, au lieu et place des libres initiatives désormais bridées par les lois révolutionnaires.

Centralisation politique et centralisation économique ont marché de pair. Elles ont été conçues et réalisées pour répondre au même besoin, pour discipliner les hommes et les choses sous la loi du salut public, pour faire concourir à la victoire toutes les ressources matérielles et morales du pays.

Les comités de la Convention exercent maintenant la dictature. La loi des suspects leur tient lieu d'état de siège. Le tribunal révolutionnaire réprime toutes les menées défaitistes. Les représentants en mission épurent les autorités et font exécuter sur place les lois révolutionnaires. La Commission des subsistances a pour mission d'enrayer la hausse excessive des denrées en faisant exécuter les taxes, de stimuler la production, d'égaliser la répartition, d'empêcher que la vie économique ne se ralentisse, de tenir fermement l'équilibre entre les intérêts particuliers et l'intérêt général.

Mais la dictature qui commence n'est pas une dictature de mort. Le silence n'est imposé qu'aux ennemis de la patrie et qu'aux ennemis du régime, c'est tout un. On ne discute pas seulement dans les comités. On discute à la Convention, on discute dans les innombrables clubs. Si la presse royaliste est supprimée, la presse républicaine ne subit aucun bâillon. La lutte des idées continues.

Qu'allait donner cette expérience, jamais encore tentée, avec cette méthode et dans ces proportions, dans aucun pays ? Une nation passionnément éprise de la liberté qu'elle vient de conquérir, soumise brusquement dans le domaine économique à la réglementation la plus stricte. Une assemblée de tendances bourgeoises, de recrutement bourgeois, obligée par les circonstances de gouverner pour les Sans-Culottes! Des gouvernants qui croient à la propriété obligés de faire la guerre à la propriété! Des individualistes appliquant les principes du communisme! Le patriotisme, le salut public, comme on disait, avait fait ce miracle. Mais combien durerait le miracle et que produirait-il?

CHAPITRE IV

LA LUTTE CONTRE LA FAMINE

La lutte contre la famine ne commença à s'organiser qu'après l'établissement du maximum général et la création de la Commission des subsistances.

On s'accordait à estimer que les subsistances, particulièrement les grains, existaient en quantité suffisante ; mais dans l'impuissance où on était de les faire sortir assez rapidement de leurs cachettes malgré les réquisitions, on se dit qu'il fallait doubler la politique de contrainte d'une politique de production agricole.

La multiplication des subsistances, selon l'expression du moment, fut à l'ordre du jour. Ainsi le poète Plancher-Valcour prononça devant la section des Tuileries, le 5 brumaire, un *Discours sur les moyens de nous assurer des subsistances pour l'avenir* (1). Il faut conseillait-il, planter les montagnes en forêts, faire des élèves dans le bétail, défendre de tuer les veaux et surtout faire valoir les biens nationaux au lieu de les vendre à vil prix. Avec les vastes domaines confisqués sur les émigrés, on établirait des fermes nationales, des sortes de phalanstères, dont la production servirait à l'alimentation des villes.

Ces idées et d'autres semblables, plus ou moins ingénieuses, plus ou moins pratiques, répondaient trop bien aux préoccupations de tous pour qu'on n'ait pas essayé de les réaliser au moins en partie.

(1) Bibliothèque nationale, Lb-40 2180.

LE DESSÈCHEMENT DES ÉTANGS.

Le Comité de Salut public et la Convention s'efforcèrent d'augmenter la surface des terres cultivées.

Déjà, le 26 brumaire, le Comité de Salut public avait pris un arrêté pour inviter le député Baudin (des Ardennes) à présenter sous forme de loi le projet qu'il avait conçu pour dessécher et mettre en culture les étangs de la Sologne, de la Bresse et de la Brenne. Le Comité d'Agriculture adopta, deux jours plus tard, un projet que Bourdon (de l'Oise) lui avait présenté concurremment avec Baudin [1].

Bourdon prétendait, dans son rapport du 3 frimaire, que beaucoup d'étangs n'avaient dû leur naissance qu'aux « attentats » des moines et des prêtres contre la nature. « Les jeûnes pratiqués en apparence par eux, et dont ils ne manquaient pas d'exiger la plus rigide observance de la part du peuple qu'ils appelaient les *fidèles*, leur donnèrent l'idée de changer en eaux stagnantes, les vallées retenues par de hautes et fortes digues pratiquées du penchant d'une colline à l'autre. Ainsi, depuis des siècles, les plus grasses, les plus fertiles vallées de la République ne peuvent plus s'enorgueillir des nombreux troupeaux que la nature les avait destinées à nourrir, ni des riches moissons dont elles devaient récompenser les bras laborieux du cultivateur. Telle est la véritable origine de presque tous les étangs de la République. » Il ne manquait pas de faire valoir ensuite que les étangs trop nombreux engendrent la fièvre et les épizooties. Il évaluait à 400 000 arpents les terres qu'on pouvait rendre à la culture, rien qu'en asséchant les étangs à bondes. Sur ces terres limoneuses et fertiles on ferait pousser une récolte de 2 400 000 setiers, suffisante pour nourrir un million d'hommes. Il prévoyait une objection : le poisson diminuera ! Mais il répondait que « jamais le poisson ne couvre la table du pauvre et qu'il ne paraît que sur celle du riche comme mets de luxe ».

La discussion du projet de Bourdon, commencée le 11 frimaire, fut très courte. Quelques membres voulaient qu'on décrétât seulement le principe de dessèchement des étangs nuisibles aux récoltes et dangereux à la santé. Mais Danton

[1] Gerbaux et Schmit, *Le Comité d'Agriculture*, t. III, p. 155.

s'écria : « Nous sommes tous de la conjuration contre les carpes et nous aimons le règne des moutons. » Le décret fut définitivement voté le 14 frimaire. Il ordonnait le dessèchement, pour le 15 pluviose, de tous les étangs qu'on était dans l'usage de mettre à sec pour les pêcher. Le sol de ces étangs serait ensemencé en grains de printemps ou planté en légumes par leurs propriétaires. Quand les propriétaires ne pourraient se procurer des semences sur place, les districts s'adresseraient à la Commission des subsistances qui serait tenue de leur en fournir. Étaient exemptés du dessèchement les étangs nécessaires pour alimenter les fossés des places de guerre, les usines métallurgiques, les canaux, le flottage des bois, les papeteries, filatures et moulins. Les districts étaient chargés de prononcer sur ces exceptions.

Il faut croire que l'application de la loi éprouva des difficultés car, le 21 pluviôse (9 février 1794), huit jours après l'expiration du délai qui avait été donné aux propriétaires pour vider et ensemencer leurs étangs, la Convention ordonnait à son Comité d'Agriculture de faire le lendemain un rapport sur la question. Elle décidait en outre qu'il ne serait coupé aucune chaussée pour l'écoulement des eaux qu'il n'ait été constaté que cet écoulement ne pouvait pas s'effectuer d'une autre manière. Il ne semble pas que le Comité d'Agriculture se soit empressé d'obéir, car ses procès-verbaux publiés par MM. Schmidt et Gerbaux sont muets à cet égard.

En revanche, la Commission des subsistances, sans doute stimulée par le Comité de Salut public, adressa à toutes les Sociétés populaires de la République un éloquent appel pour les encourager à faire exécuter la loi [1]. Vilmorin fut chargé par elle de surveiller le dessèchement des étangs [2].

Il faudrait de longues et minutieuses recherches d'archives pour déterminer dans quelle mesure l'opération fut effectuée et quelle ressource réelle elle fournit à la République. Je vois cependant que le représentant Michaud écrit de Bourges au Comité de Salut public, le 28 germinal (17 avril 1794), que la loi sur le dessèchement des étangs a reçu son exécution dans le département du Cher.

[1] On le trouvera au *Moniteur* du 6 nivôse an II (16 décembre 1793).
[2] Séance du 1er frimaire. *Arch. Nat.*, F-11 169.

Parallèlement au dessèchement des étrangs, on se mit à défricher les terres incultes, les landes. Ainsi Réal, substitut du procureur-syndic de la Commune de Paris, écrivait de Rouen en ventôse, que les habitants de cette ville s'occupaient à défricher les longues bruyères de Saint-Julien pour y planter des pommes de terre (1).

LA CULTURE DES TERRES ABANDONNÉES.

Il était plus urgent encore de remettre en culture les terres que le défaut de main-d'œuvre ou l'abandon des propriétaires avaient laissées en friche.

Par endroits les initiatives locales devancèrent la législation. Dès le 18 décembre 1792, le district de Cambrai ordonna aux communes de faire cultiver les terres abandonnées (2). Au printemps de 1793, la Convention aborda le problème, à propos des terres des émigrés. Le 25 mars 1793, le Comité d'Agriculture prépara un projet de décret qui fut voté sans discussion sur le rapport de Beffroy. Les municipalités furent chargées de faire cultiver et ensemencer, à prix d'argent, les terres d'émigrés, et de préférence en y semant de l'orge. Un décret ultérieur devait préciser les mesures à prendre pour faire payer les frais de culture par la régie nationale et pour employer les récoltes de celles de ces terres qui ne seraient pas encore vendues à l'époque de la moisson. Le décret reçut son exécution, car je vois qu'en Savoie, le Directoire du département, par arrêté du 19 pluviôse an II, prescrivit aux municipalités de faire une visite exacte de tous les biens nationaux des émigrés pour vérifier s'ils étaient cultivés et ensemencés selon la règle et la coutume des lieux et d'en dresser procès-verbal (3).

Quand les jeunes gens de 18 à 25 ans formant la première réquisition furent appelés aux armées pour la levée en masse ordonnée au mois d'août 1793, une loi votée dès le 16 septembre,

(1) Séance de la commune du 17 ventôse dans le *Moniteur* du 20 ventôse.
(2) G. Lefebvre, *Les paysans du Nord pendant la Révolution*, p. 698.
(3) *Extraits des procès-verbaux du département du Mont-Blanc* (publiés par G. Pérouse), p. 175.

sur le rapport de Laurent Lecointre, chargea les municipalités de dresser l'état des terres non cultivées par suite du départ des citoyens pour l'armée.

Les municipalités devaient désigner les habitants qui seraient tenus de les cultiver « en observant une répartition proportionnée à leurs moyens relatifs ». « On commencera par celles des citoyens les moins aisés. » Si les habitants ainsi désignés objectaient qu'ils manquaient de bras, les municipalités devaient requérir les manouvriers de la commune pour y pourvoir. Ceux-ci seraient payés aux taux habituels de la journée. S'ils refusaient d'obéir, on pourrait les contraindre par une peine allant de trois jours à trois mois de prison et cette peine était prononcée par le Conseil municipal siégeant en tribunal de simple police. Les journaliers qui se coaliseraient pour faire grève, pourraient être poursuivis devant les tribunaux criminels et punis de deux ans de fers.

Ce n'étaient pas seulement les terres des citoyens soldats qui devaient être cultivées par ce procédé, mais toutes les terres dont les propriétaires manquaient de chevaux, de bœufs ou d'instruments aratoires. Les habitants désignés pour les mettre en culture ne pouvaient exiger pour chaque fois que le prix ordinaire, tel qu'il était fixé au mois de mars précédent. Ceux d'entre eux qui refuseraient d'obéir aux réquisitions municipales pourraient être condamnés à cinq cents livres d'amende applicables au profit de celui dont le fonds aurait manqué d'être labouré.

La loi prévoyait le cas où les pauvres n'auraient pas le moyen de payer les réquisitions faites à leur pofit. Le trésor devait alors avancer à la municipalité les sommes nécessaires. Si l'absent n'était pas revenu au moment de la récolte, la municipalité procédait elle-même à la moisson, la faisait vendre et, après s'être remboursée de ses avances, consignait le surplus dans la caisse du receveur des finances. Si l'exploitation donnait lieu à un déficit, celui-ci était supporté par la nation.

L'article 2 du décret du 9 octobre 1793 rendit les membres des départements, des districts et des municipalités « personnellement responsables des dommages qui résulteraient pour la République du non-ensemencement des terres qui auraient dû l'être selon l'usage du pays ». « Ceux des membres des diverses autorités constituées qui seraient convaincus d'avoir négligé ou arrêté l'exécution de cette mesure seront poursuivis devant les tribunaux et punis solidairement d'une amende de 10 000 livres. »

Rien de bureaucratique dans cette organisation. Ce sont les autorités locales, qui sont sur les lieux, qu'on charge de toutes les mesures d'application sous la haute surveillance des représentants en mission. Les municipalités sont le rouage essentiel. Elles agissent directement sans intermédiaire. La paperasserie est réduite au minimum et les frais aussi. Pas de prime à la récolte. Les frais d'exploitation sont à la charge des récoltants. Une administration rapide et économique, toute proche des intéressés.

Comment fut appliqué le décret ? C'est difficile à dire en l'état de la science historique. Je vois cependant que le 22 nivôse (12 janvier 1794) la Convention ordonna aux agents nationaux de chaque district de rendre compte au ministre de l'Intérieur de l'application de la loi. Le même décret décida : « Tout cultivateur qui se sera porté à labourer et ensemencer un terrain abandonné à cause des ravages de la guerre aura droit de se faire payer, par le propriétaire ou fermier, les deux tiers de la récolte et la semence prélevée ; et, s'il ne se présente personne pour réclamer la récolte, un mois avant la moisson, elle lui appartiendra tout entière. »

LA MAIN-D'ŒUVRE AGRICOLE.

Ce qui rendait souvent illusoire la bonne volonté du législateur, c'était le manque de main-d'œuvre. « Il ne reste personne dans les campagnes, écrivait l'agent du ministre de l'Intérieur Panetier, de Bourg-en-Bresse, le 5 octobre 1793. Les semences ne sont pas faites ; tous les bras sont en réquisition. Si l'on n'y prend garde, il est à craindre pour la famine. » La Convention et le Comité de Salut public s'efforcèrent de parer par différents moyens à cette crise de la main-d'œuvre.

Les recrues de la première réquisition, concentrées au chef-lieu des districts, n'étaient pour la plupart ni armées ni équipées. Elles s'exerçaient avec des bâtons. En attendant qu'on pût leur donner des armes et des uniformes, il s'écoulerait plusieurs mois. Le 9 octobre, Barère fit voter un décret qui ordonna de mettre à la disposition de l'agriculture, « pour l'ensemencement des terres et la mouture des grains », « les jeunes citoyens des campagnes qui seront jugés indispensablement nécessaires pour ce travail par les représentants du peuple ». Les sursis agricoles ainsi accordés ne devaient pas dépasser trois semaines ; mais, en fait, ils durèrent plus longtemps.

Le représentant Roux-Fazillac écrivait de Tulle au Comité de Salut public, le 22 pluviôse, que le défaut des subsistances l'avait empêché de réunir dans chaque chef-lieu de district les recrues de la première réquisition qui étaient restées dans leurs familles.

D'après la loi du 9 octobre, c'étaient les représentants en mission qui avaient le privilège de délivrer les sursis agricoles. Le Comité de Salut public élargit la mesure par son arrêté du 6 pluviôse (25 janvier 1794) qui permit aux recrues de présenter directement leur demande de sursis au Directoire du district qui la transmettait aux représentants. En outre, les hommes nécessaires aux charrois et aux professions qui tiennent à l'agriculture pouvaient eux aussi bénéficier de sursis.

Mais, quand le moment fut venu de renforcer les armées, à la veille de l'offensive du printemps de 1794, le Comité de Salut public fut effrayé de la quantité énorme de sursis qui avaient été accordés. La première réquisition avait fondu littéralement. Dès le 26 pluviôse (14 février 1794) le Comité écrivait à Garnier (de Saintes) pour l'inviter à faire cesser immédiatement les congés accordés aux recrues sous prétexte de travaux agricoles. Quinze jours plus tard, le 13 ventôse, un arrêté de la main de Carnot supprima tous les sursis et rapporta l'arrêté du 6 pluviôse qui les avait institués.

Dès le 22 octobre 1793, Chaumette avait demandé à la Commune qu'on employât les prisonniers de guerre aux travaux d'utilité publique, par exemple à la réparation des routes. La suggestion fut retenue et un arrêté du Comité de Salut public, en date du 29 nivôse (18 janvier 1794), ordonna d'employer les déserteurs et les prisonniers de guerre aux travaux publics, spécialement aux routes et canaux.

On en vint, au moment de la moisson de l'an II, à

employer les soldats eux-mêmes. Le grand arrêté du Comité de Salut public en date du 20 messidor (8 juillet 1794) autorisait les districts à requérir les soldats des garnisons de l'intérieur pour accélérer les travaux de la récolte et le battage des grains. M. Dommanget a montré comment fonctionna cette réquisition de la main-d'œuvre militaire dans le district de Crépy-en-Valois [1].

Quand le calendrier révolutionnaire fut institué, on se mit dans beaucoup d'endroits à interdire le repos du dimanche. Ainsi le représentant Dartigoyte, par arrêté du 21 floréal an II, interdit de chômer le dimanche sous peine pour les contrevenants d'être privés de distributions de grains et de farines le jour qu'ils passeraient dans l'oisiveté. L'arrêté prescrivit en outre la confection d'une liste des citoyens fainéants et suspects de chaque commune. Les prêtres qui, par leurs conseils ou leurs prédications, auraient été cause du chômage, pourraient être mis en arrestation. La politique anticléricale prenait la forme d'une politique alimentaire.

La guerre à l'oisiveté était à l'ordre du jour. Les administrations locales réclamaient l'obligation légale du travail. Le bureau des subsistances de Toulouse demanda au même représentant Dartigoyte, le 29 floréal (18 mai 1794), d'ordonner « 1° que toutes personnes accoutumées aux travaux de la campagne soient tenues d'y vaquer sans relâche, tant que durera la récolte sous peine de punition ; 2° que tout journalier qui exigerait un salaire au-dessus du maximum soit également puni et qu'il lui soit enjoint de commencer la journée au soleil levant et de ne la terminer qu'au soleil couchant ; 3° qu'il soit défendu à tout propriétaire de capter les ouvriers en leur offrant un salaire au-dessus du maximum sous peine d'être réputé suspect et contre-révolutionnaire, etc... » Dartigoyte prit un arrêté conforme le 18 prairial ; il prononça que tout citoyen ou citoyenne qui se refuserait au travail serait condamné à 100 livres d'amende et reclus pour trois mois et qu'en cas de coalition, les refusants seraient considérés comme royalistes et conspirateurs. Il y aurait une belle étude à faire sur le travail obligatoire sous la Terreur.

(1) *Annales révolutionnaires*, 1917, t. IX, p. 527.

LA RÉGLEMENTATION DES CULTURES.

Pour augmenter la quantité des denrées comestibles, certains pensaient à des moyens héroïques. Un vigneron de Tours, Chinantais, « propriétaire de beaucoup de vignes », proposait à la Convention, dans une longue lettre qui fut lue à la séance du 23 octobre 1793, de faire arracher toutes les jeunes vignes plantées depuis cinq ans et de les transformer obligatoirement en terres à blé. Il calculait que la culture de la vigne depuis 1763 avait presque doublé d'étendue et qu'elle avait enlevé à la terre plus de 300 000 familles. Le mal, à l'en croire, avait empiré depuis la Révolution. « Dans le vallon du Cher, depuis Montrichard jusqu'à Vilandry, 13 lieues de long, on assure qu'il en a été planté (des vignes) plus de 1 500 arpents sur des terres excellentes. » Chinantais imputait encore à l'extension des vignobles la rareté de la main-d'œuvre agricole.

Je connais au moins deux représentants en mission, Garnier (de Saintes) et Michaud, qui firent la guerre à la vigne. Garnier (de Saintes) ordonna, en ventôse, d'arracher les vignes récemment plantées et d'y semer du blé [1]. Quant à Michaud, il écrivit de Bourges au Comité de Salut public, le 28 germinal (17 avril 1794) : « Plusieurs propriétaires égoïstes et peut-être malintentionnés du district de Bourges se disposaient à planter leurs champs en vignes ; j'ai pensé que, dans des circonstances où il était du plus grand intérêt pour la chose publique de multiplier les subsistances et de rendre la récolte prochaine aussi abondante qu'elle était susceptible de l'être, je ne devais pas tolérer cet abus, et j'ai, en conséquence, défendu ces nouvelles plantations et ordonné que les terres dans lesquelles elles devaient être faites seraient semées en légumes et en grains, à peine contre les contrevenants d'être regardés comme suspects [2]. »

D'autres représentants, comme Levasseur (de la Sarthe), faisaient la guerre aux herbages. Il écrivait d'Alençon, le 28 brumaire, au Comité de Salut public que nombre de propriétés fertiles en grains avant la Révolution, avaient été

[1] Aulard, *Actes*, t. XI, p. 502.
[2] *Ibid*, t. XII, p. 655.

transformées en pâturages. « Dans l'Orne, plus d'un quart des terres ont subi cette métamorphose. » Mais j'ignore s'il se borna à autre chose qu'à des exhortations pour faire cesser une situation qu'il jugeait déplorable.

Dans l'Eure, les Sociétés populaires, dit M. F. Evrard [1], « cherchent à diminuer l'étendue des jachères, à propager davantage la culture du blé ». Le 2 brumaire, la Société de Louviers émet le vœu que les cultivateurs convertissent leurs champs en terres à froment et à seigle. Délibérant sur cette pétition, le district arrête que les propriétaires des terres à trois saisons doivent ensemencer au moins le tiers en blé, et la moitié s'il s'agit d'assolement à deux saisons. La même Société fait décréter que les possesseurs de jardins de luxe, parcs, bosquets sont requis de les convertir en fonds plus productifs [2].

Dans le Nord, le district de Lille ordonna, dès le 10 octobre 1793, que les cultivateurs cultiveraient en blé non seulement les terres qui devaient l'être, d'après la coutume, mais encore celles qui auraient reçu deux labours, depuis la récolte. Le district d'Hazebrouck, sur l'invitation du club, demanda aux communes de remplacer le tabac par l'avoine, l'orge et la pomme de terre. Dans la Seine-Inférieure, le district de Dieppe interdit de planter en colza plus de la vingtième partie des terres. Il est vrai que le Comité de Salut public cassa ce dernier arrêté, le 13 germinal, mais en recommandant de cultiver en grains autant d'arpents au moins que par le passé [3].

Par un minutieux arrêté du 10 septembre 1793, le département du Pas-de-Calais fit une obligation à ses administrés de cultiver en céréales la plus grande partie de leurs terres, sous des sanctions sévères [4].

LA PROPAGANDE OFFICIELLE.

Parallèlement à la législation et à la réglementation, la Commission des subsistances poursuivait une œuvre de

(1) *Bulletin de la Commission d'Histoire économique*, 1909, p. 81.
(2) *Ibid.*
(3) D'après Georges Lefebvre, *Les paysans du Nord*, p. 702.
(4) Cet arrêté a été publié par M. L. Jacob dans les *Annales historiques de la Révolution française de* 1925, p. 266-268.

propagande et d'éducation agricole destinée à stimuler et à intensifier la production.

Déjà le ministre de l'Intérieur avait fondé, en avril 1793, le *Journal d'Agriculture* qui paraissait tous les mois. Quand ce journal officiel disparut en germinal an II, il fut remplacé par la *Feuille du Cultivateur* qui avait été antérieurement l'organe des Sociétés d'Agriculture. La *Feuille du Cultivateur* fut distribuée gratuitement à 2 000 exemplaires (1) par les soins de la Commission des subsistances qui l'envoyait aux clubs, aux districts, aux cultivateurs notoires. De la même façon la Commission publiait et distribuait aux industriels le *Journal des Arts et Manufactures*.

L'abbé Grégoire, rapporteur du Comité d'Agriculture, fit approuver par la Convention, le 11 brumaire, l'envoi aux clubs et aux communes d'une instruction sur les semailles d'automne que la sécheresse et le manque de bras avaient retardées par endroits. Grégoire recommandait de ne pas semer trop épais, de chauler le froment. Il entrait dans des détails techniques très minutieux. Il vantait le mérite de certaines plantes, recommandait l'épeautre, l'escourgeon ou orge d'automne, l'avoine d'hiver, l'avoine blanche, la carotte, la pomme de terre ; il combattait le préjugé des jachères, insistait sur la nécessité des engrais et terminait par cet appel : « Citoyens, tandis que nos braves frères d'armes terrassent les ennemis sur la frontière, le salut public veut que vous sollicitiez par vos travaux la fécondité de la nature, nous ne vous disons point que votre intérêt l'exige, vous êtes Français et, à ce titre, il vous suffira de vous rappeler que la voix de la patrie vous l'ordonne. » Son instruction sur les semailles fut encartée dans le Bulletin de la Convention.

La Commission des subsistances à peine organisée se mit à l'œuvre à son tour. Dès le 14 frimaire (4 décembre 1793) elle adressait aux districts une circulaire sur les engrais avec un questionnaire à remplir (2). Un arrêté du Comité de Salut public en date du 27 frimaire (3) ordonna à la Commission « de faire faire des extraits de l'ouvrage d'Arthur Young sur

(1) Arrêté du Comité de Salut public du 2 germinal.

(2) La plupart de ces circulaires sont réunies dans un recueil factice. *Bibl. Nat.* Lb-41 2185.

(3) Cet arrêté n'a pas été reproduit par M. Aulard dans son recueil.

l'agriculture et de les répandre partout dans la République ». Le 11 nivôse (31 décembre 1793) la Commission lançait une nouvelle circulaire sur la culture de la pomme de terre et annonçait l'envoi prochain d'un travail de Parmentier sur le sujet. Quelques jours plus tard, le 23 nivôse, un décret de la Convention faisait une obligation aux autorités « d'employer tous les moyens qui sont en leur pouvoir, dans les communes où la culture de la pomme de terre ne serait pas encore établie, pour engager tous les cultivateurs qui les composent à planter selon leur faculté une portion de leur terrain en pommes de terre ». La Commission des subsistances fournirait les semences. Une instruction sur le mode de culture du précieux tubercule fut imprimée un mois plus tard par ordre du Comité de Salut public. En germinal parut une instruction sur l'éducation des cochons, une autre sur les engrais caustiques, en floréal une instruction sur la culture de la carotte, une autre sur celle du navet. Le 12 floréal, un arrêté du Comité de Salut public autorisa la distribution gratuite des graines de navets, carottes, choux et betteraves. Il parut encore, le 13 floréal, une instruction sur la culture de la betterave, une autre, le 25 floréal, sur celle des choux, une autre le 2 prairial, sur celle de l'œillette. La plupart de ces petits traités étaient dus à la plume de gens très compétents : Rougier-Labergerie, Vilmorin, Parmentier.

Quel fut le résultat de tout cet effort de propagande ? Il est bien difficile de le dire avec précision. Bien que la culture de la pomme de terre fût déjà très répandue, notamment dans l'Est, elle n'était encore considérée que comme une sorte de culture accessoire, plus maraîchère qu'agricole. C'était un légume. Il régnait contre elle des préjugés très répandus et il est curieux de constater qu'un des agents les plus intelligents du ministre de l'Intérieur, « l'observateur » Siret, s'en fait l'écho inconscient dans son rapport du 10 pluviôse [1]. Siret déclare tout net qu'il ne lui paraît pas possible qu'on puisse tirer de grandes ressources de la culture de la pomme de terre. Il n'y avait pas assez de semences disponibles, la récolte précédente ayant manqué par suite de la sécheresse et d'autre part on avait fait une plus grande consommation de pommes

[1] Les circulaires de Siret ont été publiées par M. P. Caron dans le *Bulletin de la Commission d'Histoire économique de la Révolution*.

de terre à défaut d'autres légumes. Mais, à supposer qu'on pût se procurer des semences, Siret se demandait : « Est-il bien prouvé que cette culture réunit tous les avantages qu'on lui suppose ? En supposant qu'elle les réunit, balanceraient-ils ceux qui résultent des légumes secs, tels que les pois, fèves, haricots, lentilles, etc. ? » Il répondait par la négative : « De tous les légumes de ce genre, la pomme de terre est celui qui contient le moins de substance farineuse. Un boisseau de pomme de terre produit tout au plus deux tiers de farine (c'est-à-dire de fécule) ; cette farine ne peut servir à la panification qu'autant qu'elle est ajoutée à celle du plus pur froment dans la proportion d'une partie sur deux. D'ailleurs les procédés par lesquels on extrait cette farine sont longs et demandent une manipulation qu'on ne peut guère traiter en grand dans les campagnes, où la main-d'œuvre est précieuse. Or, jusqu'à présent l'on n'a point trouvé de moyen pour parvenir à la mouture des pommes de terre par le recours seul d'une machine... » Pour Siret, la pomme de terre « légume salubre et agréable » n'était à sa place que dans les jardins et terrains vagues impropres à toute autre production. Encore ajoutait-il cette restriction : « Sous ce point de vue, elle n'a pas besoin d'être encouragée aux dépens des autres légumes secs : jamais l'on n'en pourra tirer une nourriture économique ; un setier de pommes de terre ne vaut pas deux boisseaux de haricots, de gesses, etc. Le principe nutritif y est trop peu abondant. Quand bien même on parviendrait à faire produire 20 setiers de pommes de terre à un arpent de terre, ainsi que quelques écrivains ex-girondins l'ont annoncé, ce produit n'égalerait pas le produit de ce même arpent en menus grains. » Et il concluait : « On ne peut donc se livrer à la culture des pommes de terre que comme on s'occupe d'un supplément qui n'est pas à dédaigner, parce qu'il varie nos mets d'une manière agréable par les divers apprêts dont il est susceptible. » Cette curieuse opinion de l'observateur Siret pourrait bien être l'opinion moyenne de l'époque.

Il est probable que le célèbre arrêté du Comité de Salut public du 1er ventôse qui ordonna au ministre de l'Intérieur de faire planter des pommes de terre dans les carrés des jardins des Tuileries et du Luxembourg, eut surtout pour but de détruire le préjugé populaire en prêchant d'exemple.

La Commission des subsistances qui faisait valoir en régie divers domaines nationaux comme ceux attenant aux ci-devant châteaux de Bellevue, de Saint-Cloud, de Mousseaux, du Raincy, de Sceaux, de l'Isle-Adam, de Vanves, Rambouillet, Marbeuf, Croissy, etc., dut consacrer à la culture de la pomme de terre des étendues considérables pour le même motif. Certains représentants en mission et certaines administrations locales se piquèrent de zèle. Paganel, en mission dans le Tarn, promettait une prime de 400 livres, dont le tiers pour le meilleur mémoire sur la culture des racines et des plantes potagères et les deux tiers pour le premier agriculteur qui porterait au marché dans le cours du mois de mai le premier quart de carottes, navets ou pommes de terre. La prime devait être distribuée par la Société populaire de Castres. Une prime analogue fut instituée dans les autres chefs-lieux de district du département [1].

Il semble que ces primes à l'agriculture ont été assez générales. Albitte, en mission en Savoie, faisait distribuer des prix aux meilleurs cultivateurs et ces prix leur étaient remis dans les fêtes décadaires [2].

A la demande du district de Muret, Dartigoeyte prit, le 5 ventôse, un arrêté pour ordonner que dans les départements du Gers et de la Haute-Garonne « tous les jardins des maisons nationales et d'émigrés existant dans leur ressort respectif soient ensemencés en pommes de terre dès que la saison sera arrivée ». Les autorités pouvaient au besoin faire arracher les arbres fruitiers et autres qui ne seraient d'aucun produit direct et qui seraient de nature à contrarier la culture de la pomme de terre. Cet exemple ne fut pas isolé. Je vois que la commune de Rochefort-sur-Mer, dans une proclamation du 7 frimaire, invitait les campagnards à cultiver en pommes de terre toutes les terres non emblavées ou en friche. Elle accompagnait cette invitation d'une menace : « C'est avec confiance que ces magistrats vous font cette invitation ; ils sont persuadés que vous vous empresserez d'y condescendre et que vous ne les mettrez pas dans le cas d'employer les moyens que la Loi leur donne pour vous y contraindre ; ils ne vous dissimulent pas qu'elle prononce impérativement, au profit de la République, la

(1) Lettre de Paganel du 10 pluviôse (29 janvier 1794).
(2) AULARD, XI, p. 492.

confiscation des terres laissées incultes, et prive ainsi avec justice le citoyen indolent ou méchant de la portion du sol qu'il n'a pas rendue utile à ses frères (1)... »

Il est donc certain que les autorités révolutionnaires firent un grand effort pour développer la production agricole. Mais il est certain aussi que les résultats ne correspondirent pas toujours à l'effort. M. Destainville a montré que dans le district d'Ervy, dans l'Aube, le succès fut médiocre, en ce qui concerne du moins la pomme de terre (2).

CHAUMETTE ET LES JARDINS DE LUXE.

Le mouvement pour l'extension des cultures était parti de la Commune de Paris qui souffrait plus que les autres de la crise des denrées alimentaires. Chaumette fut son inspirateur.

Lors de la grande manifestation du 4 septembre 1793, qui imposa à la Convention le programme hébertiste, Chaumette fit prendre à la Commune un arrêté aux termes duquel serait nommée une commission « pour visiter tous les jardins compris dans les domaines nationaux, vendus ou à vendre, affermés ou non affermés, afin de s'assurer s'ils sont un produit utile ou non. Tous les citoyens qui ont des jardins sont invités à les faire cultiver et ensemencer de légumes et autres choses nécessaires à la vie. Les mêmes commissaires se rendront au département à l'effet de l'inviter, au nom du bien public, à faire mettre en culture et affermer, par petites portions, les immenses jardins compris dans les domaines nationaux ». L'arrêté demandait enfin la mise en culture du jardin des Tuileries « qui jusqu'à présent n'a offert aux yeux que des massifs, inutiles aliments du luxe des Cours ». On a vu que sur ce point, Chaumette reçut satisfaction.

Il est probable que sur les autres points le département opposa quelque résistance, car la Commune dut renouveler son arrêté le 11 pluviôse. Mais Chaumette fut secondé par un véritable mouvement d'opinion. Le citoyen Jault, artiste

(1) *Archives communales de Rochefort-sur-Mer.*

(2) H. Destainville : *La pomme de terre, sa vulgarisation par le gouvernement révolutionnaire, sa culture dans le district d'Ervy*, Troyes, 1917.

et membre de la Commune, prononça à l'assemblée générale de la section de Bonne-Nouvelle un *Discours sur l'aristocratie muscadine, les jardins de luxe et la nécessité de borner au simple nécessaire le nombre des animaux domestiques pour éviter la peste et les maladies épidémiques* (1). La grave société de l'Économie rurale, qui siégeait rue d'Anjou, conseilla de mettre en valeur non seulement les jardins d'agrément, mais tous les terrains incultes situés dans Paris et dans les environs. La section de la Montagne (Palais-Royal) délibéra. Quelques citoyens timides firent remarquer qu'il fallait au préalable obtenir une loi de la Convention. Mais la majorité objecta que cette procédure ferait perdre bien du temps, « temps précieux, puisque c'est dans ce moment que l'on prépare le terrain à recevoir la semence des légumes dont nous pourrions jouir au printemps » (1er ventôse). La section décida qu'on demanderait simplement l'autorisation au département. Je ne sais si cette autorisation fut accordée, mais les sections allèrent de l'avant. Il y eut quelques excès de zèle regrettables, qu'on mit bien entendu sur le compte de l'aristocratie.

Un officier municipal, Georgel, se plaignit à la Commune, le 17 ventôse, que des citoyens ignorants ou malintentionnés détruisaient tout, bouleversaient tout, arrachaient un arbre pour planter un chou. « Ces êtres, dit-il, dénaturent les meilleures intentions et font détester la Révolution par la manière dont ils exécutent les mesures les plus salutaires. » Ils étaient entrés dans son propre jardin et avaient prétendu l'obliger à le transformer tout entier en carrés de haricots et de pommes de terre. « Il n'est sans doute pas, conclut-il, dans l'intention du Conseil de restreindre la culture des jardins à ces deux objets : la pomme de terre et les haricots, et de supprimer les autres légumes et denrées utiles dans un ménage. » La Commune écouta ses plaintes et décida, pour obvier aux abus dénoncés, de faire rédiger une proclamation qui serait affichée et distribuée dans toutes les sections.

Quatre jours plus tard, le 21 ventôse (11 mars), la proclamation vit le jour sous la forme d'un règlement en sept

(1) *Bib. Nat.* Lb-40 1744. La date du discours n'est pas indiquée, peut-être en ventôse. — L'officier municipal Jault, qui périt avec Robespierre le 10 thermidor, était originaire de Reims.

articles. La municipalité ferait le recensement des terrains nationaux et des terres abandonnées susceptibles de culture. Un écriteau les indiquerait au public. Dans chaque section, un Comité de culture composé de trois membres procéderait à la reconnaissance, à la délimitation et à l'aménagement de ces futurs potagers communaux. Ce Comité exercerait aussi une surveillance active sur les terrains particuliers qui devaient être mis en culture par les soins de leurs propriétaires. « Lorsque des terrains nationaux et autres, incultes dans chaque section, disait l'article VI, seront affichés, chaque citoyen sera libre de faire sa soumission au Comité civil de la section sur laquelle se trouvent les terrains à louer pour la portion qu'il croira pouvoir cultiver ; ces terrains devront être accordés à un prix modique. La clôture de la souscription sera fixée au 1er germinal. » Afin d'avantager les petits, un article VII réserva que « lorsqu'un citoyen ferait sa soumission pour plus d'un arpent, cette demande ne lui serait accordée que le dernier jour du délai fixé ».

La question fut portée le lendemain à la Convention par Bréard, qui proposa d'autoriser le département de Paris à cultiver les jardins des maisons nationales et à y faire semer des légumes. Mais Bourdon (de l'Oise) s'y opposa : « Ces jardins sont plantés d'arbres, percés par des canaux ; on y trouve des objets infiniment précieux ; ce sont les plantations qui font ornement et l'ordre qui y règne qui en fait la valeur. On ne pourrait les ensemencer qu'à 20 pieds des murs. Les productions qu'on en tirerait seraient peu de chose... Le Comité d'agriculture a pensé que, dans un moment où on manquait de bras pour cultiver les terres de la campagne, on ne pouvait s'occuper à défricher des jardins qui coûteraient beaucoup de travail et rapporteraient peu... » La question fut renvoyée au Comité d'agriculture qui la renvoya au Comité de Salut public (1).

Le Département de Paris, jaloux sans doute de la Commune, réclama contre l'arrêté de celle-ci relatif aux jardins de luxe. Il fit remarquer qu'il était spécialement chargé de la culture de ces terrains par le Comité de Salut public (2). Chaumette consentit à ce que la Commune fût dessaisie au profit de

(1) Schmidt et Gerbaut : *Le Comité d'Agriculture*, t. III, p. 209.
(2) Séance de la Commune du 26 ventôse.

l'Administration départementale. L'arrêté du 21 ventôse fut rapporté.

Déjà les Hébertistes rendus responsables de la famine étaient en prison. Chaumette n'allait pas tarder à les rejoindre sur l'échafaud.

LA PRODUCTION DE LA VIANDE.

Accroître la production des céréales, des pommes de terre et des légumes, c'était bien. Mais le problème de la viande réclamait aussi toute la sollicitude des révolutionnaires.

Dès le mois de juin 1793, les Sans-Culottes se plaignaient de toutes parts que la hausse de la viande en rendait la consommation inabordable aux petites bourses. Le député Thuriot proposa, le 9 juin, l'établissement d'un carême civique qui durerait tout le mois d'août « afin que pendant cet espace de temps, les bestiaux puissent grandir et se multiplier ».

L'Assemblée n'était pas encore préparée à ces grandes mesures de salut public. Elle ajourna la proposition. L'ère des restrictions, dont nous aurons à reparler, ne s'ouvrit que plus tard.

Les Parisiens, « très carnassiers », avaient fait grise mine au carême civique. L'observateur Dutard avait répété dans sa section la proposition de Thuriot : « Si je ne m'étais appuyé de l'autorité de Chaumette, écrit-il dans son rapport du 24 juin, j'aurais été lapidé en sortant [1]... »

Puisqu'on ne voulait pas de restrictions, il fallait augmenter la production. Le boucher Brisset, de la section de Bondy, réclamait dans un placard affiché à la fin de mai 1793, une loi qui obligerait « tout laboureur et cultivateur de nourrir deux veaux mâles par charrue, remplaçant celui qui pourrait mourrir par un nouveau après avoir fait sa déclaration à la municipalité de son lieu ; cette loi fixera l'âge où ces veaux seront vendus et accordera une prime à chaque particulier qui, n'étant pas compris dans la loi, se soumettrait à ce qu'elle demande ; par là, les cuirs, les suifs, la viande diminueraient

[1] SCHMIDT : *Tableaux de la Révolution*, t. I, p. 17.

de prix, notre monnaie rentrerait dans l'intérieur, le commerce fleurirait, etc. [1] ».

Le 27 brumaire, la Convention décréta, sur le rapport de son Comité d'agriculture, qu'il était interdit de livrer à la boucherie aucune brebis âgée de moins de quatre ans et aucun agneau mâle de moins d'un an, sous peine d'une amende de 25 livres. Les propriétaires de moutons étaient tenus de conserver un mouton mâle pour 40 brebis au moins. Des primes étaient promises à ceux qui élèveraient les plus beaux béliers. Plus tard, la Commission des subsistances multipliera les instructions pour la conservation et la multiplication du bétail : 17 germinal, instruction sur l'élève des cochons ; 7 messidor, sur les bêtes à laine ; 25 messidor, sur l'éducation des bestiaux ; 30 messidor, sur la désinfection des écuries ; 4 frimaire, distribution de l'instruction aux bergers, dont l'auteur était le naturaliste Daubenton, successeur de Buffon au Jardin de Plantes. L'instruction du 15 ventôse sur la péripneumonie des bêtes à cornes était due au directeur de l'École vétérinaire d'Alfort, Chabert. Une circulaire du 9 ventôse était consacrée à la propagation des bestiaux, etc., etc. [2].

Certaines communes réclamaient des mesures plus vigoureuses. A la séance du 15 prairial, une députation de Versailles demanda qu'il fût fait défense par une loi de tuer les vaches qui peuvent produire, de tuer les cochons au-dessus de six mois, que chaque commune fût obligée d'élever deux veaux et qu'on accordât des primes à l'élevage.

A Toulouse, pour avoir le droit de tuer un veau ou un cochon, il fallait se munir d'une autorisation du Bureau des subsistances de la ville [3].

Dans le Mont-Blanc, une députation de la Société populaire de Chambéry demanda, le 15 frimaire, à l'Administration départementale, d'ordonner « la proscription des chiens, race vorace qui dévore les subsistances de l'indigent ». On ne voit pas qu'un arrêté en ce sens ait été pris en Savoie. Mais il est certain que dans de nombreuses villes, on déclara la guerre aux chiens et aux chats et qu'on en fit des hécatombes.

(1) *Ibid.*, t. I, p. 354.

(2) Cette circulaire qui a échappé à M. Georges Bourgin, se trouve au recueil de la Bibliothèque Nationale, Lb-41 2185.

(3) ADHER : *Les Subsistances à Toulouse*, p. 129.

LES ROUTES.

La disette ne provenait pas seulement du défaut de la production et de l'accroissement de la consommation, résultat de la levée des armées, de la suppression du carême religieux, du besoin grandissant de bien-être, elle provenait aussi, pour une part, du déplorable état des routes et des chemins qu'on entretenait très mal depuis la Révolution. Un agent du ministre de l'Intérieur en mission dans l'Allier, Diannyère, démontrait, dans son rapport du 28 juin 1793, que la loi de 6 octobre 1791 qui avait mis la réparation des chemins à la charge combinée des communes et des propriétaires était inexécutée et inexécutable. Les districts qui auraient dû imposer aux communes des centimes additionnels pour les travaux publics, préféraient ne rien faire, afin de ne pas faire crier les électeurs. Dans l'Allier, les chemins vicinaux n'avaient que la largeur d'une charrette. « Il s'ensuit, dit Diannyère, que les charrettes passant toujours dans les mêmes ornières, ruinent aisément les chemins vicinaux ; elles les ruineraient en peu de temps même quand ils seraient très bien faits. »

Carnot avait déjà dit à la Convention, le 12 janvier 1793, au retour d'une mission qu'il avait remplie à l'armée des Pyrénées : « Il est difficile d'exprimer à quel point de dégradation les routes sont tombées dans la plus grande partie des lieux que nous avons parcourus et notamment dans la Dordogne... Il en est où des voitures et des bœufs sont demeurés ensevelis sans qu'il fût possible de les en tirer... On se voit sur le point de ne pouvoir plus communiquer d'un canton à l'autre. »

Le remède, ici encore, se trouvait dans la centralisation. La Convention décréta, le 16 frimaire (16 décembre 1793), qu'à partir du 1er nivôse tous les travaux publics seraient faits et entretenus aux frais de la République. Les grands chemins, ponts et levées seraient désormais un service d'État. Les chemins vicinaux, seuls, continueraient d'être aux frais des administrés, « sauf les cas où ils deviendraient nécessaires au service public ». Un crédit de 25 millions était affecté aux réparations les plus urgentes qui devaient être terminées au 15 germinal. On autorisait au besoin l'emploi de la main-d'œuvre militaire. Une nouvelle loi, votée le 10 pluviôse

(29 janvier 1794), permit l'exercice du droit de réquisition sur les hommes et sur les choses pour accélérer les réparations. Le Comité de Salut public tint énergiquement la main à l'application de ces lois. Dès le 18 nivôse (7 janvier 1794), il avait autorisé les Directoires de département à mettre en réquisition les ouvriers, voitures, chevaux, bateaux et agrès, les matériaux, les outils et généralement tout ce qui pourra faciliter la prompte réfection des travaux publics. Quelques jours plus tard, le 23 nivôse (12 janvier 1794), il nommait Pierre-Philibert Maret, ci-devant administrateur du district de Dijon et frère du futur duc de Bassano, commissaire pour la réparation des chemins dans les départements du Nord, de la Somme, de l'Aisne et des Ardennes, avec des pouvoirs très étendus sur les autorités locales.

Il y eut des départements, comme le Mont-Blanc, qui mirent beaucoup d'empressement à seconder les vues du Comité de Salut public. Les représentants en mission accélèrent le mouvement. Roux-Fazillac, dans la Dordogne, employa sur les chemins les ouvriers des ateliers de charité. Lakanal, après lui, ordonna une corvée de trois jours pour la prompte exécution des travaux publics. Tous les habitants y furent conviés, les hommes de 15 à 25 ans avec une pioche et un pic, les hommes de 35 à 50 ans avec une pelle, les hommes au-dessus de 50 ans avec un marteau pour casser les cailloux, les enfants et les femmes avec des paniers pour transporter les matériaux. La corvée, que Lakanal décora du nom de fête de l'Égalité, dura du 9 au 11 ventôse.

Monestier (de la Lozère) écrit d'Agen au Comité de Salut public, le 30 germinal (19 avril 1794) : « Le Directoire du département de Lot-et-Garonne m'a proposé un arrêté pour distraire momentanément les citoyens cultivateurs des travaux relatifs aux routes et de les faire remplacer par ceux qui, sans métier ni profession, traînent leur vie dans l'oisiveté et l'indolence. J'ai adopté cette seconde mesure par un arrêté qui s'imprime et son exécution a commencé dès aujourd'hui. Je l'ai rendu commun au département des Landes où l'entretien des chemins exige une activité plus suivie à cause des transports continuels pour l'armée des Pyrénées [1]. »

[1] AULARD : *Recueil*, t. XII, p. 694.

LES ACHATS A L'ÉTRANGER.

Toutes ces mesures, plus ou moins heureuses, ne pouvaient améliorer la production agricole qu'avec le temps. Or, il fallait vivre. Le Comité de Salut public et la Commission des subsistances s'efforcèrent d'acheter à l'étranger le plus de subsistances qu'il leur fut possible. Ici encore, comme dans les travaux publics, on crut nécessaire de centraliser. Dans la période antérieure, les villes, les départements maritimes et ceux des frontières avaient souvent envoyé des missions d'achats à l'étranger. Le Comité de Salut public interdit cette pratique. Il réserva à la seule Commission des subsistances toutes les acquisitions à faire au-dehors.

Ysabeau et Tallien, en mission à Bordeaux, avaient réuni des fonds pour acheter du blé aux États-Unis et dans l'Allemagne du Nord. Ils avisèrent le Comité, par lettre de 17 novembre 1793, du prochain départ de leurs agents. Mais, dès le 18 novembre, le Comité avait pris un arrêté pour interdire à toutes autorités quelconques, y compris les représentants du peuple, de faire aucun achat à l'étranger et d'y envoyer du numéraire « sans que leur projet et leurs dispositions aient été préalablement approuvés et autorisés par un arrêté du Comité » ; ceci afin d'empêcher une concurrence nuisible entre les divers agents qui se trouvaient envoyés en même temps dans la même contrée. Il fallait mettre de l'unité dans les opérations et éviter d'entraver les mesures concertées par la Commission des subsistances.

Les représentants à l'armée d'Italie avaient continué à acheter des grains à Gênes et en Toscane par l'intermédiaire du fournisseur Haller. Un arrêté du Comité de Salut public, en date du 27 pluviôse, subordonna Haller à la Commission des subsistances. Il dut rendre ses comptes et prendre ses ordres auprès des agents que la Commission avait établis à Marseille.

Le commerce avec le Levant et la Barbarie était auparavant aux mains de la Compagnie d'Afrique qui avait passé des traités auprès des deys d'Alger et de Tunis et des autres souverains musulmans. Le Comité de Salut public, très habilement, racheta secrètement la Compagnie d'Afrique, tout en maintenant ses agents en fonctions et les subordonnant à la Commission des subsistances, afin de pouvoir continuer à jouir des privilèges dont ils jouissaient en Barbarie (arrêté du 20 pluviôse-8 février 1794).

Il est difficile d'évaluer les quantités de céréales, de bétail, de salaisons, de matières premières de toute sorte qui furent ainsi importées de l'étranger. Mais nul doute qu'elles furent considérables.

Pour faciliter les achats en Suisse et aux États-Unis, Robespierre avait fait voter le célèbre décret du 28 brumaire par lequel la République promettait d'être « terrible envers ses ennemis, généreuse envers ses alliés, juste envers tous les peuples ». Le décret chargeait le Comité de Salut public « de s'occuper des moyens de resserrer de plus en plus les liens de l'alliance et de l'amitié qui unissent la République française aux cantons suisses et aux États-Unis d'Amérique ».

La différence des changes rendait les paiements onéreux à la France. On s'efforça d'atténuer la perte du change en exportant au-dehors des marchandises de luxe, vins, soieries, objets d'art, librairie, et en acquittant les achats au moyen d'effets de commerce. Le 6 nivôse, le Comité de Salut public n'hésita pas à réquisitionner les valeurs que les banquiers français possédaient sur l'étranger. Le 9 nivôse, un arrêt de la Commission des subsistances les obligea à déclarer le montant de leurs créances sur l'étranger et des marchandises qu'ils possédaient hors de la France, et même d'indiquer « le nom des citoyens qu'ils connaîtraient pour y avoir des fonds ou marchandises ». Un groupe de banquiers fournit, le 18 pluviôse, cinquante millions de traites sur l'étranger. Il avait fallu cependant effectuer de gros paiements en or, particulièrement aux États-Unis. La dépouille des églises lors de la déchristianisation, la fonte de la vaisselle sacrée à la Monnaie y pourvurent pour une bonne part (1).

(1) Voir, dans les *Annales historiques de la Révolution française*, t. II (1925), pp. 576 et suiv., mon article sur l'Argenterie des églises en l'an II.

CONCLUSIONS.

Toute cette œuvre de production et d'importation de denrées alimentaires ne commença à faire sentir ses effets que dans le courant de l'été de 1794. Les gros arrivages précédèrent de quelques semaines la moisson qui fut abondante ; la soudure put se faire. En attendant, il y eut une dure période à traverser, celle de l'hiver 1793-94. Pendant cette période, où le maximum général est réorganisé, le grand problème qui s'impose pour combattre la disette est moins un problème de production que de répartition.

Il faut se contenter des denrées existant sur le territoire, il s'agit de les distribuer équitablement entre les régions et dans chaque région entre les classes sociales et les individus. Problème ardu, quand il est compliqué par une crise politique terrible et par des lois de contrainte que cette crise a imposées aux gouvernants.

CHAPITRE V

LES RÉQUISITIONS DE GRAINS

On s'accordait à dire que les subsistances, particulièrement les grains, existaient en France en quantité suffisante, mais il fallait les faire sortir des mains de leurs détenteurs qui les conservaient jalousement par défiance du papier-monnaie ou même par haine de la Révolution.

Pour nourrir les armées, les villes, les régions déficitaires, pas d'autre moyen que de recenser les grains et le bétail. Il fallait les amener ensuite aux centres de consommation. Opérations difficiles, si l'on songe qu'elles devaient se faire par la voie de la contrainte, opérations complexes qui ne comprenaient pas seulement la réquisition, mais la distribution et le rationnement.

Le pain jouait dans l'alimentation générale un rôle plus considérable encore que de nos jours. Il était la base de la nourriture de toute la classe populaire. Nous limiterons notre exposé à la réquisition des grains.

FERMAGES ET CONTRIBUTIONS EN NATURE.

L'État possédait dans son domaine de nombreux biens nationaux, biens d'émigrés surtout, qui, en attendant d'être vendus, continuaient d'être affermés. Il était naturel qu'on exigeât des fermiers une part de leur récolte en guise de fermage. Dès le 11 janvier 1793, un décret avait obligé les fermiers des biens nationaux, qui étaient tenus d'après leurs baux, à des rentes en nature, à acquitter ces rentes de la même manière dans les magasins militaires — ceci par dérogation à la loi du 5 septembre 1791 qui les avait autorisés à transformer cette redevance en nature en une redevance en argent. Le décret du 5 juillet 1793 mit à la disposition des administrations départementales les grains provenant des terres d'émigrés. Quand on institua les greniers d'abondance, par la loi du 9 août 1793, on invita les contribuables à acquitter leurs impôts par des versements en grains dans les magasins nationaux. Le décret du 23 août 1793 sur la levée en masse fit de cette invitation une obligation stricte. Désormais, tous les fermiers des biens nationaux sans exception, même ceux qui n'y étaient pas tenus par leurs baux, furent obligés de payer leurs fermages en grains. Quant aux contribuables récoltants, ils durent eux aussi acquitter de la même façon, en nature, toutes leurs contributions arriérées et les deux tiers des contributions de l'année 1793. L'obligation fut renouvelée et précisée à l'égard des fermiers nationaux par le décret du 16 brumaire, qui mit ces grains à la disposition de la Commission des subsistances, alors que précédemment ils étaient administrés par les autorités locales. Les directoires de district étaient dessaisis. Désormais les gardes-magasins étaient nommés, destitués et remplacés par la Commission des subsistances.

La Commission fit de louables efforts pour remplir les greniers d'abondance au moyen des blés des fermiers nationaux et des blés des contribuables récoltants. Elle multiplia à cet effet les circulaires. Mais il ne semble pas que ses appels aient obtenu grand résultat. Elle se plaint, dans sa circulaire du 3 germinal (23 mai 1794), que, malgré ses ordres réitérés, les greniers d'abondance n'ont pas été partout organisés. Certains districts, dit-elle, n'ont point établi de greniers, « sous prétexte qu'ils n'avaient point de grains à y déposer ». Ce « prétexte » était pourtant une raison assez sérieuse. « D'autres, continuait la circulaire, ont désigné un local pour cet établissement sans s'occuper du choix du garde-magasin. Les renseignements parvenus à la Commission sont partiels, inexacts ou insignifiants. »

Les blés des fermages et des contributions étaient aussitôt enlevés que versés. Ils ne suffisaient pas à garnir les greniers.

Aussi, à partir du 18 nivôse, la Commission prescrivit-elle d'y verser les grains de réquisition.

LES GRENIERS D'ABONDANCE DANS LE DOUBS.

Même dans les départements comme dans le Doubs où les administrations locales semblaient prendre à tâche d'obéir aux prescriptions venues de Paris, les greniers d'abondance n'eurent, au début tout au moins, qu'une existence fictive.

Dans le Doubs, le représentant Bassal avait ordonné, par un arrêté du 5 frimaire, que les greniers d'abondance seraient alimentés non seulement par les grains des fermages et des contributions, mais par les grains de réquisition de tous les cultivateurs, ceux-ci ne devant conserver chez eux qu'un approvisionnement de quatre mois, plus leur semence. Les administrations locales s'efforcèrent d'éluder l'arrêté. « Les riches propriétaires de grains, lit-on dans le précis des opérations du département du Doubs à l'égard des subsistances (1), ont répandu l'alarme dans les campagnes sur l'établissement des greniers de cantons, sous le prétexte des risques des frais de transport et de manutention », et enfin le district de Besançon, par mesure de sûreté publique, ordonna, le 28 frimaire, l'établissement de greniers dans chaque commune de son ressort où il y aurait des emplacements. C'était là précisément ce que désiraient les propriétaires de grains. Ils sentaient combien il était difficile d'établir ces greniers et, grâce à ce moyen, ils espéraient garder chez eux leur récolte. Le département prévit cette nouvelle mesure de la cupidité et de l'égoïsme. Il prit, le 29 frimaire, un nouvel arrêté afin de généraliser la mesure du district de Besançon aux cinq autres, mais il eut grand soin de faire connaître « les inconvénients qu'il y aurait à laisser les grains entre les mains des cultivateurs ou propriétaires et qu'il fallait de bonne heure les accoutumer à ne pas regarder cette denrée comme une propriété exclusive ». L'auteur du précis, qui est un membre du département, s'efforce de rejeter la faute sur les districts, et particulièrement sur celui de Besançon. Il déclare que, malgré l'arrêté du

(1) Archives du Doubs, L. 299.

29 frimaire, qui leur en faisait défense expresse, les districts ont laissé les grains chez les particuliers. « Ils leur ont donné la facilité de satisfaire leur avarice, leur cupidité et leur égoïsme, et ils ont par là rendu nulles toutes les mesures du département... » Autrement dit, il n'y a pas eu de versement régulier dans les greniers d'abondance. Ces greniers, qui devaient être organisés dans chaque commune du Doubs, n'ont pas été établis sous prétexte d'insuffisance de locaux. Mais il ne semble pas que le département ait mis la moindre vigueur à rappeler les districts à leur devoir. Il invoque, il est vrai, à titre d'excuse que le décret du 14 frimaire sur le gouvernement révolutionnaire lui avait enlevé toute autorité sur les districts. Il importe de remarquer que la loi du 9 août créait obligatoirement un grenier d'abondance par *district* — et non par canton ou commune. Les représentants en mission dans le Doubs, ni Bassal, ni Lejeune, n'ont fait respecter cette loi. Une preuve que les greniers n'existaient pas encore au début de 1794, c'est que, par arrêté du 22 nivôse, le district de Besançon renouvelle son arrêté du 28 frimaire précédent et prescrit l'établissement d'un grenier par commune (1). Pratiquement, il n'y eut pas d'autres greniers d'abondance que les greniers militaires qui furent simplement agrandis. A Besançon, le représentant Bassal, par arrêté du 3 frimaire, transforma en annexe du grenier militaire la serre de l'émigré Chifflet qui se trouvait placée près du bâtiment des vivres.

LA LÉGISLATION SUR LES RÉQUISITIONS.

Pour bien comprendre comment s'opéraient les réquisitions de céréales et les difficultés qui les entravaient, il est nécessaire d'entrer dans quelques précisions sur la législation.

Au début, sous l'empire de la loi du 4 mai, remise en vigueur à la fin de juillet 1793, les autorités requérantes étaient, en principe, les directoires de département ou de dis-

(1) Archives du Doubs, L. 562.

trict et les municipalités. Celles-ci exécutaient les ordres des autorités supérieures. Les réquisitions n'avaient pour but que de garnir les marchés, conformément aux règlements d'avant 1789. Mais, de plus en plus, les autorités requérantes furent les représentants en mission, armés de pouvoirs illimités, qu'ils fussent délégués à l'intérieur ou aux armées. Les représentants adressaient leurs réquisitions aux départements qui les faisaient exécuter par les districts et par les municipalités. Les réquisitions des représentants comportaient des versements obligatoires dans les magasins nationaux, à l'inverse des réquisitions des corps administratifs et des municipalités qui ne comportaient que l'obligation de conduire au marché une certaine quantité de grains. Le décret du 15 août 1793 sur l'approvisionnement de Paris dit formellement, dans son article 1er, que les représentants du peuple ou leurs délégués pourront requérir les propriétaires et fermiers de fournir 4 quintaux de grains par charrue. Les autorités étaient déclarées responsables sur leur tête de l'exécution des réquisitions. Les fermiers qui refuseraient ou tarderaient seraient traités en ennemis publics, mis en arrestation et leurs grains confisqués.

Le décret du 17 août 1793 punit les fausses déclarations de dix ans de fers et de la confiscation des grains.

Le décret du 25 août 1793, voté au lendemain de la levée en masse, autorisa le ministre de l'Intérieur à adresser des réquisitions aux départements bien fournis en faveur des départements déficitaires ; mais le ministre de l'Intérieur Paré expliqua, dans une circulaire du 31 août, qu'il n'avait pas l'intention d'user de son droit de réquisition, sauf dans les circonstances exceptionnelles, après épuisement complet des ressources locales : « Il suffira, disait-il, qu'un approvisionnement quelconque existe, pour qu'une réquisition ne puisse être demandée fructueusement au Conseil (exécutif), attendu qu'une commune ne saurait être regardée comme manquant de subsistances tant qu'il y en aura dans l'étendue du district, ni le district, tant que les grains du cru du département ne seront pas épuisés. »

Il y eut désormais trois autorités requérantes ; les corps administratifs élus, les représentants en mission, le ministre de l'Intérieur.

Le décret du 11 septembre, qui institua le maximum des grains, augmenta les pouvoirs du ministre de l'Intérieur en lui confiant expressément les réquisitions pour approvisionner Paris. Il fut seulement tenu de se concerter, pour l'exécution, avec la municipalité parisienne. Afin de mettre un peu d'ordre et d'ensemble dans le flot des réquisitions, les représentants du peuple auprès des armées furent invités à faire passer au ministre un duplicata de leurs réquisitions (article 23). Le décret ne disait rien des représentants en mission à l'intérieur. Certains se demandèrent s'ils avaient toujours le droit de réquisition. Barère fit rendre, le 13 brumaire, un décret qui leur confirma ce droit et qui leur accorda, en outre, le droit de préhension.

Quand la Commission des subsistances fut organisée au début de brumaire, elle hérita des attributions antérieurement conférées au ministre de l'Intérieur.

Les inconvénients de ce système qui juxtaposait trois autorités requérantes distinctes : représentants, commission, corps administratifs et municipaux, et qui ne circonscrivait en rien les pouvoirs rivaux de chacune d'elles (1), ne tardèrent pas à se faire sentir et à soulever des critiques. Collot d'Herbois, alors en mission à Lyon, écrivit au Comité de Salut public, le 19 brumaire, 9 novembre 1793 : « Citoyens collègues, je vous ai fait part de notre désespérante situation relativement aux subsistances. J'ai observé que le débat croisé des réquisitions de nos collègues causait le plus grand embarras. Vous avez fait décréter (le 13 brumaire) que les représentants devaient user du droit de préhension pour soutenir leurs réquisitions. Il n'en résultera pas le bien que vous espérez. Tout ce qui est requis et contesté par plusieurs va être pris par celui qui se trouvera le plus près. C'est celui-là qui souvent a moins de besoin et qui, écartant la vue de ceux des autres, fait souvent les demandes les plus démesurées. S'il arrive que ses autres collègues envoient la force armée pour soutenir leurs réquisitions et le droit de préhension qui leur est commun, ne craignez-vous pas que *la querelle des réquisitions*, déjà bien vive et bien animée dans plusieurs départements, ne se

(1) Les pouvoirs des autorités élues étaient seuls circonscrits « dans leur arrondissement », mais les représentants avaient des pouvoirs illimités dont ils usèrent en concurrence.

tourne en combat?... Voilà de quoi la Commission (des subsistances) doit s'occuper avant tout : c'est de bien distribuer ce qui est disponible. Vous pouvez amender le décret en disant que le droit de préhension ne s'exercera d'abord par les représentants du peuple que sur le quart de ce qui peut être réservé pour l'exécution de leurs réquisitions. »

Les réflexions de Collot d'Herbois sur la querelle des réquisitions, comme il disait, ne manquaient pas de justesse. Il fallut cependant qu'elles fussent renouvelées et précisées par d'autres représentants, avant que le Comité de Salut public se décidât à y faire droit.

Voici le représentant Ingrand qui, de Poitiers, écrit à la Convention, le 27 brumaire, 17 novembre 1793 : « Tout serait tranquille dans ce département, si les subsistances n'étaient pas le prétexte de tous les mouvements et de toutes les inquiétudes. Trois à quatre départements avoisinant celui de la Vienne ont obtenu des réquisitions de grains à prendre sur ce dernier ; ces réquisitions ont été données par des représentants qui ignoraient l'état positif des subsistances de ce département qui, d'après le recensement de ses greniers, a un déficit considérable. Je crois que les réquisitions partielles, à moins qu'elles ne soient pour alimenter les armées, sont du plus grand danger et qu'il faudrait qu'elles ne fussent faites (à moins de besoins extraordinaires) que d'après le tableau et recensement exact de tous les grains de la République... Il serait peut-être utile d'empêcher par un décret ces réclamations partielles et d'ordonner que les départements qui ont des besoins s'adresseront à la commission chargée de cette partie d'administration ou au Conseil exécutif provisoire... » Autrement dit, Ingrand voudrait centraliser toutes les réquisitions aux mains de la Commission des subsistances.

Ces plaintes, qu'Ingrand renouvela le 14 frimaire, finirent par être entendues. Par un important arrêté en date du 7 nivôse, 17 décembre 1793, le Comité de Salut public, sur le rapport de la Commission des subsistances, délimita les zones d'approvisionnement de chaque armée, en affectant à chacune un certain nombre de départements et de districts. Désormais les réquisitions militaires furent circonscrites. C'était seulement en cas d'une détresse absolue que les représentants aux armées pourraient faire des réquisitions ailleurs que dans leur zone, et encore à condition d'en prévenir dans les vingt-quatre heures le Comité de Salut public et la Commission des subsistances. On espérait ainsi éviter le croisement des réquisitions opérées par les représentants.

Afin d'accélérer l'exécution des mesures de salut public, la loi du 14 frimaire sur le gouvernement révolutionnaire avait isolé les administrations de district des administrations de département. Les districts correspondaient directement avec le pouvoir central. Cela n'allait pas sans inconvénients. Garnier, de Saintes, en mission à Alençon, fit remarquer au Comité de Salut public, dans sa lettre du 11 nivôse, que les districts qui ne trouvaient pas sur place leur subsistance ne pouvaient pas recourir aux districts voisins : « Ces différentes administrations étant sans autorité les unes sur les autres ne peuvent étendre leur pouvoir d'un territoire dans l'autre. Les administrations de département estiment qu'elles ne doivent plus s'occuper de cet objet important ; la loi paraît implicitement le leur interdire, et il en résulte que, dans les départements où il n'y a point de représentant du peuple, un district est condamné à mourir de faim à côté d'un autre qui a plus que ses besoins, parce qu'aucune autorité supérieure et protectrice n'existe pas pour requérir les versements d'un district à l'autre. » L'observation de Garnier, de Saintes, ne fut pas perdue. Le 18 nivôse, une circulaire de la Commission des subsistances rétablit facultativement pour les réquisitions l'échelon du département. Dès le 3 nivôse, un arrêté du Comité de Salut public avait autorisé la Commission des subsistances à correspondre soit avec les administrations de département, soit avec celles de district et à adresser ses réquisitions aux unes comme aux autres.

Les autorités locales ne pouvaient primitivement user du droit de réquisition que pour garnir les marchés de leur circonscription. Il arriva que beaucoup de communes, pour se soustraire aux réquisitions, créèrent de nouveaux marchés qui dérangeaient les circonscriptions établies et déroutaient ainsi l'action administrative. Un décret du 18 vendémiaire, 9 octobre 1793, supprima tous les nouveaux marchés ainsi créés et maintint les arrondissements des anciens marchés existant avant 1789. Mais il y avait des marchés dont la circonscription s'étendait sur plusieurs districts, et les districts n'avaient le droit de réquisition qu'à l'intérieur de leur ressort. Le décret du 18 vendémiaire y pourvut en autorisant l'administration du district où était situé le marché à faire des réquisitions dans toute l'étendue de la circonscription de ce marché, même dans la partie débordant de sa juridiction propre.

Une dernière difficulté subsistait. Il y avait des cas où il ne suffisait pas de requérir du blé pour garnir les marchés, mais où il était urgent d'exercer le droit de réquisition en faveur de telle ou telle commune particulière. Par un arrêté du 18 nivôse, 7 janvier 1794, le Comité de Salut public autorisa les districts, « en cas de nécessité urgente et eu égard à l'éloignement des marchés », à employer la voie des réquisitions directes pour faire attribuer des subsistances aux communes déficitaires, à condition que la réquisition ne dépasserait pas l'approvisionnement d'un mois et à la charge d'en informer la Commission des subsistances (1).

Par la force des choses, pour mettre de l'ordre et de l'ensemble dans les opérations des autorités requérantes, on fut amené à élargir le rôle de la Commission des subsistances.

Au début, beaucoup de représentants avaient vu avec jalousie l'action des agents de la Commission (2). Pour prévenir leurs susceptibilités, le grand décret du 14 frimaire obligea les agents du Conseil exécutif et de la Commission des subsistances « à rendre compte exactement de leurs opérations aux représentants du peuple qui se trouveront dans les mêmes lieux » (art. 14 de la section III). Mais peu à peu les préventions s'affaiblirent, et certains représentants, moins jaloux de leurs pouvoirs que de la bonne marche des services, demandèrent eux-mêmes au Comité de Salut public de fortifier les attributions de la Commission. Ainsi Lefiot écrivait d'Orléans au Comité, le 14 pluviôse, 2 février 1794, qu'il était nécessaire de placer l'action entière des réquisitions dans la Commission des subsistances. Sans cela, disait-il, il n'existera pas d'ensemble et il y aura toujours des tiraillements fatigants

(1) Isoré, en mission dans le Nord, n'avait pas attendu cet arrêté pour ordonner des réquisitions directes en faveur des communes. Voir Lefebvre. *Les subsistances dans le district de Bergues*, t. I, p. LXI.

(2) Ainsi Dubouchet écrivait de Meaux au Comité de Salut public, le 6 brumaire, qu'il serait désirable de confier aux seuls représentants la partie des subsistances, à l'exclusion du conseil exécutif, et cela au moment même où on installait la Commission de subsistances.

pour le peuple et dangereux pour la tranquillité publique. Ces observations étaient justes. Le 24 pluviôse, 12 février 1794, la Convention vota un décret aux termes duquel le droit de réquisition et le droit de préhension étaient réservés en principe à la seule Commission des subsistances [1]. Les représentants du peuple qui croiraient devoir en user seraient tenus désormais de communiquer *d'avance* leurs projets d'arrêtés au Comité de Salut public. L'approbation du Comité était nécessaire pour donner validité à ces arrêtés. Les représentants ne pourraient s'en passer que dans des cas particulièrement urgents. Le 27 germinal enfin, les réquisitions furent interdites « à tous autres que la Commission des subsistances et les représentants du peuple près les armées, sous l'autorisation expresse du Comité de Salut public ». A partir de cette date, la centralisation des réquisitions est achevée. Tout aboutit à la Commission des subsistances.

Maintenant que nous connaissons les autorités requérantes et que nous avons vu se développer la législation, il faut examiner comment le système fonctionnait dans la pratique et quelles étaient ses modalités.

SUPPRESSION DE LA RÉSERVE FAMILIALE.

Au début, sous l'empire de la loi du 11 septembre 1793, ne pouvait être requis que le superflu de la récolte du cultivateur. Celui-ci était autorisé à garder une quantité de grains suffisante pour la nourriture de sa famille pendant l'année et pour ses semences. Mais cette quantité réservée n'étant pas fixée d'une façon précise, la loi prêtait à l'arbitraire. Le décret du 10 octobre sur le gouvernement révolutionnaire disait encore que « le nécessaire de chaque département serait évalué par approximation et garanti ». Le superflu serait seul soumis aux réquisitions. Cette clause de la loi fut de toutes parts invoquée pour entraver l'exercice du droit de réquisition.

La situation devint critique et, le 25 brumaire, la Convention supprima la réserve familiale par un décret formel :

[1] Ce décret manque au recueil de M. Caron sur le commerce des céréales.

« Considérant que la malveillance s'efforce d'égarer le peuple, d'empêcher l'approvisionnement des marchés et la circulation des grains destinés aux armées, de faire retenir toutes les subsistances, sous prétexte de conserver l'approvisionnement d'une année dans chaque commune et dans chaque canton, tandis que les nombreuses armées qui couvrent les frontières et l'intérieur de la République exigent la plus grande activité et ne permettent pas de calculer ce que les besoins éloignés pourront exiger dans une autre saison... que des remplacements successifs feront refluer les subsistances dans toutes les parties de la République qui auront le plus fourni aux besoins des armées et aux dispositions provisoires du gouvernement ; que toutes les subsistances doivent être exposées et offertes dans chaque département à la consommation ou, en attendant que les versements, qui seront toujours faits à temps, comblent le déficit et remplacent les quantités nécessaires à la consommation ordinaire des habitants ; que toute disposition tendant à resserrer les subsistances et les ressources locales serait un attentat contre la sûreté et le salut de la République... » Le décret donnait aux réquisitions une amplitude illimitée, et la Commission des subsistances avait raison de dire, dans sa circulaire du 4 frimaire, qu'il « mettait dans une sorte de communauté l'universalité des subsistances de la République »... « Ainsi donc, ajoutait-elle, on n'entendra plus le propriétaire égoïste calculer froidement des besoins de l'avenir pour avoir un prétexte de refuser à son frère les moyens de subvenir aux besoins du moment. » Dans la pratique, les autorités locales ou les représentants fixèrent par arrêtés la quantité des grains qui serait laissée provisoirement à chaque récoltant. Ainsi, dans le district de Chaumont, un arrêté du 11 prairial an II, 30 mai 1794, réduisit à 37 livres 1/2, à partir du 4 prairial, la quantité des grains et farines que chaque habitant pourrait garder chez lui, le surplus devant être transporté sous cinq jours au magasin militaire de Chaumont pour satisfaire à une réquisition de 10 281 quintaux au bénéfice de l'armée de la Moselle. Un arrêté subséquent, en date du 15 prairial, éleva à 51 livres 1/2 la quantité réservée à chaque habitant (1).

(1) Charles Lorain, *Les subsistances dans le district de Chaumont*, t. I, pp. 681, 686.

LES RÉSISTANCES AUX RÉQUISITIONS.

Si l'on songe que toutes les institutions de l'ancien régime portaient la marque du particularisme, que les hommes, depuis des siècles, étaient voués à l'isolement dans la province et dans la caste, que le privilège et l'inégalité avaient façonné leur mentalité, on se rendra compte de la hardiesse inouïe d'une telle mesure et de ses difficultés d'application. A notre époque, les lois à tendances socialistes trouvent une atmosphère favorable, parce que le suffrage universel, l'égalité devant la loi et devant l'impôt ont fait peu à peu disparaître ou ont abaissé tout au moins les barrières d'égoïsme et d'isolement. La nécessité du salut public, la préoccupation de la défense nationale font accepter, sans trop de résistance, des mesures que nos aïeux auraient estimées draconiennes. On ne résiste plus, ou du moins très rarement, aux réquisitions militaires. On se soumet d'assez bonne grâce au contrôle gouvernemental sur la production et la consommation des denrées nécessaires à la vie. L'horizon humain s'est agrandi au-delà de la famille, au-delà de la classe, au-delà du clocher et de la province : il embrasse la nation. Combien différente la situation en ce temps-là! Une moitié de la France soupirait après le retour du roi légitime et faisait des vœux, plus ou moins secrets, pour la victoire de l'ennemi. Toute loi révolutionnaire se heurtait à de sourdes et tenaces résistances politiques. Ces résistances étaient beaucoup plus fortes encore quand elles pouvaient, comme dans le cas présent, se fortifier par l'intérêt individuel, par le droit de propriété, par toute une éducation individualiste et particulariste. C'est ce qui explique pourquoi les recensements et les réquisitions ne s'opèrent qu'aux prix des plus grandes difficultés.

Dans l'Yonne, nous dit M. Charles Porée, des commissaires de la Commission des subsistances sont assaillis dans les villages. « La commune de Leugny n'obéit à une réquisition au profit de Coulange-sur-Yonne qu'après la destitution de ses officiers municipaux et l'envoi de 50 gardes nationaux [1]. » « A Noyers (en avril 1794), les commissaires (aux réquisitions),

[1] Charles Porée, *Les subsistances dans l'Yonne pendant la Révolution*, p. LIV.

obligés de se faire escorter par un détachement de la garde nationale, se trouvèrent en face d'une foule de 200 femmes, massées devant la maison commune, qui les accueillirent par des huées, et le maire refusa de délivrer des billets de logement aux gardes nationaux. A Trichey, les délégués de la commune d'Auxerre découvrirent du blé caché dans une baignoire ; à Châtel-Gérard ils en trouvèrent dans des cuveaux couverts de linge ; un habitant de Chassigneules avait caché le sien dans des sacs nichés derrière des meubles et jusque dans une feuillette dissimulée dans du fumier ; les communes d'Ancy-le-Libre, Argenteuil, Vireaux, Lézinnes, Commissey, Cusy, Pimelles, Thorey, Ruguy, Saint-Martin, Chemilly, Arthonnay, Senevoy, vingt autres essayaient par tous les moyens d'éluder la réquisition [1]. » Le 4 mai 1794, « la société populaire de Coulanges-la-Vineuse fut assaillie dans le lieu de ses séances par une foule furieuse et obligée de se disperser, tandis que les agresseurs, ouvrant l'église, y passèrent une partie de la nuit à sonner les cloches, à chanter des hymnes à solliciter la clémence d'en-haut [2] » (une grêle venait de détruire une partie des récoltes). Deux mois plus tard, le 21 juin 1794, des cultivateurs du hameau des Loges, les frères Chaperon, plutôt que d'obéir à la loi, se barricadèrent dans leur ferme, tuèrent cinq gardes nationaux et en blessèrent 17. Pour avoir raison de leur résistance, il fallut incendier leur maison.

Ce qui s'est passé dans l'Yonne s'est répété dans la Haute-Marne [3]. Le 19 ventôse, un arrêté du district de Chaumont ordonna l'arrestation de nombreux maires et agents nationaux des communes en retard pour la fourniture des réquisitions. Les arrestations se succèdent les jours suivants. Le 7 germinal, 27 mars 1794, le district ordonne l'envoi de 4 brigades de gendarmerie et de 50 hommes de la garde nationale pour exécuter les réquisitions dans la commune de Meures. Douze femmes furent arrêtées, mais les poursuites se terminèrent par des acquittements. La résistance ne désarma pas. Le mois suivant, les 2 et 4 prairial, 21 et 23 mai 1794, le district de Chaumont ordonna de nouveau l'arrestation d'un grand nombre de maires et d'agents nationaux

(1) *Ibid.*, p. LXV.
(2) *Ibid.*, p. LXVIII.
(3) Ch. LORAIN, t. I, pp. 508, 510, 523, 559, 563, 565, 650, 673, 680.

de son arrondissement. Les maires sont internés à Chaumont et tenus de se présenter à deux appels chaque jour. On les garde en otages jusqu'à l'exécution des réquisitions. En messidor on emploie de nouveau la force armée. Des contingents de gardes nationaux choisis parmi les patriotes accompagnent les commissaires aux réquisitions qui sont pris dans le club et dans le comité révolutionnaire.

Dans l'Eure, il n'en va pas différemment. « La résistance, dit M. Évrard (1), s'aggrave (dans le district des Andelys) de rassemblements armés et d'actes de gaspillage des récoltes plus nombreux (encore) qu'autour d'Évreux : des gerbes sont trouvées à demi battues chez les meuniers, du blé vert est arraché en herbe. Certains propriétaires préfèrent dévaster leurs champs plutôt que de se conformer aux ordres du gouvernement révolutionnaire. » La résistance n'avait donc pas seulement un caractère économique, mais un caractère politique fort net. C'est pourquoi, pour juger avec équité les lois révolutionnaires, il ne faut jamais perdre de vue cet élément politique. M. Évrard fait observer que les troubles pendant la période du maximum furent cependant moins graves qu'ils ne l'avaient été dans la même région au printemps de 1792. Les attroupements plus rares furent vite dispersés, « ainsi à Bourgthéroude, à Saint-Georges-du-Theil où des mutins armés de bâtons guettaient pendant la nuit le départ des voitures et menaçaient l'agent national ». Il ne semble pas que dans l'Eure on ait dû procéder à des arrestations en masse des agents municipaux des campagnes, comme on le fit dans la Haute-Marne (2).

Dans le Nord, le représentant Laurent ordonna, le 3 pluviôse, 22 janvier 1794, d'arrêter les maires et agents nationaux des villages récalcitrants. « On arrêta, dit M. Lefebvre (3), 23 maires. Mais, pour l'approvisionnement des marchés, la peur qu'inspirait le gouvernement révolutionnaire suffit à contraindre le cultivateur. Après les difficultés du début, qui provoquèrent des attroupements à Dunkerque,

(1) *Bulletin de la commission d'histoire économique de la Révolution*, 1909, p 67 et suiv.

(2) M. Évrard ne cite que l'arrestation du maire d'Harcourt et de deux membres du Conseil général de cette commune, par ordre du représentant Siblot.

(3) Préface, p. LXIV.

le 16 nivôse, les versements furent assez réguliers. » M. Lefebvre explique bien pourquoi les pénalités rigoureuses inscrites dans les lois, tant à l'égard des autorités que des cultivateurs, étaient, en fait, la plupart du temps inapplicables. Le décret du 15 brumaire stipulait l'arrestation des administrateurs, soit des communes, soit des districts, soit des départements, qui n'auraient pas fourni dans la quinzaine l'état des recensements des grains. Le grand décret du 14 frimaire punissait de peines variées, allant de la privation des droits politiques jusqu'aux travaux forcés, en passant par la confiscation du tiers du revenu, les fonctionnaires et les membres des administrations négligents ou prévaricateurs. Il fallut voter, le 18 germinal, un décret spécial aux fonctionnaires qui suspendraient les réquisitions et les menacer de nouvelles pénalités. En général, plus les lois répressives sont rigoureuses, moins elles sont efficaces. M. Lefebvre l'a fort bien vu : « Les cultivateurs défaillants, dit-il, étaient trop nombreux pour qu'on pût les arrêter tous. Que serait devenue l'agriculture ? C'est pourquoi on empruntera à l'ancien régime l'expédient des garnisaires. Quand l'arriéré d'une commune devenait trop considérable, on menaçait de lui envoyer des troupes de la garde nationale ; la municipalité était requise de répartir les soldats chez les récalcitrants, qui devaient les loger et les nourrir jusqu'à la livraison du contingent. Ce moyen était très défectueux ; il entraînait des frais énormes, il ne distinguait pas entre le coupable et le malheureux. Les garnisaires commettaient beaucoup d'excès. » Il est probable que ce tableau est vrai pour d'autres régions que le Nord.

La correspondance des représentants fournit à cet égard quelques indications.

D'Alençon, le 11 nivôse, Garnier de Saintes constate que « là les réquisitions s'exécutent avec tant de lenteur que dans peu elles seront un moyen impuissant d'approvisionner les grandes communes. Les municipalités, dit-il, ne déférent point aux ordres des districts ; si quelques-unes les exécutent, les particuliers n'y obéissent point, et ainsi, de chaînon en chaînon, tout se désunit. La voie de la force armée est le dernier et le plus fâcheux des moyens à employer ; il faut donc une loi coercitive et pénale contre les citoyens malveillants et égoïstes qui refusent de satisfaire aux réquisitions, et il importe de la faire rendre promptement ». Le même représentant, quelques jours plus tard, le 26 nivôse, dénonce le département du Calvados pour la mauvaise volonté qu'il a mise à exécuter ses réquisitions. Sans le patriotisme du district de Falaise, 30 000 hommes du département de l'Orne seraient morts de faim. Le 1er pluviôse, Garnier signale encore qu'une émeute provoquée par l'enlèvement des grains a eu lieu à Saint-Hilaire-de-Briouze. « Le peuple s'y est attroupé, il a fait résistance, il a fallu décharger les subsistances dans le lieu qu'il a indiqué... J'ai envoyé dans l'endroit 50 hommes de cavalerie, j'ai donné ordre d'arrêter 4 ou 5 personnes les plus coupables. »

Le 3 pluviôse, 22 janvier 1794, le représentant Lefiot signale d'Orléans que les communes de Belleville et de Léré ont fait prisonnier un détachement de gardes nationaux envoyé pour protéger les réquisitions. Le 11 pluviôse, 30 janvier 1794, c'est Guimberteau qui écrit de Tours qu'il a envoyé le citoyen Mogue, commissaire du Comité de Salut public, pour prévenir toute effusion de sang entre les communes de Château-La-Vallière et du Lude « qui déjà se menaçaient de marcher en armes l'une contre l'autre et de s'entr'égorger sous le prétexte de l'approvisionnement de leurs marchés respectifs ». Tout rentra d'ailleurs rapidement dans l'ordre.

En somme, les attroupements armés furent rares, beaucoup plus rares que dans les crises de mars et de novembre 1792, en un temps où le maximum n'existait pas. Alors certaines régions avaient été le théâtre de véritables insurrections. Sous la Terreur je n'ai pas trouvé d'autres exemples de troubles que ceux que je viens de rapporter. La résistance aux réquisitions prit la plupart du temps la forme de l'inertie. Mais il faut dire que cette résistance fut singulièrement facilitée par la négligence, le mauvais vouloir et le conflit des autorités chargées de faire exécuter les lois.

LE RÔLE DES REPRÉSENTANTS EN MISSION.

Après l'institution du gouvernement révolutionnaire, les autorités subalternes ont sans doute été épurées par les représentants en mission. Mais les représentants eux-mêmes, chargés de cette épuration, ne sont pas toujours très zélés à faire exécuter les ordres du Comité de Salut public ou les arrêtés de la Commission des subsistances. Il y en a qui prennent plus à tâche de cultiver la popularité des populations auprès desquelles ils exercent leurs fonctions qu'à servir l'intérêt général. De ce nombre furent certainement Bassal, en mission dans le Doubs, et Prost qui lui succéda peu après dans le Jura et dans le Doubs. Par son arrêté du 5 frimaire, Bassal avait ordonné que les cultivateurs ne garderaient par devers eux qu'un approvisionnement de 4 mois et qu'ils verseraient le surplus dans des greniers d'abondance. Il ne mit aucune vigueur à faire exécuter son arrêté qui fut lettre morte. Quand Bassal fut rentré à la Convention, nous voyons les autorités locales s'adresser à lui pour obtenir l'adoucissement ou la mainlevée des réquisitions qu'elles étaient chargées d'exécuter pour les armées ou pour les départements voisins du Mont-Terrible et du Haut-Rhin (1). Un peu plus tard, en prairial, c'est encore à Bassal et à Prost que le département du Doubs s'adresse pour obtenir des secours en grains (2).

Les représentants qui prenaient ainsi le parti des populations ont sans doute été plus nombreux qu'on ne serait tenté de le supposer. Robespierre jeune, au cours de sa mission en Franche-Comté, en pluviôse en II, fut de ceux-là. Considérant que les habitants de plusieurs communes du district de Luxeuil étaient obligés de se nourrir de pain d'avoine, il annula, le 16 pluviôse, une réquisition qui obligeait ce district à fournir du blé au département des Vosges (3).

La Commission centrale des subsistances ne fut pas toujours aidée dans sa lourde tâche par les représentants qui auraient dû la seconder. Il arriva souvent que ceux-ci critiquaient ses opérations et les entravaient en soutenant contre elle les intérêts locaux. Le 9 nivôse, 29 décembre 1793, Lau-

(1) Voir aux archives du Doubs, L. 623, les lettres de Claude Ignace Dormoy, envoyé en mission à Paris, par le département, en date des 6 et 7 nivôse an II.

(2) *Ibid.*, L. 619. Lettres de Prost du 13 prairial et du 14 prairial an II.

(3) Voir les arrêtés de Robespierre jeune dans les *Annales révolutionnaires* de janvier 1916, p. 88.

rent se plaint au Comité de Salut public de la Commission des subsistances qui fait des promesses, dit-il, et qui n'envoie rien. Cette Commission, d'après lui, voudrait exercer une surveillance jésuitique sur les représentants. Le 7 nivôse, plaintes analogues de Garnier de Saintes en mission à Alençon, etc.

L'ARBITRAGE DU COMITÉ DE SALUT PUBLIC.

Les autorités locales profitent de l'antagonisme entre la Commission et les représentants pour tâcher d'éluder les réquisitions. Il naît des conflits perpétuels entre les districts requis et les districts au profit desquels sont faites les réquisitions. La faiblesse ou le parti pris des représentants obligent souvent le Comité de Salut public à intervenir pour jouer le rôle d'arbitre et de juge.

Le département du Cher avait reçu 4 réquisitions différentes : 1° une du représentant Maure de fournir 1 500 quintaux au district de Saint-Fargeau dans l'Yonne ; 2° une du représentant Richard de fournir 2 000 quintaux à l'armée de l'Ouest ; 3° une du représentant Fouché en faveur des districts de Cérilly et de Montluçon ; 4° une du même Fouché en faveur des districts de la Charité et de Nevers. Le département du Cher réclama auprès de la Commission des subsistances et le Comité de Salut public décida, le 3 frimaire, 23 novembre 1793 : 1° que la réquisition de Richard en faveur de l'armée de l'Ouest serait immédiatement exécutée ; 2° que les autres réquisitions seraient suspendues, « sauf aux autorités constituées dans les départements de l'Yonne et de l'Allier à constater, d'une façon précise, leur situation en subsistances, sauf à elles et à celles du département de la Nièvre à déterminer d'une manière précise les communes du département du Cher qui étaient dans l'usage de porter leurs grains dans les divers marchés de ces départements ».

Autre exemple d'arbitrage. Fouché et Javogues avaient autorisé le district de Cérilly dans l'Allier à faire des achats de grains dans les départements voisins et même hors les marchés, ce qui était contraire aux dispositions de la loi du 11 septembre. Le district de Bellevue-les-Bains (Bourbon-Lancy) protesta aussitôt, et le Comité de Salut public, sur le rapport de la Commission des subsistances, annula les réquisitions de Javogues et de Fouché (arrêté du 4 nivôse, 24 décembre 1793).

Dans ce cas particulier, le Comité de Salut public avait donné raison aux autorités locales. Dans d'autres, plus fréquents, il était obligé d'intervenir pour les forcer à l'obéissance. Le district de Bernay avait été requis par la Commission des subsistances de mettre 4 000 quintaux de blé à la disposition du district de Mortagne dans l'Orne. Le district réduisit de 4 000 à 200 quintaux la réquisition qu'il devait exécuter. Par arrêté du 21 nivôse, le Comité de Salut public le rappelle sévèrement à l'ordre en lui reprochant de compromettre les intérêts de la République et la vie des citoyens [1]. Dans certains cas difficiles, le Comité de Salut public envoyait sur place un enquêteur. Ainsi, le 29 ventôse, il envoya le représentant Bô dans le Tarn pour examiner les causes du refus que les districts de ce département opposaient aux réquisitions.

LES RÉSULTATS.

Nous avons vu comment s'est progressivement établi dans la législation le système des réquisitions, quelles difficultés il rencontra dans la pratique, tant du conflit des autorités requérantes que de la résistance des populations encouragées par les menées souterraines des adversaires du régime, les défaitistes de l'époque. De cet examen il résulte, semble-t-il, quelques conclusions d'ordre général :

1° Le système a fonctionné, au début, d'une façon différente selon les régions. Les représentants en mission ont assez souvent suivi une politique particulière en matière de subsistances. Ce n'est que peu à peu, par l'action énergique du Comité de Salut public et de la Commission des subsistances, qu'une certaine uniformité a pu s'établir et que la centralisation a passé des lois dans les faits.

2° On pourrait croire que le système des réquisitions généralisées eût dû supprimer absolument tout commerce libre des

(1) Voir plusieurs arrêtés du même ordre en date du 7 germinal, dans le recueil de M. Aulard.

céréales, surtout après le vote de la loi du 25 brumaire qui, par l'abrogation de la réserve familiale, mettait en communauté tous les grains de la République, surtout après l'arrêté du Comité de Salut public du 18 nivôse qui autorisait les réquisitions directes de commune à commune. Certains auteurs ont cru, en effet, qu'il en avait été ainsi. M. Lefebvre écrit que l'arrêté du 18 nivôse « supprimait à peu près toutes voies légales au commerce des bladiers en ravitaillant directement les grandes villes. Jamais, ajoute-t-il, on ne fut plus près de transformer le commerce du blé en monopole d'État [1] ». Je vois cependant qu'un mois après cet arrêté, le directoire du district de Besançon approuve un marché passé entre ses commissaires et un négociant de Saint-Seine, en Côte-d'Or, nommé Foussard, qui s'engage à livrer dans les greniers d'abondance de Besançon la quantité de 1 000 quintaux de blé, à raison de la taxe, plus 6 livres par quintal pour frais de voiture et commission [2]. Le commerce libre parvenait donc encore à exister. Ce curieux exemple montre même qu'il était utilisé et encouragé par les administrations. Mais il est probable que le commerce libre ne réussit à se maintenir qu'en se faisant l'auxiliaire des autorités dans l'embarras.

3° Aucun texte législatif, à ma connaissance, n'avait autorisé l'usage des réquisitions au profit des particuliers. J'ai cependant rencontré aux archives de nombreux arrêtés administratifs employant la voie de la réquisition pour nourrir les ouvriers des usines de guerre ou pour approvisionner les maîtres de poste et les aubergistes. Ainsi, entre cent autres, le 14 pluviôse, le district de Besançon ordonne une réquisition de grains au profit des ouvriers des forges de Montcley. J'ai publié dans les *Annales révolutionnaires* d'octobre-décembre 1914, un curieux arrêté, par lequel Robespierre jeune pourvut, le 24 pluviôse, à l'approvisionnement des auberges du département de la Haute-Saône par la voie des réquisitions.

4° En ce qui concerne les résultats du système, il serait facile de grouper en un sombre tableau, à la manière de Taine, quelques faits isolés et successifs, et de s'écrier que la réglementation a fait faillite et que, loin de préserver la France de la famine, elle a accru la disette. J'ai pour les

(1) *Les subsistances dans le district de Bergues*, p. LXII.
(2) Archives du Doubs, L. 562.

recherches érudites de mon excellent confrère, M. Marcel Marion, une haute estime. Je crains pourtant que la sévérité de ses jugements sur l'œuvre économique de la Convention ne soit pas exempte de parti pris. « Tallien, écrit-il dans un article du *Correspondant*, voit dans le Bec-d'Ambez, ci-devant Gironde, les habitants réduits à un quart de livre de mauvais pain par jour, qui encore manque souvent (1). » Sans doute, mais M. Marion devrait nous dire si, avant l'institution du maximum et de la réglementation qu'il considère comme la cause de tous les maux, la situation était meilleure dans ce département. Or il n'en était rien. M. Marion devrait aussi faire observer que Tallien, dans cette lettre qu'il cite (2), réclame des secours au Comité de Salut public et qu'il a intérêt, par conséquent, à exagérer la situation. Et surtout M. Marion, pour être impartial et juste, ne devrait pas oublier que le même Tallien, dans sa lettre du 20 nivôse, 9 janvier 1794, également datée de Bordeaux, avait écrit : « Les subsistances qui nous avaient, comme vous le savez, donné beaucoup d'inquiétude, commencent à devenir abondantes. Tous les départements viennent à notre secours ; ceux du Lot-et-Garonne, de la Vienne et des Deux-Sèvres se sont principalement signalés par l'empressement qu'ils ont mis à partager avec nous-même leur nécessaire (3). »

M. Marion cite une lettre de Boisset, en date du 30 pluviôse, où il est dit que dans les départements de la Lozère et de l'Aveyron, on est réduit à manger des glands (4). Mais cette citation n'est pas celle de la lettre même. Elle provient d'un résumé, d'une analyse, dont l'exactitude est peut-être contestable. Puis M. Marion pourrait savoir que la famine existait dans ces départements du Midi et qu'on y mangeait du gland et des herbes bien avant qu'il fût question d'instituer le maximum et les réquisitions.

C'est aussi d'une analyse, et non de la lettre même de Garnier de Saintes (5), que M. Marion tire cette affirmation que, dans l'Orne, en nivôse an II, « plusieurs personnes sont

(1) *Correspondant* du 25 janvier 1916. Voir aussi son étude de la *Revue des Études historiques* de juillet-septembre 1917.

(2) Lettre du 25 pluviôse. Aulard, t. XI, p. 128-129.

(3) Aulard, t. X, pp. 145-146.

(4) *Id.*, t. XI, p. 265.

(5) *Id.*, t. IX, p. 703.

mortes de faim et que d'autres s'alimentent dans ce moment d'herbes et de son ». Ici encore il ne faudrait pas omettre d'ajouter que Garnier de Saintes se plaint de l'inexécution des réquisitions qu'il a adressées au Calvados et qu'il a intérêt à noircir le tableau pour que le Comité de Salut public lui prête main-forte.

Puis on est mis en quelque défiance contre les généralisations de M. Marion quand on le voit, dans ce même article du *Correspondant*, appeler couramment le peuple, sur lequel cependant il s'apitoie, la populace.

Il écrit dans son article de la *Revue des Études historiques :* « Dans l'Indre, on mange du pain de glands, d'avoine et de légumes [1]. » Si on se reporte à la référence, à une lettre de Michaud, datée du 3 pluviôse [2], on voit que Michaud dit seulement : « D'après les données exactes que m'a présentées l'agent de la Commission des subsistances, la médiocrité des ressources qui y existe est très alarmante ; car à peine y a-t-il quelques communes qui puissent en fournir à celles qui en manquent, et la pénurie de celles-ci est déjà si réelle que, depuis quelque temps, elles font entrer dans leur pain une certaine quantité d'avoine et de légumes. » Il n'est pas question de glands. Il est dit que dans certaines communes, et seulement depuis quelque temps, on mélange au blé de l'avoine et des légumes. Ce n'est pas là manger « du pain de glands, d'avoine et de légumes ».

Je ne veux pas pousser plus loin cette discussion. Les faits cités par M. Marion sont exceptionnels. Ils sont grossis, soit par M. Marion, soit par ses témoins qui ont intérêt à apitoyer le Comité de Salut public, afin d'en tirer des secours.

De l'ensemble de la correspondance des représentants en mission comme des autres sources que j'ai consultées, je recueille une impression toute différente de celle de M. Marion. La réquisition des grains, si elle s'exécuta au prix de sérieuses difficultés dans certaines régions, s'exécuta quand même et elle atteignit largement son but qui était de nourrir les villes et les armées. S'il y eut des troubles par endroits, ils furent beaucoup plus rares et beaucoup moins graves que dans la période antérieure, au temps où existait la

[1] *Revue des Etudes historiques* de juillet-septembre 1917, p. 347.
[2] Aulard, t. X, p. 447.

liberté du commerce. Rien de comparable aux énormes attroupements armés qui pillèrent la Beauce et le Valois au printemps et à l'automne de 1792. S'il y eut malgré tout des disettes, elles furent locales et momentanées. On y mit promptement ordre.

Les adversaires du maximum oublient pour prouver leur thèse de nous démontrer que la politique de taxation et de réglementation qui s'imposa à la Convention et au Comité de Salut public pouvait être évitée, vu les circonstances. Ce sont des nécessités politiques et patriotiques inéluctables qui ont imposé cette politique à des hommes d'État qui étaient aussi enragés partisans du libéralisme économique que peut l'être M. Marion lui-même. S'ils n'ont pu faire autrement, comment serait-on en droit de leur faire grief d'avoir sauvé la France en renonçant, devant les nécessités d'une situation sans issue, à leurs propres idées théoriques ? Ne devrait-on pas plutôt les en louer, puisqu'ils n'ont pas été de ceux à qui la leçon des faits n'apprend rien ? Je pense, avec M. Lefebvre, que l'analyse impartiale des faits oblige à conclure que « le gouvernement de Robespierre, pour parler comme lui, a sauvé la France ouvrière de la famine ».

CHAPITRE VI

LES RESTRICTIONS ALIMENTAIRES

La lutte contre la famine ne comportait pas seulement des mesures pour intensifier la production telles que l'obligation de la culture des terres abandonnées, le dessèchement des étangs, la distribution des semences, ou des mesures destinées à assurer la répartition des denrées au mieux de l'intérêt général, telles que les réquisitions et la répression de l'accaparement : elle s'accompagna rapidement d'un système de restrictions réglementées, moins sévère et mois ordonné peut-être, mais analogue cependant dans l'ensemble à celui que nous avons dû instituer peu à peu au cours de la guerre.

LE PAIN DE L'ÉGALITÉ.

De bonne heure, dans certaines villes, on avait par mesure d'économie défendu de faire du pain de luxe. Toutes les farines étaient mélangées et les boulangers ne cuisaient plus qu'un pain unique : le pain de l'Égalité.

La Convention généralisa ces mesures provisoires et locales par son décret du 25 brumaire, qui ordonna que la mouture serait uniforme dans toute la France. Aucun meunier ne pourrait extraire plus de 15 livres de son par quintal de toute espèce de grains. Le même jour, il fut décidé que le pain de munition destiné aux troupes comprendrait un quart de seigle et d'orge.

A Paris, on n'avait pas attendu la loi pour en mettre en vigueur le contenu. Dès le 11 brumaire, le comité révolutionnaire de la section de l'Observatoire avait arrêté que les scellés seraient apposés sur les bluteaux des boulangers, afin de les mettre dans l'impossibilité de tamiser la farine qui leur était distribuée et de continuer en cachette la fabrication des pains mollets [1].

Les représentants en mission tinrent la main à l'exécution de la loi dans les grands centres. A Bordeaux, Ysabeau et Tallien, « informés qu'il se fabrique à Bordeaux plusieurs espèces de pain, ce qui est contraire à l'esprit de l'Égalité qui doit régner entre tous les citoyens, considérant que, dans les moments de disette surtout, il ne faut pas que le pauvre ait devant les yeux le spectacle du riche égoïste mangeant du pain blanc, pendant que lui est réduit à en avoir d'une bien moindre qualité... », arrêtèrent, le 23 frimaire, qu'il ne pourrait être fabriqué dans la commune « qu'une seule espèce de pain, en tout conforme à l'essai de celui qui a été présenté par le Comité des subsistances », sous peine, pour les boulangers contrevenants, d'être traduits devant la commission militaire comme mauvais citoyens. Les représentants ajoutaient, pour donner l'exemple, qu'il ne serait servi sur leur table et sur celle de tous les fonctionnaires publics que le pain civique et obligatoire.

Collot d'Herbois et Fouché avaient établi à Lyon le pain de l'Égalité dès le mois de brumaire, et Chaumette cita leur arrêté en exemple le 3 frimaire. La Commune de Paris se l'appropria.

Il faut croire cependant qu'en dépit du zèle des représentants et des comités révolutionnaires les fraudes persistèrent, car le Comité de Salut public dut prendre, le 23 pluviôse (11 février 1794), sur le rapport de la commission des subsistances, un arrêté sévère qui interdisait à tout meunier, boulanger, pâtissier ou autre citoyen, de conserver chez lui des bluteaux défendus, autorisait les autorités municipales à procéder à leur recherche par des visites domiciliaires, ordonnait enfin de ranger les contrevenants dans la catégorie des suspects et de les mettre en arrestation jusqu'à la paix.

[1] Archives nationales, registre de la section F[7] 2514.

Il ne suffisait pas d'interdire le pain de luxe. Dans plus d'une ville, on interdit aussi la pâtisserie. Ainsi dans l'Oise, à Noyon, à Trie-Château, à Beauvais [1]. Il est vrai que dans la pratique on se borna souvent à des arrêtés qui furent d'une exécution difficile. A Beauvais, la résistance des pâtissiers fut tenace. A Trie-Château, la municipalité fit défense à un marchand de brioches de continuer son commerce, « attendu qu'il prive les citoyens de la commune des œufs et du beurre par la trop grande consommation qu'il fait ». A Besançon, l'arrêté du 23 pluviôse fut interprété comme entraînant la suppression absolue de la pâtisserie. Ailleurs, comme à Alençon, on s'ingéniait à fabriquer du pain en mêlant à la farine de la fécule de pommes de terre. Le deuxième jour du second mois, le boulanger alençonnais Gautier fut félicité par la municipalité pour avoir fabriqué un pain de pommes de terre. On l'invita à faire connaître immédiatement son procédé à soixante citoyens [2].

Dans beaucoup d'endroits, on réglementa sévèrement le commerce de l'amidon et de la bière pour restreindre la quantité de blé et d'orge employée à cette fabrication. Mais il n'y eut pas, semble-t-il, à cet égard de mesure d'ensemble étendue à toute la France.

LA CARTE DE PAIN.

Malgré tout, l'approvisionnement restait difficile. Les boulangers avaient leurs préférences. Il fallait les empêcher de distribuer à certains clients plus de pain qu'à d'autres. C'est ainsi que naquit l'idée de la carte de pain dans la section parisienne du Gros-Caillou, au début du mois d'août 1793. « Et là, dit la *Feuille du Salut public* (nº du 9 août), chaque citoyen déclare au Comité son nom, sa demeure, le nombre des bouches qu'il a à nourrir ; ces déclarations sont portées sur une carte qui lui est remise, et moyennant laquelle le boulanger de son arrondissement lui délivre sans peine la quantité de pain dont il a besoin. Cette carte porte son signa-

[1] Voir l'article de M. Dommanget dans les *Annales révolutionnaires*, 1917, t. IX, pp. 107-110.

[2] MOURLOT : *Documents économiques sur le canton d'Alençon.*

lement. » Le journal proposait en exemple « les mesures sages » édictées par la section du Gros-Caillou. Avec la carte, plus de queues aux portes des boulangers, plus de déploiement de police, plus de mécontents. Avec la carte, le rationnement est parfait. L'égalité devient chose réelle et facile. Avec la carte, les autorités connaissent exactement les besoins de leurs administrés. Elles peuvent répartir les farines dans une proportion égale à la consommation, exercer sur les boulangers un contrôle permanent. Aussi s'explique-t-on que la carte de pain se soit généralisée très vite.

La section de la Croix-Rouge (quartier Saint-Thomas-d'Aquin) imita celle du Gros-Caillou, mais en restant originale : « Il sera délivré à chaque famille, dit son arrêté, une feuille timbrée de la section, signée du capitaine de l'arrondissement et du représentant de chaque famille. Chaque capitaine (*sic*) recevra la déclaration du nombre de pains que chaque ménage de sa compagnie peut consommer par jour. Les jours du mois seront marqués sur cette feuille, ainsi que le nombre des pains à délivrer chaque jour, et le boulanger délivrant rayera sur la feuille de délivrance. » Alors qu'au Gros-Caillou c'était le comité civil de la section, analogue aux bureaux de nos mairies, qui délivrait la carte, à la Croix-Rouge, le comité civil s'était déchargé sur des fonctionnaires nouveaux appelés capitaines. Chacun avait la surveillance d'une boulangerie et de sa clientèle.

A la fin d'octobre, alors qu'une vive agitation régnait dans Paris par suite de la difficulté grandissante de se procurer du pain, le Jacobin Guirault recommanda au club de généraliser à toute la capitale l'institution de la carte de pain, jusque-là bornée à quelques sections. « Avec la carte, dit Guirault, on ne pourra plus aller chez un autre boulanger ni demander du pain deux fois ; il n'y aura plus à craindre d'attroupements, parce que chacun sera assuré d'avoir son pain. Les malveillants ne pourront plus opprimer les mères de famille, les étrangers emporter le pain hors de Paris ; plus de baïonnettes aux portes des boulangers, ni de gardes aux barrières, parce que cela deviendra inutile. »

Deux jours plus tard, le 8 brumaire (29 octobre 1793), docile à la suggestion des Jacobins, la Commune institua la carte de pain municipale. Tous les chefs de famille et citoyens domiciliés furent tenus de faire la déclaration des quantités de pain nécessaires à leur consommation. La fabrication journalière de chaque boulanger fut établie d'après le relevé de ces déclarations.

« Les déclarants, dit l'arrêté, obtiendront une carte portant, jour par jour, pour un mois seulement, la quantité de pain indiquée dans la déclaration et laisseront chaque fois chez le boulanger qu'ils auront indiqué le coupon du jour. Ces coupons serviront à justifier l'emploi des farines distribuées la veille à la Halle. Le boulanger contrevenant sera puni de 50 livres d'amende et, en cas de récidive, regardé et traité comme suspect. » La confection des cartes et leur distribution demanda deux longs mois. Ce n'est qu'à la fin de décembre que le système fonctionna dans tous les quartiers, à la grande satisfaction des habitants [1]. Les boulangers furent moins contents.

Beaucoup de villes imitèrent la capitale et instituèrent à leur tour la carte de pain, sans qu'elles y fussent obligées par un acte de l'autorité centrale.

A Beauvais, le 3 pluviôse (22 janvier 1794), la municipalité institua une carte qui différait en deux points, nous dit M. Dommanget, de la carte parisienne : ses coupons ne s'adaptaient pas nécessairement à une division du temps, semaine ou mois, et ils spécifiaient le nom du boulanger fournisseur, ainsi que le nombre des bouches à fournir. La carte devait être présentée entière au boulanger, qui détachait lui-même les coupons [2].

A Auxerre, fonctionna à partir de nivôse an II, c'est-à-dire à peu près en même temps qu'à Paris, une carte de pain un peu différente de celle de Beauvais. « Chaque famille, nous dit M. Charles Porée [3], avait une pancarte indiquant son domicile, la section et le quartier dont elle relevait et le nombre de ses membres. Le boulanger ou le commissaire aux distributions y inscrivait chaque livraison de pain. On ne pouvait se fournir qu'au boulanger de son quartier et sur un

(1) Voir les rapports des « observateurs » de l'esprit public dans P. Caron, *Paris pendant la Terreur*.

(2) Voir le rapport de l'observateur La Tour la Montagne, en date du 2 nivôse (*Archives nationales*, F[7] 3683).

(3) Ch. Porée : *Les subsistances dans l'Yonne pendant la Révolution*, p. LV.

bon délivré contre argent par un commissaire spécial. Ces commissaires, élus par leurs concitoyens et dont les fonctions étaient obligatoires, avaient par devers eux la liste des habitants de leur quartier, ils la tenaient au courant des mutations, grâce aux avis des naissances et des décès que leur faisait tenir le bureau de l'état-civil. Les voyageurs de passage devaient se présenter à la Commission des subsistances pour obtenir des bons de pain particuliers. » Cette Commission des subsistances avait ceci d'original qu'elle ne se composait pas de fonctionnaires, mais de citoyens librement élus et choisis dans toutes les classes de la société. Elle se réunissait le soir, afin de permettre à ses membres sans-culottes d'assister aux séances. « L'ouvrier coudoyait l'homme de loi. Ce fut pour chacun, dit M. Porée, un devoir civique de consacrer à la chose publique un peu de son temps et de son travail. » La démocratie était bien alors une chose vivante et agissante et non pas seulement une bureaucratie couronnée par des développements oratoires.

A Mamers, la ville fut divisée en douze quartiers pourvus chacun d'un boulanger officiel qui ne délivrait le pain que sur un bon de la municipalité [1].

A Besançon, et sans doute dans d'autres villes, la carte de pain ne fut pas imposée à tous les habitants, mais seulement aux indigents et aux nécessiteux. Besançon était alors une ville de 25 328 habitants (recensement d'août 1793). La plupart des bourgeois cuisaient encore leur pain avec de la farine que produisait le blé qu'ils récoltaient sur leurs terres. Aussi n'eut-on pas l'idée d'appliquer la carte à tout le monde indistinctement, mais seulement à ceux qui se fournissaient chez les boulangers. Le 26 du premier mois (17 octobre 1793), la municipalité réglementa le commerce du pain. « Tout particulier qui sera convaincu d'avoir acheté du pain chez les boulangers, malgré qu'il eût des grains ou des farines à sa disposition, sera condamné à une amende qui ne pourra être moindre de 20 livres et à la confiscation de ses grains et farines, dont le profit sera cédé au dénonciateur. »

Quelques jours plus tard, le 14 brumaire (3 novembre 1793), la municipalité prit un nouvel arrêté plus strict qui établissait

[1] G. Fleury : *La Révolution à Mamers*, t. II, p. 23.

la carte de pain : « Pour empêcher que le pain des boulangers ne fût distribué aux citoyens riches ou qui peuvent avoir du blé, il sera fait un recensement des familles dans le cas de participer à la distribution de ce pain ; ce recensement sera fait par des commissaires nommés par le Conseil général de la commune pour chaque section, et les citoyens qui seraient jugés dans le cas d'avoir du pain de boulangers ne pourront en obtenir qu'avec un billet qui leur sera distribué et où sera exprimée la quantité de livres de pain qui leur sera délivrée. »

Le recensement traînait en longueur. Les Jacobins bisontins s'émurent et stimulèrent la municipalité. Le 13 frimaire, ils lui dénoncèrent la mauvaise qualité du pain des boulangers et lui signalèrent toute une série de mesures à prendre. La municipalité obéit et associa les Jacobins à l'application des mesures qu'ils avaient demandées et qu'elle convertit sur-le-champ en un règlement municipal. La pièce est assez curieuse pour mériter d'être reproduite dans ses dispositions principales :

« Un cri général s'élève contre la mauvaise qualité du pain des boulangers. On suppose même que le bled qui leur est fourni par la municipalité n'est point entièrement employé par quelques-uns d'entre eux pour l'usage public... La première de ces plaintes n'est que trop fondée. Il importe donc de prendre des mesures extrêmes pour assurer aux citoyens un pain bon et nourrissant, *le seul aliment du peuple au milieu de ses pénibles travaux*. D'un autre côté, si les soupçons qu'on nous fait naître avaient quelque fondement, le boulanger qui se rendrait coupable de ce délit mériterait toute notre animadversion. Malheur à l'individu, quel qu'il soit, qui, dans un moment où le peuple supporte tous les maux inséparables d'une grande révolution, cherche à le pressurer dans l'objet de sa subsistance !

« A ces causes, nous, maire et officiers de la commune, arrêtons ce qui suit :

« I. Les commissaires de police remettront incessament à la municipalité les tableaux ou contrôles qu'ils ont dû former de toutes les personnes qui composent leur section respective.

« II. A vue de ces tableaux et ensuite des renseignements pris par la municipalité sur l'état des approvisionnements de chaque particulier, il sera formé une liste des personnes dans le cas de se nourrir du pain des boulangers.

« III. Il sera délivré aux citoyens qui composeront cette liste une carte, sans laquelle il ne pourra leur être délivré du pain par les boulangers.

« IV. Cette carte contiendra le nom de celui à qui elle aura été donnée, la quantité de pain qui lui sera nécessaire pour sa subsistance et celle de sa famille et les noms et demeure du boulanger chez lequel il sera obligé de s'adresser.

« V. La Société populaire de cette commune sera invitée à nommer dans son sein soixante commissaires qui se rendront chaque jour chez les boulangers qui leur seront désignés.

« VI. L'objet de leur surveillance sera d'examiner la fabrication du pain et sa distribution aux citoyens. Ils tiendront journellement une note exacte de la quantité de pain délivrée par les boulangers, afin de pouvoir connaître facilement s'ils emploient tout le bled qui leur est fourni par la municipalité.

« VII. Les commissaires de police apporteront tous les matins à la maison commune un pain de chacun des boulangers de leur section pour en connaître et comparer les qualités.

« VIII. Les boulangers seront tenus de donner connaissance à la municipalité et aux commissaires de police de leur arrondissement des moulins où ils iront moudre leur bled ; sur la demande desdits commissaires, ils seront obligés de laisser dans ces moulins une certaine quantité de leur farine dont la municipalité pourra faire du pain, en cas de besoin le comparer avec celui que les boulangers auront fabriqué et de reconnaître facilement s'ils ont introduit dans la fabrication de leur pain quelque mélange prohibé par la loi et les règlements de police.

« IX. Tout boulanger qui sera convaincu d'avoir fait un pain de mauvaise qualité ou mélangé ne pourra plus exercer son état ; il sera employé à ses frais des ouvriers boulangers qui cuiront dans son four ; le pain qu'il aura fabriqué sera confisqué ; il sera inscrit sur la porte extérieure de son domicile : *Boulanger abusant de la confiance publique, ennemi du peuple.* Les amendes et autres peines statuées par nos précédents règlements seront portées contre lui et selon la gravité du délit, il pourra être traduit devant le tribunal révolutionnaire. Il en sera de même du boulanger qui sera convaincu de ne pas avoir entièrement employé pour l'usage du public le bled qui lui est livré par la commune (1)... »

Le 26 frimaire, la municipalité compléta cet arrêté en ordonnant aux meuniers de peser les grains qui leur seraient conduits et de tenir registre des quantités qu'on leur donnerait à moudre. Les particuliers seraient tenus de faire déclaration à leur municipalité de la quantité de grains qu'ils se proposeraient de conduire aux moulins, et les meuniers ne pourraient accepter leurs grains que sur le vu des récépissés des municipalités.

Le recensement de la population traînait. Le 27 nivôse, la municipalité prit un nouvel arrêté pour prescrire aux commissaires désignés à cet effet d'arrêter leurs états de contrôle sous trois jours. En même temps, les citoyens qui croiraient avoir droit à la carte étaient invités à se faire inscrire dans leurs sections. « Quiconque sera reconnu pour s'être fait inscrire, quoiqu'il eût du bled ou de la farine, ou qui aura déclaré dans sa famille plus d'individus qu'il n'y en existe ou un âge plus avancé pour ses enfants, sera condamné à une amende de 100 livres ; les grains ou farines qu'ils auront seront confisqués. Il sera écrit sur sa porte : *affameur du peuple,* son jugement sera imprimé et affiché sur toutes les places et dans toutes les rues ; son dénonciateur, s'il y en a un, partagera la moitié de l'amende et de la confiscation. »

Le 3 pluviôse enfin, la municipalité détermina la forme et le libellé de la carte de pain. « Les billets à coupons qui doivent être distribués pour obtenir le pain des boulangers... contiendront autant de coupons que de jours dans le mois..., chacun de ces coupons désignera les noms et prénoms des citoyens à qui ils seront donnés, la rue de leur domicile, leur section et le numéro de leur maison, le nombre des individus composant leur famille, la quantité de livres de pain qui doit leur être fournie et le nom du boulanger chez lequel ils seront obligés de se présenter... » Les aubergistes logeant à pied et à cheval recevraient une carte spéciale. Les traiteurs et cafetiers n'y auraient pas droit. On décida, le 23 pluviôse, que les

(1) D'après le registre des délibérations de la municipalité de Besançon. Voir aussi nos articles dans le *Petit Comtois* des 28 mars et 24 avril 1918.

hommes au-dessus de douze ans auraient droit à deux livres de pain par jour, les femmes au-dessus du même âge à une livre et demie, les enfants au-dessous de douze ans à une livre.

A cette date, la distribution des cartes était imminente. La population, loin de s'en féliciter, s'affola. Pendant trois jours du 20 au 23 pluviôse, des foules se portèrent chez les boulangers, proférèrent des insultes contre les officiers municipaux. On répandit le bruit que les subsistances allaient manquer. La municipalité, pour faire cesser le désordre, placarda une belle proclamation à la fois rassurante et menaçante : « Peuple, un complot se trame contre la liberté. Sois en garde et écoute la voix de tes magistrats... Tu le sais, dès le moment où nous arrêtâmes des mesures vigoureuses contre celui qui prendrait du pain chez les boulangers quoiqu'il eût du bled ou de la farine à sa disposition, tu n'éprouvas aucune difficulté pour te procurer ta subsistance journalière... Encore quelques jours, et le pain des boulangers ne passera sûrement qu'entre les mains de celui qui n'a aucun approvisionnement, il n'ira pas alimenter le luxe ou le plaisir dans les cafés ou les cabarets...

« Peuple, on cherche encore dans ces moments à te soulever contre la qualité du pain qui t'est distribué ; nous ne donnons qu'un quart de méteil pour mélanger avec le pur froment. Eh bien! des boulangers ont eu la scélératesse de montrer isolément ce méteil et de demander s'il était possible de faire avec un grain semblable de beau pain... Traîtres! Nous sommes à la piste pour vous découvrir, puissent nos efforts vous livrer à la juste vindicte des lois! »

Il faut croire que cette rhétorique grandiloquente calma la population, car les troubles cessèrent. Les cartes furent distribuées les jours suivants.

Comme on le voit, en dépit de la Terreur et de la rude centralisation opérée par le Comité de Salut public, les mesures économiques destinées à faire face à la crise des subsistances furent dans l'ensemble d'une grande variété. Le particularisme de la vieille France survit dans une certaine mesure dans la nouvelle. Des nécessités analogues imposent des mesures semblables, mais non identiques. La carte de pain est instituée dans beaucoup de villes, mais à des moments différents et sans réglementation uniforme.

Le système de la carte de pain donna sans doute naissance à des abus, mais il paraît avoir répondu, en somme, à l'attente de ses auteurs. Il atténua la crise pour les classes pauvres. Il serait intéressant de rechercher dans le détail comment fonctionna cette réglementation. Nous ne pouvons fournir ici que des indications générales.

A Paris on distribuait la farine municipale aux boulangers. A Besançon, on leur distribuait le grain qu'ils faisaient moudre ensuite. A Paris, on imposa aux boulangers l'obligation de marquer leur pain, afin qu'on pût établir leur responsabilité personnelle en cas de malfaçon. Il en fut de même à Rochefort (1), à peine de 100 livres d'amende pour les contrevenants. A Besançon, on recourut à un autre procédé de contrôle. Les boulangers furent astreints à déposer tous les matins à l'hôtel de ville un pain de leur fabrication. La mesure avait pour but, disait le Jacobin Détrey, d'exciter l'émulation parmi les boulangers et de permettre aux citoyens de s'assurer chaque jour de la surveillance des magistrats (2). Les boulangers qui fabriquaient du mauvais pain étaient menacés de la suppression des grains de la commune (3). La menace fut parfois suivie d'effet. Ainsi le 4 ventôse an II, des plaintes ayant été portées contre le boulanger Colard, qui faisait du mauvais pain, le citoyen Burdin, commissaire de police, fut chargé de lui retirer la farine et le bled qu'il pouvait avoir provenant des grains de la commune. Le 27 messidor, le boulanger Roland, qui s'était permis des propos injurieux contre un de ses membres du nom de Couchery, fut mis par ordre de la municipalité, pour huit jours, à la maison d'arrêt.

Les coupons des cartes de pain donnaient lieu à des fraudes. Pour y couper court, la municipalité de Besançon arrêta, le 19 ventôse, que ceux qui trafiqueraient de leurs coupons seraient assimilés à des « accapareurs cachés ». Elle ordonna aux particuliers « dont les billets à coupons portaient une quantité de pain au-dessus de leur besoin, de remettre au commissaire de police de leur section ou à la maison commune les coupons dont ils ne lèveront point les livres de

(1) Archives de Rochefort, arrêté du 12 ventôse.
(2) Délibération du 24 frimaire an II.
(3) Arrêté du 18 germinal an II.

pain ». Défense fut faite aux boulangers de recevoir des coupons dont ils ne délivreraient pas le montant en marchandise sous peine d'être traités comme suspects. Le 26 prairial enfin, il fut décidé qu'on ne remplacerait plus les coupons perdus.

A Paris, les comités révolutionnaires des sections surveillaient de près les boulangers. Une fraude habituelle était la vente sans coupons. Je lis dans le registre des délibérations du comité de la section de l'Observatoire, à la date du 30 nivôse : « Est comparu au Comité le citoyen Sutteau, boulanger, qui nous a déclaré et reconnu que sa femme avait vendu huit pains de 4 livres à trois femmes non munies de cartes. Lecture faite a dit contenir vérité et a signé, en nous observant qu'il a toujours défendu à sa femme de vendre sans carte et que sa femme ne l'avait fait que sur les sollicitations d'une citoyenne de la section dont il ignore le nom. » Le Comité, « ayant égard pour cette première fois au délit commis par son épouse », arrêta que « le citoyen Sutteau surveillera avec plus d'exactitude la vente de son pain, qu'il remboursera le prix de huit pains aux citoyennes à qui ils ont été vendus et que les huit pains saisis seront confisqués et déposés au comité de bienfaisance pour être distribués aux pauvres de la section ».

Au début, le rationnement n'avait rien eu de rigoureux. Nous avons vu qu'à Besançon les adultes pouvaient réclamer jusqu'à deux livres de pain par jour. Mais, peu à peu, la ration fut diminuée. Un arrêté du 7 floréal, « pris à l'exemple de plusieurs grandes communes », attribua « une livre de pain par jour aux femmes et aux enfants, une livre et demie aux ouvriers non de force ». « Il n'y aura qu'aux ouvriers de force auxquels on continuera d'en donner deux livres. » Comparées à celles dont nous fûmes obligés de nous contenter, ces rations paraissent fort enviables.

A Beauvais, il ne fut plus alloué à chaque bouche qu'une livre et demie de pain pour tous les âges à partir du 19 germinal.

A Rochefort, la commune réduisit, au début de messidor, la ration de pain à trois quarterons par jour.

M. Lefebvre dit avec raison que les boulangers qui recevaient leur farine de la municipalité, et devaient justifier de son emploi par la production des cartes, n'étaient plus que des ouvriers municipaux salariés à la fournée [1].

Il faudrait des recherches plus étendues que celles que nous avons entreprises pour asseoir des conclusions générales sur la façon dont fonctionna la carte de pain dans la France entière. Des faits que nous avons recueillis semble résulter l'impression que la carte donna de bons résultats, car les troubles et les émeutes se firent de plus en plus rares. Il semble aussi, si on en juge par le taux de la ration, que la population des villes ne connut pas une véritable famine. Il y eut de la gêne. A certains moments on put craindre de manquer de pain. On en manqua assez rarement. On tirerait encore la preuve indirecte que le pain ne fit pas défaut du fait que la carte ne fut jamais générale. On ne l'institua guère que dans les villes et les bourgs. Elle resta généralement inconnue dans les campagnes.

LE CARÊME CIVIQUE ET LA CARTE DE VIANDE.

Le rationnement de la viande fut plus tardif que celui du pain, mais il finit cependant par s'imposer, du moins dans les grandes villes. On pensa d'abord à instituer un carême civique, c'est-à-dire une fermeture des boucheries pendant un temps donné, et on finit ensuite par recourir à la carte de viande.

La première idée du carême civique paraît avoir été lancée par Vergniaud, à la séance du 17 avril 1793. Les troubles intérieurs qui venaient d'éclater dans l'Ouest, les achats des armées, lui firent craindre une disette prochaine du bétail. « Ne serait-il pas nécessaire, dit-il, d'arrêter pendant un temps déterminé la consommation des veaux ? La religion avait ordonné un carême pour honorer la divinité. Pourquoi la politique n'userait-elle pas d'un moyen pareil pour le salut de la patrie ? » Vergniaud fut applaudi. On renvoya sa proposition au Comité d'agriculture, où elle fut enterrée.

Cependant les « observateurs » de la police signalaient

[1] G. Lefevbre dans le *Bulletin de la Commission de l'histoire économique de la Révolution*, 1913, p. 430.

déjà au ministre Garat la pénurie croissante de viande. Dutard, l'un d'eux, écrit le 2 mai 1793 : « Les bouchers ont annoncé que la semaine prochaine il n'y aurait plus de viande que pour les malades », et, le 7 mai : « Qu'est-ce que deux cents bœufs pour une ville comme Paris ? La viande sera la semaine prochaine à 30 sols ; déjà beaucoup de petits bouchers ont été forcés de fermer boutique. »

Après la journée du 2 juin, qui renversa la Gironde, les députés montagnards se firent l'écho des plaintes des Sans-Culottes contre la cherté de la viande. Le 9 juin, Bentabole dénonça à la Convention le complot des accapareurs, qui achetaient tout le bétail pour le revendre à des prix excessifs. Alors Thuriot réclama « une grande mesure pour faire baisser le prix de la viande ». Les administrateurs de départements auraient le droit de taxer le bétail et on décréterait un carême civique pendant tous le mois d'août, « afin que pendant cet espace de temps les bestiaux puissent grandir et se multiplier ». La Convention ne prit pas de décision.

Les Parisiens criaient très fort contre les bouchers, mais ils se résignaient mal à l'idée du carême civique. L'observateur Dutard, ayant repris la motion de Bentabole dans sa section, faillit, dit-il, être lapidé. La viande avait été comprise dans le maximum, mais l'application de la taxe rencontrait des difficultés insurmontables. Le maximum ne frappait que la viande débitée à la livre. Certaines administrations voulurent compléter la loi en frappant aussi le bétail sur pied. C'était assez logique. Mais Laurent Lecointre, rapporteur de la commission des subsistances, fit décréter le 2 brumaire (23 octobre) que ces taxes étaient illégales. Il ne semble pas qu'il y ait eu un débat. Il est probable que le rapporteur fit valoir la difficulté d'apprécier le prix du bétail vivant. Le résultat ne se fit pas attendre. Les bouchers remontrèrent qu'ils ne pouvaient pas être astreints à vendre à prix fixe quand ils achetaient à prix variable. La taxe de la viande fut inapplicable. On aboutit par endroits à la fermeture des boucheries. Le conventionnel Lanot écrivait de Tulle au Comité de Salut public, le 30 nivôse : « Ce décret contradictoire (le décret ordonnant la taxe de la viande et permettant la vente libre du bétail), parce qu'il est mal entendu ou interprété par l'égoïsme, n'est propre par son ambiguïté qu'à procurer la disette des bestiaux dans les boucheries et à exciter des troubles dans les marchés. Des milliers de réclamations s'élèvent. »

Les commerçants s'ingéniaient à tourner la loi. La taxe ne frappant que la viande crue, charcutiers et bouchers se mirent à vendre de la viande cuite, en faisant payer la cuisson à leur gré. Les charcutiers vendaient leur lard très mouillé et couvert de sel. Au cours de l'hiver, Paris ne recevait plus que le quart du bétail qui lui était nécessaire. On fit la queue des matinées entières aux portes des bouchers. Ceux-ci ne vendaient aux pauvres que les bas morceaux garnis de « réjouissance », c'est-à-dire d'os et de graisse. Ce fut le carême obligatoire pour tous ceux qui n'avaient pas le moyen de se procurer de la viande en fraude en payant au-dessus du maximum.

Le Conseil de la Commune de Paris finit par s'émouvoir des plaintes répétées qu'on portait à sa barre. Le 28 nivôse, Chaumette dénonça les abus des bouchers. Les plaintes continuant, le Département de Paris s'émut à son tour. Le 15 pluviôse, il invita les autorités à surveiller de près les marchands bouchers [1]. La Commune, stimulée, s'ébranla de nouveau. Le 17 pluviôse, la Société populaire de la section de Bon-Conseil parut à sa barre : « Les cuisiniers des riches portent chez les bouchers leurs livres et, lorsqu'il leur est délivré quatre livres de viande, le boucher en marque huit. » Un membre de la Commune, Lubin, signala que la disette des bestiaux est réelle. L'Allemagne, qui fournissait à la France 16 000 moutons par an, n'envoyait plus rien. « De plus, le partage des communaux a mis beaucoup de citoyens dans l'impossibilité de nourrir des vaches et autres bestiaux. » Le débat dévia un instant sur la loi du maximum. Hébert constata avec amertume que les marchands non seulement ne l'exécutaient pas, mais se plaisaient encore à la ridiculiser. Mais Soulès revint à la question. Il ouvrit l'avis qu'il fallait faire pour la viande ce qu'on avait fait pour le pain : établir la carte. Chaumette appuya vivement cet avis : « Un décret de la Convention porte que Paris sera approvisionné comme une ville de guerre. Nous avons par conséquent le droit de faire à l'égard de la viande ce que nous avons fait à l'égard du pain. » La motion fut renvoyée à l'ad-

[1] Bibliothèque nationale, Lb⁴⁰ 1158, placard imprimé.

ministration municipale de subsistances pour en faire rapport.

Le débat eut son écho le lendemain à la tribune de la Convention. Delacroix demanda l'établissement d'une taxe sur les bestiaux comme sur la viande. « La rareté de la viande vient de la concurrence qui se trouve établie entre les bouchers et les fournisseurs des armées. Les marchands de bœufs n'ont pas honte de vendre dans les marchés leur viande sur pied à 20 et 22 sous, tandis que les bouchers sont obligés dans certaines communes de la donner à 12 et 13 sous. » Séance tenante, le décret du 2 brumaire, qui avait autorisé la vente du bétail de gré à gré, fut rapporté. C'était permettre aux autorités d'établir la taxe.

Ce vote encouragea les partisans d'une réglementation plus stricte. Dans sa séance du 20 pluviôse, sur la proposition de l'hébertiste Marchand, un de ses membres, le Comité de surveillance du département de Paris lança une proclamation menaçante : « Vous devenez les perfides instruments des contre-révolutionnaires, hommes insensibles qu'on appelle bouchers... Vous violez les lois avec une audace que rien n'intimide, vous foulez aux pieds les avertissements sans nombre qui vous sont donnés par ceux qui ne punissent jamais qu'après avoir épuisé toutes les ressources de la persuasion. Le pauvre qui se présente chez vous, rejeté, humilié, n'en emporte que des os de rebut, tandis que le riche, qui se rit des souffrances d'autrui pourvu qu'il jouisse de toutes ses aises, est accueilli avec une politesse recherchée, trouve les plus belles tranches, les morceaux les plus délicats... parce qu'il paie..., parce qu'il satisfait votre sordide avarice, parce qu'il couvre votre crime en s'en rendant le complice (1). »

Au cours de la délibération qui avait accompagné le vote de cette proclamation, le Comité de surveillance du département de Paris avait envisagé l'institution de la carte de viande. Plusieurs sections prirent l'initiative de l'établir d'elles-mêmes.

Le 2 ventôse, le Comité de l'Homme-Armé arrêta que « la viande ne serait délivrée qu'aux malades et aux aubergistes des sans-culottes et qui nourrissent des ouvriers travaillant

(1) Bibliothèque nationale, L^{41} 2737, affiche.

aux armes de la République et aux citoyens porteurs de bons du Comité de bienfaisance, et que les officiers de santé seraient invités à ne délivrer l'attestation de maladie à l'effet d'avoir de la viande qu'à ceux (*sic*) qui en ont vraiment besoin et à venir nous donner leurs signatures (1) ». Jusque-là, la délivrance des cartes avait été faite par les soins du comité révolutionnaire de la section ; à partir du 6 ventôse, c'est le comité civil qui en fut chargé.

Quelques jours plus tard, le Comité de la section des Droits de l'Homme arrêtait à son tour que dorénavant on n'aurait plus de bœuf qu'avec des cartes et que ces cartes seraient réservées aux malades (2).

La crise empirait. Le 2 ventôse, plusieurs boucheries fermèrent faute de viande. Le lendemain, un policier écrivait dans son rapport : « Les ouvriers se plaignent très fortement de ce qu'ils ne peuvent plus avoir dans les auberges de viande ni de soupe. Ils mangent du pain et des harengs saurs. Dans presque toutes les auberges, il n'y avait pas une once de viande (3). »

La Commune dut aviser, mais elle n'agit que sous la pression des sections et des clubs. Elle décida, le 17 ventôse, de faire concurrence aux bouchers en achetant tous les jours 24 bœufs, 64 veaux, 32 moutons, dont la viande serait distribuée aux particuliers, sur l'attestation des officiers de santé. Ce n'était qu'une demi-mesure.

Le 29 ventôse, la Société populaire de la section du Mont-Blanc se présenta à sa barre et demanda que la viande fût constatée chez les bouchers, « de manière à éviter toute distraction exclusive en faveur du riche ; que les bouchers, après avoir pourvu aux besoins des malades, ne puissent vendre le surplus de leur viande que conformément à l'usage adopté pour la délivrance du pain, et de manière que tous les citoyens puissent participer également et en proportion de leurs besoins aux fournitures de viande... » La section de la Montagne, à son tour, dénonça les repas somptueux des traiteurs du Palais-Égalité, ci-devant Royal. Elle demanda

(1) Archives nationales F7 2496.
(2) Rapport Bacon du 4 ventôse, dans Dauban, *Paris en 1794*, p. 80.
(3) Dauban, p. 69.

qu'il leur fût interdit de servir des repas à plus de 2 francs par tête.

La Commune défendit de porter de la viande en ville, mais elle n'osa pas encore rendre la carte générale et obligatoire. Il fallut cependant en arriver là.

Le 7 germinal, le Comité de Salut public mit à la disposition de la capitale, par les soins de l'administration militaire, 75 bœufs, 150 quintaux de veau et de mouton et 200 cochons. Quelques jours plus tard, le 29 germinal, la Commune municipalisait la boucherie et établissait la carte. Le bétail fourni par l'État était abattu par un agent de la ville, Sauvegrain, qui le distribuait aux bouchers, au prorata de la population de leur quartier. Chaque boucher avait un certain nombre de ménages à fournir. Il devait livrer tous les vingt jours « autant de demi-livres de viande qu'il y aura de bouches désignées sur la carte qui sera fournie à cet effet ». La carte de pain servirait aux distributions en attendant la fabrication de la carte de viande. Les livraisons s'effectuaient en présence d'un commissaire de la section, qui visait la carte. Les bouchers avaient un bénéfice de 10 % sur la viande qui leur était fournie. On leur abandonnait, en outre, les langues de bœuf et les fressures de mouton pour les indemniser de leurs frais de transport. La tête de veau était comptée pour quatre livres de viande, les quatre pieds de veau pour une livre. Les traiteurs n'étaient fournis qu'après les simples citoyens et sur les quantités restantes, la distribution faite. Pour empêcher les boucheries particulières de se maintenir en concurrence avec la boucherie municipale et de perpétuer la fraude, le Comité de Salut public interdit, le 7 germinal, aux bouchers de Paris, d'acheter de la viande « dans quelque marché que ce soit de la République ». La Commune obligea ceux d'entre eux qui avaient du bétail acheté antérieurement à le lui revendre au maximum (6 floréal). Avec l'institution de la carte, la quantité de viande, bien entendu, n'augmenta pas, mais celle qui existait fut répartie également entre les consommateurs, riches ou pauvres. Tous les cinq jours, au minimum, la carte permit de toucher une demi-livre de viande par tête à un prix raisonnable (1). C'était peu, mais, à cette époque, l'usage de

(1) J'ai reproduit dans les *Annales révolutionnaires*, 1917, p. 693, un spécimen de la carte de viande en usage à Paris.

la viande était beaucoup moins répandu qu'aujourd'hui.

La carte fonctionna à Paris pendant plusieurs mois. Il est probable que d'autres villes adoptèrent le même système. Je vois, en effet, qu'à Senlis on distribuait une livre et demie de viande, d'abord trois fois par décade, ensuite deux fois seulement [1].

Dans d'autres villes, comme à Chambéry, on préférait recourir au carême civique. Albitte écrivait de cette ville au Comité de Salut public, le 26 ventôse : « Ici, hier, nous fîmes tous le vœu de nous soumettre au carême civique, et le peuple y a applaudi. Nous tiendrons notre parole et tout le département suivra bientôt notre exemple. »

Il est probable qu'entre la carte et le carême civique le Comité de Salut public penchait plutôt vers le second, car Barère l'avait recommandé dans son grand discours du 3 ventôse : « Il y avait, disait-il, dans l'ancien usage de l'année, environ six mois de jours où les citoyens ne mangeaient pas de viande. Cette différence avec notre régime de tous les jours a dû diminuer de moitié les consommations de viande. Avant la guerre, tous les habitants des campagnes vivaient d'autres productions que la viande et aujourd'hui douze cent mille hommes sous les armes mangent des viandes tous les jours... La Vendée fournissait des bœufs et des moutons, et la Vendée rebelle a été ruinée... » Ces causes de la disette ainsi expliquées, Barère ne voyait de remède que dans l'économie et les restrictions : « Nos pères, nous-mêmes, nous avons jeûné pour un saint du calendrier, jeûnons plutôt pour la Liberté... Faisons des économies momentanées, imposons-nous volontairement une frugalité civique pour le soutien de nos droits... Ajournons cette partie des plaisirs que la table permet aux républicains, supprimons les délices qui n'appartiennent qu'à des sybarites ; que les citadins ne dépensent que ce qui est nécessaire, encore quelques mois, et la France libre bénira ses défenseurs, et vous aurez fondé en même temps que les mœurs républicains, celles de la tempérance et de l'égalité ! »

Le boucher Legendre appuya vivement Barère : « Décrétez ce carême civique, autrement la disette de viande se fera sen-

[1] Tuetey, *Répertoire*, t. XI, n° 128. Déposition de Philippe Picot et de François Brunet, 28 ventôse an II.

tir dans toute la République... Décrétez le carême que je vous propose, autrement il viendra malgré vous. L'époque n'est pas éloignée où vous n'aurez ni viande ni chandelle. Les bœufs qu'on tue aujourd'hui ne donnent pas assez de suif pour éclairer leur mort! »

Chose curieuse, les mêmes résistances qui avaient déjà fait ajourner le carême civique au mois de juin précédent reparurent pour faire échec au projet du Comité. Cambon, le grand ennemi des prêtres, observa « qu'après avoir subjugué la superstition », il fallait se garder de la consacrer par une loi. Il ajouta qu'il fallait aussi « avoir égard aux localités ». « Dans le Nord, par exemple, les terres sont encore couvertes de neige, la nature y dort pour ainsi dire, tandis qu'elle est déjà riante dans le Midi ; ainsi la loi qu'on vous propose ne pourra être exécutée aujourd'hui dans toute l'étendue de la République, parce que partout les productions de la terre ne peuvent suppléer au défaut de viande. » La Convention se rendit à ces raisons assez médiocres.

Il n'y eut pas plus de carême civique obligatoire que de carte obligatoire. Pour la viande comme pour le pain, les restrictions furent l'œuvre des autorités locales qui en édictèrent le mode à leur guise. Même sous la Terreur, on évitait de trop réglementer, d'étouffer les initiatives.

LES AUTRES DENRÉES : SAVON, HUILE, SUCRE, SEL, ETC.

La viande et le pain ne furent pas les seules denrées alimentaires sur lesquelles s'exerça la réglementation. Dans les villes, le commerce du sucre cessa d'être libre. Les municipalités mirent l'embargo sur les stocks existants et en disposèrent dans l'intérêt général. Ainsi, à Paris, le 11 brumaire, Chaumette posa devant la Commune la question du sucre : « Il voit avec peine, dit le *Moniteur*, que l'on emploie cette denrée précieuse à des friandises de luxe, dans un moment où sa rareté devrait le faire conserver pour le plus urgent besoin. Il requiert, en conséquence, et le conseil arrête qu'il ne sera fourni aux confiseurs que la quantité de sucre nécessaire à tous les autres citoyens, et, en outre, que le Comité de Salut public sera invité à faire généraliser cette mesure et l'étendre à toutes les municipalités de la République... » Je n'ai pas vu que le Comité de Salut public eût pris en considération la suggestion de Chaumette. Mais les procès-verbaux subsistants des comités révolutionnaires attestent qu'à Paris certaines sections instituèrent la carte de sucre. Je lis dans le registre du Comité de l'Observatoire, à la date du 28 nivôse : « Le Comité, après avoir entendu lecture de l'arrêté du corps municipal relatif à la répartition de mille pains de sucre mis à la disposition de la Commune de Paris par le citoyen Comare, négociant, cloître Saint-Merry, arrête qu'en exécution de l'arrêté ci-dessus relaté, le citoyen Legoy sera autorisé à acquérir chez le citoyen Comate la quantité de 200 livres de sucre à la charge et conditions portées audit arrêté. En conséquence, le citoyen Legoy ne pourra vendre ni délivrer de sucre sans un bon du Comité révolutionnaire, qu'il retiendra et enregistrera à fur et à mesure et par rang de dates. Lorsque la vente dudit sucre sera consommée, le citoyen Legoy sera tenu de rendre compte de son employ et de remplir en bons la quantité de sucre à lui délivrée par les bons du Comité. Il vendra ledit sucre à raison de 36 sous la livre et les frais de transport seront à sa charge. » Il est probable que les billets de sucre ne furent pas particuliers à cette section.

A Besançon, la municipalité réquisitionna, par arrêté du 21 frimaire, les sucres et cassonades existant dans les magasins du négociant Provençal et les répartit entre « les marchands connus pour leur patriotisme et débitans en détail ». Un peu plus tard, le 14 nivôse, la municipalité décide que le sucre ne serait plus délivré qu'aux malades « sur l'attestation des médecins », et par le moyen de bons.

Des mesures analogues furent prises pour l'huile, le savon, le sel, même le beurre et les œufs.

A Besançon, on institua, en nivôse, les « billets de sel », qui furent distribués par deux officiers municipaux, Chazerand et Détrey.

A Bergues, le savon et la chandelle furent distribués sur la présentation de cartes délivrées à la mairie proportionnellement aux membres de chaque famille. La mesure fut prise à la demande des fabricants.

Dunkerque rationna de même les habitants quant au beurre

(12 frimaire), au savon (21 pluviôse), à la viande (3 germinal), aux liqueurs (12 germinal), aux œufs (19 germinal). La ville fut divisée en secteurs à chacun desquels furent affectés des commissaires qui recensaient les ménages, appréciaient les besoins et distribuaient les cartes ([1]).

A Alençon, les bons de savon étaient distribués dans les mêmes formes que les bons pour le blé, par deux commissaires de chaque section.

A Senlis, la municipalité distribuait aux habitants six œufs par décade et un quarteron de beurre ([2]).

Dans certaines communes rurales, les municipalités assignèrent aux pauvres ne possédant pas de vaches des bons de réquisition pour obtenir du beurre auprès des citoyens plus aisés ([3]).

Dans la Vienne, on ne pouvait vendre ni acheter les huiles et le savon sans un permis municipal.

La municipalité de Poitiers décréta, sur la proposition du club, « que les billardiers cafetiers ne pourraient avoir de chandelles dans leurs salles, après le soleil couché » (28 ventôse). Les cabaretiers et aubergistes furent soumis à la même réglementation. Il leur fut fait, en outre, défense de donner à boire et à manger les jours de fêtes et dimanches à personne qu'aux étrangers (14 floréal) ([4]).

LE CONTRÔLE DU COMMERCE.

Les nécessités, plus fortes que les doctrines, avaient abouti peu à peu à la monopolisation entre les mains des autorités de tout le commerce des denrées de première nécessité.

Les taxes avaient conduit à la réquisition. Des grains, la réquisition s'était étendue à la viande, à tous les comestibles, à toutes les denrées d'un usage indispensable. La réquisition s'était accompagnée du rationnement et des restrictions. Par-

([1]) G. Lefebvre, *Bulletin* cité, 1913, p. 437.
([2]) Tuetey, *Répertoire*, t. XI, n° 128.
([2]) Voir le document publié par M. Dommanget dans les *Annales révolutionnaires* d'octobre 1918.
([4]) Pilod, thèse de droit, pp. 39-40.

tout ou presque s'était institué le contrôle des autorités sous forme de bons et de cartes. Les municipalités et les comités révolutionnaires étaient devenus de vastes offices de ravitaillement. La France, selon le mot de Barère, n'était plus qu'une vaste place assiégée où tout était mis en commun pour repousser l'ennemi. Mais on conçoit qu'une semblable organisation, improvisée dans le feu de la bataille, n'ait pas fonctionné à la perfection. Elle heurtait les préjugés et les intérêts. Elle était mise en œuvre par des autorités qui manquaient souvent d'expérience, parfois de bonne volonté ou qui inversement, par excès de zèle, se livraient à des abus regrettables. Il y eut donc des crises, dont la plus redoutable fut celle qui fut marquée dans la capitale à la fin de l'hiver par l'agitation hébertiste et par sa répression.

CHAPITRE VII

LA RÉPRESSION DE L'ACCAPAREMENT

Au milieu des grands périls de l'été de 1793, quand l'insurrection fédéraliste battait son plein, quand Paris et les grandes villes étaient menacées de manquer de pain, Collot d'Herbois avait fait voter la grande loi du 27 juillet 1793 qui mettait sous la main des autorités toutes les denrées nécessaires à la vie et frappait « l'accaparement » de la peine capitale.

LES COMMISSAIRES AUX ACCAPAREMENTS.

L'article 5 de la loi en confiait l'exécution à un fonctionnaire spécial, le *commissaire aux accaparements*, qui devait être nommé par la municipalité et appointé par elle.

A Paris, ces commissaires aux accaparements furent immédiatement nommés par les 48 sections (1). Nous possédons la liste de ces 48 commissaires avec leurs adresses (2). Il serait intéressant de savoir dans quelles classes sociales on les avait choisis et quelles opinions ils représentaient. Mais cette recherche serait très longue et nous ne pouvons songer à l'entreprendre. Nous remarquerons simplement que l'un d'eux, Frédéric-Pierre Ducroquet, né à Amiens, était perruquier-coiffeur-parfumeur avant la Révolution. Nous voyons d'autre part, dans le rapport de l'observateur Berard

(1) Dans la section de l'Unité, la loi fut proclamée le 9 août par les soins du Comité révolutionnaire.

(2) Bibliothèque nationale, Lib-41 4779.

du 29 septembre 1793, que le peuple se plaignait que dans la majeure partie des sections la cabale avait nommé des commissaires incapables de remplir leurs fonctions et sachant à peine écrire [1].

Toutes les villes mirent-elles le même empressement que Paris à nommer leurs commissaires aux accaparements ? Je vois qu'à Alençon, les sections avertirent la municipalité, le 18 septembre, qu'elles allaient enfin nommer leurs commissaires [2]. Mais j'ai recherché en vain sur les registres de la municipalité de Besançon trace d'une pareille nomination. Il est probable que dans les campagnes, ces commissaires aux accaparements n'existèrent que sur le papier, s'ils existèrent jamais. Dans les communes rurales des environs de Paris, ils n'étaient pas encore nommés au début de novembre [3].

Il ne faudrait pas s'imaginer d'ailleurs que tous les commissaires nommés furent choisis parmi les terroristes. Celui de Courbevoie fut suspendu, le 5 frimaire an II, par le Comité de surveillance du département de Paris, comme suspect d'aristocratie, à la suite d'une enquête menée par un de ses membres Génois [4].

Les Commissaires aux accaparements dépendaient dans les villes des autorités sectionnaires et dans les campagnes des municipalités.

A Paris, ils sont en relations constantes avec les Comités révolutionnaires chargés de la police politique et notamment de l'arrestation des suspects. Les lois sur les subsistances furent de plus en plus dans le rayon d'action de ces Comités.

Les Commissaires aux accaparements n'étaient guère que leurs agents d'exécution, à tel point que dans certaines sections, on décida qu'ils assisteraient aux séances des Comités révolutionnaires avec voix consultative [5]. C'est le Comité

[1] P. Caron, *Paris pendant la Terreur*, I, p. 227.

[2] Mourlot, *Documents d'ordre économique sur le district d'Alençon*, I, p. 179.

[3] A cette date le Comité de surveillance du département de Paris adressa aux communes de ce département une circulaire pour les inviter à nommer promptement leurs commissaires aux accaparements (Tuetey, *Répertoire*, t. X, n° 733).

[4] Tuetey, t. X, n° 997.

[5] La section de l'Observatoire prit, le 20 septembre 1793, une délibération à cet effet (Archives nationales F-7 2514).

révolutionnaire qui leur prête main-forte, qui délibère sur leurs rapports, qui prononce les pénalités administratives ou le renvoi des délinquants devant les tribunaux. C'est le Comité qui assure la police des marchés, l'exécution des taxes et des restrictions alimentaires, qui s'occupe des cartes de pain, de sucre, de viande, qui préside aux visites domiciliaires et aux recensements, comme aux confiscations.

Dans la capitale, au-dessus des comités révolutionnaires des sections plane un comité de police supérieur qui coordonne leur action ; c'est le Comité de surveillance du département de Paris composé, pour une bonne part, des membres du Comité insurrectionnel qui dirigea l'insurrection des 31 mai et 2 juin contre la Gironde. Ses procès-verbaux nous le montrent très préoccupé de l'exécution des lois sur le ravitaillement. Il communique fréquemment avec les commissaires aux accaparements et contrôle leur action. Il prononce parfois contre eux la peine de la suspension, comme il le fit à Courbevoie.

La loi oblige les dépositaires des denrées de première nécessité à en faire la déclaration à leur section sous peine d'être réputés accapareurs et punis comme tels, c'est-à-dire de la peine capitale. Les marchands sont en outre obligés de faire afficher à leur porte le tableau indiquant la nature, la quantité et le prix des marchandises qu'ils ont en magasin.

Les commissaires aux accaparements sont chargés de vérifier le contenu de ces déclarations et de ces tableaux. Ils ont le droit de faire des visites domiciliaires. Comme la loi s'exprime en termes vagues sur « ceux qui tiennent en dépôt » les denrées de première nécessité, le droit de visite peut être exercé chez les particuliers aussi bien que chez les commerçants. Le commissaire aux accaparements peut pénétrer partout, de jour et de nuit, comme le rat de cave de l'ancien régime. Pouvoir redoutable qui peut lui faire beaucoup d'ennemis !

Nommés au début pour faire exécuter la loi du 27 juillet contre les accapareurs, les commissaires furent bientôt chargés, par une extension normale de leurs pouvoirs, de l'application de toutes les autres lois sur les subsistances, notamment de la loi du maximum qui s'appliquait précisément à toutes les denrées déjà énumérées dans la loi de l'accaparement.

Essayons de faire voir ces commissaires à l'œuvre, à l'aide d'exemples concrets.

LE RHUM DE ROBERT.

Une affaire d'accaparement, qui fit grand bruit à l'époque, fut celle où fut impliqué un député très lié avec Danton, le député Robert.

Ce député, qui avait été journaliste et avait fait des dettes pour soutenir son journal, le *Mercure national*, avait eu l'idée, pour satisfaire ses créanciers qui le harcelaient, de se livrer à des spéculations commerciales. Il fit emmagasiner dans sa cave 8 pipes de rhum et il ne les déclara pas, pour cette raison que le rhum n'était pas expressément compris dans la nomenclature des denrées de première nécessité énumérées dans la loi du 27 juillet.

La maison de Robert était située sur la section de Marat, une des forteresses de l'hébertisme. Le commissaire aux accaparements de cette section, qui comprenait l'ancien district des Cordeliers, était le coiffeur-parfumeur Ducroquet, un bras droit d'Hébert. Ducroquet se présenta chez Robert pour visiter sa cave, le 2 septembre 1793 (1). Il constata que les pipes renfermaient du rhum et, comme l'eau-de-vie était nommément désignée dans la liste des denrées de première nécessité, il dressa procès-verbal et apposa les scellés sur la cave. Robert protesta. Il se rendit à la Commission des Six que la Convention avait nommée pour s'occuper spécialement de la législation sur l'accaparement. La Commission lui délivra, le 7 septembre, une consultation aux termes de laquelle on ne devait entendre par « eau-de-vie » que le vin brûlé. Le rhum ne pouvait être compris dans les denrées de première nécessité (2).

Ducroquet ne tint aucun compte de la consultation de la Commission des Six. Il maintint les scellés sur la cave du

(1) Cette date est donnée par Robert lui-même dans sa lettre du 27 septembre adressée à la Convention (*Archives parlementaires*, t. 76, p. 220).

(2) Voir cette consultation aux *Archives parlementaires*, t. 76, p. 218. Elle est signée de Garnier, V. Venard, Joseph Lebon et Osselin.

député. Alors Robert s'adressa à l'administration de police de la Ville qui était une section du bureau municipal. Le 16 septembre, les administrateurs de police Godard et Cail-lieux décidèrent à leur tour que le rhum ne pouvait pas être considéré comme une denrée de première nécessité, car il n'était qu'un « objet de goût et de caprice ». Ils ordonnèrent en conséquence la levée des scellés.

Ducroquet s'exécuta. Accompagné de deux membres du Comité révolutionnaire de sa section, Lohier et Genêt, il leva les scellés le 22 septembre. Mais, le jour même, la section se réunissait en assemblée générale. Ducroquet lui faisait un rapport sur les faits. La section protestait aussitôt contre l'ordre, déjà exécuté, des administrateurs de police de la Commune et elle décidait que les citoyens Henriquez et Tiphaine se rendraient immédiatement à la Commune pour lui déclarer que la section « regardait toute espèce de liqueur comme accaparement, lorsqu'elle est en quantité chez un citoyen non marchand ».

En conséquence, elle ordonnait la réapposition des scellés sur la cave de Robert. Ce qui fut fait sans tarder par les soins d'Henriquez et de Tiphaine, qui firent nommer un gardien des scellés, Nicolas Perrin, par l'assemblée générale de la section.

L'administration de police de la Commune, avisée de la délibération de la section, protesta que la réapposition des scellés était illégale, mais elle n'osa pas en ordonner de nouveau la mainlevée. Elle conseilla seulement à Ducroquet, Tiphaine et Henriquez de s'adresser à la Convention pour faire juger le conflit.

L'affaire revint, le 26 septembre, devant l'Assemblée générale de la section. Henriquez et Tiphaine firent leur rapport. Un citoyen non désigné déclara qu'on devait passer outre à toutes les chicanes, qu'il fallait appliquer la loi, confisquer l'eau-de-vie qui n'avait pas été déclarée et la mettre en vente au profit des pauvres [1]. Ce faisant, on se montrerait encore indulgent pour Robert, car l'absence de déclaration de sa part suffisait pour qu'on fût en droit de le traduire devant les

[1] L'article 12 de la loi du 27 juillet stipulait que le produit des denrées confisquées serait partagé par moitié entre l'État et les citoyens indigents de la Commune où serait prononcée la confiscation.

tribunaux qui lui appliqueraient la peine capitale (article 8 de la loi).

Le gardien des scellés, Nicolas Perrin, observa qu'il n'avait pour tout logement que la porte cochère et la cour, la portière de la maison lui ayant refusé jusqu'à sa loge. Il invita la section à s'occuper sur-le-champ de la vente du rhum et il ajouta que « si on était venu plus tôt chez ledit citoyen Robert, on y eût trouvé beaucoup de chandelles, qu'il tenait le fait d'une citoyenne voisine qui lui avait fait cette déclaration de vive voix ».

L'Assemblée ne voulut pas en entendre davantage, Robert ne pouvait pas être considéré comme un particulier, mais comme un commerçant en faute, comme un accapareur. On ne discuta plus que sur le prix auquel le rhum serait vendu. Les uns proposaient 3 francs la pinte, les autres 40 sous. Ceux-ci eurent le dessus. Il fut arrêté que le rhum serait confisqué et qu'il serait vendu le lendemain, 27 septembre, à neuf heures du matin, au profit des pauvres de la section. « Et, afin qu'aucun citoyen ne puisse en avoir qu'une fois, il sera fait sur la carte de chacun une piqûre d'épingle, signe qui ne peut entraîner aucun inconvénient pour le citoyen porteur de la carte ; qu'il n'en sera délivré à chaque citoyen ou citoyenne munis d'une carte de la section que la quantité d'une pinte qu'il payerait 40 sous, prix fixé par la section, eu égard au temps où ledit citoyen Robert avait dû acheter ledit rhum. » La vente serait faite sous la direction de Ducroquet assisté de 4 commissaires qui furent nommés à la fin de la séance.

La chose s'exécuta. Le lendemain, 27 septembre, à neuf heures du matin, Ducroquet et ses aides se présentèrent chez Robert. Ils ne trouvèrent que la gouvernante de ses enfants et sa cuisinière. Robert et sa femme n'avaient pas couché à leur domicile, tellement ils étaient effrayés. La vente commença tranquillement et avec ordre. On prit note des acheteurs et de l'argent qu'ils versèrent. Mais, brusquement, vers une heure de l'après-midi, deux officiers de paix délégués par l'administration de police se présentèrent et ordonnèrent que la vente cessât sur-le-champ. L'administration de police avait été mise en mouvement par un ordre du Comité de Sûreté générale signé de Guffroy, autre ami de Danton. Ducroquet obtempéra à l'injonction des officiers de paix. Il réapposa les scellés sur la cave et interrompit la vente [1].

Comme on le pense bien, Robert n'était pas resté inactif. Dès la première heure il avait adressé une plainte à la Convention en dénaturant et en dramatisant les faits : « Des malveillants font piller ma maison en cet instant et je pense que la tranquillité publique est menacée dans Paris ! » 3 à 4 000 personnes, à l'en croire, étaient répandues dans l'escalier de sa maison et partout. Après avoir dénoncé ce qu'il appelait la violation de la loi et la rébellion aux autorités, il ajoutait : « Ma cuisinière a (*sic*) tombé dans un état affreux d'épilepsie, la gouvernante de mon enfant a perdu l'usage de ses sens et ma femme a pris une maladie dont elle se guérira peut-être alors que vous m'aurez rendu justice. » Robert n'avait pas le sens du ridicule, mais il s'entendait mieux à évoquer la solidarité parlementaire : « Collègues, s'il ne s'agissait ici que de ma propriété, je la sacrifierais avec résignation. J'ai prouvé souvent que les sacrifices ne me coûtaient rien pour le peuple ; mais je vois le dessein bien formé d'avilir la représentation nationale. Je vois surtout le dessein d'opprimer ceux qui ont voté la mort du tyran [2], qui ont siégé constamment à la Montagne, et c'est à vous de vous venger vous-mêmes en déjouant ces derniers efforts, soit de l'aristocratie, soit de la faction que nous avons si heureusement terrassée. »

La Convention, où siégeaient tant de bourgeois propriétaires, se laissa émouvoir par cet appel. Un membre non désigné proposa d'inviter le ministre de l'Intérieur à envoyer du secours à Robert. Mais Thuriot, un ami de Danton lui aussi, préféra que la Convention gardât l'affaire en main. Il proposa d'en saisir le Comité de Sûreté générale qui examinerait si la saisie était régulière. La motion fut votée et le

[1] Voir aux *Archives parlementaires*, t. 76, p. 219, le procès-verbal des commissaires de la section de Marat. Par une faute d'impression ou de rédaction, le procès-verbal qui porte en tête et en lettres la date correcte du 27 septembre est daté à la fin et en chiffres du 29 septembre. Cette fausse date a trompé M. Aulard qui lit vite les textes et M. Aulard a cru que la vente avait duré deux jours et demi (Aulard, *Études et leçons*, 6e série).

[2] Robert ne se souvenait plus qu'il avait conseillé aux Jacobins, le 23 décembre 1792, de surseoir au procès du roi.

Comité de Sûreté générale se hâta de mettre en mouvement l'administration de police.

Robert triomphait pour la seconde fois. S'il avait été prudent, il en serait resté là, mais il eut la malencontreuse inspiration de faire appel à l'opinion publique dans un placard à ses concitoyens qu'il afficha sur les murs. Il y prenait vivement à partie le président de la section de Marat, Roussillon, qui était juge au tribunal révolutionnaire et jouissait de la considération des Jacobins. Il attaquait avec violence le commissaire aux accaparements Ducroquet. Il se posait en victime « d'un ramas impur d'hommes vendus à l'infâme parti que la Convention a vomi de son sein », c'est-à-dire en victime des Girondins, assertion audacieuse quand on sait le rôle de Roussillon, de Ducroquet et de la section de Marat dans l'insurrection du 31 mai qui renversa la Gironde. Il répétait enfin qu'il était victime du plan formé d'avilir en lui la Convention nationale, accusation que les dantonistes lançaient journellement contre les hébertistes.

L'affiche ranima la querelle. La section de Marat se plaignit à la barre de la Convention, le 7 octobre, des calomnies de Robert. Elle demanda à l'Assemblée de briser les résistances qu'un de ses membres opposait à l'exécution de la loi. Comment Robert pouvait-il ignorer que le rhum était une eau-de-vie, « un aliment précieux pour nos vaisseaux et nos armées »? Robert avait voulu ternir la réputation d'une section qui avait rendu à la Révolution les plus grands services dans toutes les circonstances critiques et qui s'était toujours montrée le ferme et inébranlable soutien de la Montagne, d'une section qui avait abrité Marat et qui renfermait son tombeau. « Que Robert apprenne donc aujourd'hui de cette section qu'il a trop méconnue, lui qui, faible individu, croit voir en lui toute la Montagne, qu'il apprenne que c'est le prêtre que l'on poursuit en lui et non l'autel! » Mais la Convention ferait justice! Elle entendrait la voix du peuple qui allait partout répétant : « Si Robert échappe à la loi, il n'en est plus pour les Sans-Culottes, si Robert n'est pas puni, c'en est fait de la liberté, puisqu'il est vrai qu'elle n'est que l'expression de la justice. »

La question était bien posée. Il s'agissait de savoir si les législateurs étaient au-dessus des lois.

Un membre désigné demanda le renvoi de la pétition au Comité de Sûreté générale, c'est-à-dire l'enterrement de l'affaire. Mais Romme s'y opposa. « Nous n'avons pas besoin d'un Comité pour nous apprendre notre devoir. Je crois qu'il serait très inconvenant que la Convention ne prononçât pas de suite conformément aux principes. » Romme fut applaudi.

Un autre membre non désigné, sans doute le même qui était déjà intervenu, rappela alors que la Commission des accaparements avait déjà émis l'avis que le rhum n'était pas compris dans la loi. Mais la section de Marat avait pu se tromper de bonne foi. Il fallait une loi nouvelle. La Convention décida que la pétition serait renvoyée aux deux Comités de Sûreté générale et des accaparements pour en faire rapport sur-le-champ.

Robert eut peur. Il écrivit aux deux membres du Comité de Salut public les plus favorables à l'hébertisme, à Collot d'Herbois et à Billaud-Varenne, qui avaient fait voter la loi du 27 juillet, pour solliciter leur appui. Il rappela à Billaud qu'il avait voulu faire inscrire dans la loi l'interdiction de toute espèce d'emmagasinement et que cette proposition avait été repoussée. Il adjura Billaud de venir à la séance. Mais ni Billaud ni Collot ne répondirent à son appel.

Après sept heures de discussion, les deux Comités de Sûreté générale et de l'accaparement ne purent se mettre d'accord. Le lendemain, 8 octobre, Osselin, un ami de Danton, demanda à la Convention en leur nom de trancher le différend : « C'est à vous de prononcer ; mais n'oubliez pas qu'il s'agit de la mort, qu'il serait cruel d'appliquer cette peine pour la première fois sur un fait incertain, et si j'ose ici, cessant d'être rapporteur, énoncer mon opinion particulière, je vous proposerai de n'appliquer cette peine de mort qu'à la récidive et de décréter que, pour la première fois, l'accaparement ne sera puni que de la confiscation des objets accaparés. »

Un vif débat s'engagea. Thibault et Voulland déclarèrent qu'en votant la loi, ils n'avaient pas voulu y comprendre le rhum qui était une liqueur de luxe. Mais Raffron et Romme furent d'un avis différent. Raffron insista sur le fait que Robert n'avait pas fait de déclaration : « Il n'est pas d'accaparement quelconque qui puisse être toléré. » Romme s'indigna qu'on pût équivoquer dans un cas aussi simple. « Tout le monde sait que les mots étrangers de rhum et de rack ne signifient autre chose qu'eau-de-vie ; on peut donc, à l'aide de ces mots, éluder une loi salutaire pour le peuple ; autrement il suffirait pour y soustraire d'immenses accaparements d'eau-de-vie simple d'y mettre des fruits ou de lui donner quelque perfection. La loi ne parle point d'eau-de-vie de grains ; eh bien! si quelqu'un en avait un dépôt secret, serait-il un accapareur? Oui. Quoique cette eau-de-vie soit inférieure aux autres, pourquoi donc ne le serait-il pas, s'il en avait dans ce dépôt d'une qualité supérieure? Robert était dans ce cas. Il connaissait la loi. Je demande que votre décision fasse honneur à votre sévérité législative. »

Les choses tournaient mal pour Robert. Heureusement pour lui, Joseph Lebon fit observer que « la loi qui n'est pas claire est comme si elle n'existait pas ». « Comme nul ne peut être puni qu'en vertu d'une loi antérieure à son délit, dit-il, je demande qu'on passe à l'ordre du jour sur le cas particulier qui nous occupe et qu'on renvoie à l'examen du Comité la question de savoir si le rhum doit être compris parmi les objets de première nécessité. » La Convention se rangea à cet avis. Le renvoi fut décrété. Robert était sauvé, quoique moralement condamné.

Mais, séance tenante, Osselin proposa, pour donner satisfaction à l'opinion publique, de supprimer la nomenclature des objets de première nécessité inscrite dans la loi du 27 juillet et de la remplacer par un article ainsi conçu : « Sont réputés accapareurs ceux qui entassent dans leurs magasins les denrées, les marchandises ou tout autre objet de commerce sans les déclarer et les mettre en vente. » L'article s'appliquait exactement au cas de Robert ; mais, comme il ne pouvait avoir d'effet rétroactif, c'était une manière adroite de le mettre hors de cause, tout en tranquillisant pour l'avenir les sections parisiennes.

Une nouvelle discussion s'engagea. Plusieurs députés critiquèrent le vague de l'article proposé par Osselin ; Thuriot observa que si l'on comprenait dans la loi tous les objets de commerce, on frappait également sur les choses importantes et sur les frivoles : « Par exemple, il est des hommes qui aiment les tableaux ; ils en font des collections nombreuses sans vouloir les vendre ; rien de plus innocent. Seront-ils réputés accapareurs et frappés de mort ? Il est des hommes qui, pour cultiver la physique, sont obligés de réunir un grand nombre de machines, seront-ils réputés accapareurs et frappés de mort ? Il est des hommes qui, passionnés pour l'étude et nés pour éclairer le genre humain, ont de vastes bibliothèques, seront-ils réputés accapareurs de livres et frappés de mort ? » Il était facile de répondre à Thuriot que la formalité d'une simple déclaration mettrait à l'abri les amateurs de tableaux et les savants. Mais l'Assemblée professait pour l'art et pour la science un respect profond et sincère. Elle fut émue de l'argument. Bentabole fit craindre que la suppression de la nomenclature ne prêtât à l'arbitraire. En vain Raffron insista pour qu'on votât le texte d'Osselin, l'Assemblée hésita et prononça un nouvel ajournement.

L'ajournement ne résolvait rien. La cave de Robert était toujours sous scellés. La section de Marat revint devant la Convention le 30 du premier mois (21 octobre 1793). La loi ne pouvait rester plus longtemps en échec. La section allait ordonner la vente de l'eau-de-vie de Robert. Aucune discussion ne s'engagea. La pétition fut renvoyée simplement au Comité de Sûreté générale. Quelques instants plus tard on donna lecture d'une lettre de Robert qui déclarait faire offrande à la section du rhum qu'il avait chez lui. Le produit de la vente serait employé à procurer des secours aux veuves et aux orphelins de guerre (1). La lettre de Robert fut également renvoyée au Comité de Sûreté générale.

Il semble que la section de Marat aurait pu passer outre et interpréter le silence de la Convention comme une autorisation tacite. Elle patienta encore. Les 6 et 11 brumaire, son président qui était alors l'hébertiste Momoro écrivit encore pour hâter le rapport du Comité de Sûreté générale. Le rapport ne fut jamais fait.

Comme il fallait cependant que l'affaire eût une fin, Robert et la section la portèrent devant le Conseil général de la Commune. A la séance du 23 brumaire (13 novembre), les deux parties furent entendues contradictoirement. La section exposa que prenant acte de l'acquiescement de Robert, elle avait ordonné la vente de son rhum au profit des orphelins et

(1) D'après *l'Auditeur national*. Cette lettre est restée inconnue à M. Aulard.

des femmes des volontaires morts pour la patrie. Robert, tout en justifiant sa conduite, reconnaît qu'il avait « commis une erreur en inculpant Rousselin et Ducroquet » (1). Après ces explications mutuelles, le Conseil passa à l'ordre du jour.

Quinze jours plus tard, sur une nouvelle demande de la section de Marat, la Commune arrêta, le 7 frimaire, que le rhum serait proposé au ministre de la Marine et que des experts en fixeraient le prix. Force restait à la loi et au bon sens.

VENTES FORCÉES ET VISITES DOMICILIAIRES.

L'affaire du rhum de Robert eut du retentissement parce qu'un député y était mêlé. Mais il y eut une foule d'autres affaires analogues, sources de graves conflits.

A Paris, où la disette se faisait sentir plus vivement que partout ailleurs et où la Sans-Culotterie puissamment organisée veillait à l'application de la loi, les Commissaires aux accaparements se montraient sévères et n'hésitaient pas au besoin à saisir des marchandises qui ne figuraient pas expressément dans la nomenclature des objets de première nécessité. Un marchand de la section du Nord, nommé Coquillon, porta plainte, le 16 septembre, contre le commissaire aux accaparements, Delormel, qui lui avait saisi son tabac, qui ne tombait pas cependant sous le coup de la loi (2). Le commissaire aurait d'ailleurs agi irrégulièrment.

Il est probable que les ventes forcées furent nombreuses. Quand le maximum général fut établi, au début d'octobre, et que les boutiques furent vidées de leur contenu par des acheteurs pressés de profiter de la baisse légale des prix, on assista à une recrudescence de rigueur de la part des Comités révolutionnaires et de leurs agents. Beaucoup de marchands avaient fermé leurs boutiques en déclarant qu'ils n'avaient plus rien à vendre.

(1) D'après le *Journal de la Montagne*.

(2) *Archives parlementaires*, t. 74, p. 288. Voir dans TUETEY, *Répertoire*, t. IX, nº 1171, une délibération du Comité du surveillance du département de Paris qui félicite le Commissaire aux accaparements de la Commune de Vaugirard d'avoir fait saisir un dépôt de 8 à 900 voies de charbon et 6 balles de soude.

Sous la pression des clubs et des sections, la Commune ordonna, le 17 octobre, que des visites domiciliaires seraient faites chez tous les marchands et que ceux d'entre eux qui quitteraient leur commerce seraient réputés suspects.

A Besançon, le 25 du premier mois, la municipalité interdit également aux marchands de cesser leur commerce (1).

Dans certains cas, la réglementation se faisait plus minutieuse. Ainsi, le 26 pluviôse, la section des Piques, sur le rapport de son commissaire aux accaparements, décida que les marchands de vin qui ne voulaient plus vendre qu'à emporter, seraient tenus de continuer la vente au détail sur leur comptoir, car la suppression de la vente au comptoir ôterait la faculté aux Sans-Culottes de pouvoir prendre leur repas chez le marchand de vin, ce qui était un acte vexatoire contre cette respectable classe (2).

Comme ces mesures ne faisaient pas réapparaître les denrées qui étaient chez les particuliers, on se mit à réclamer des visites générales chez tous les citoyens, marchands ou non.

Le 5 du 2e mois, 26 octobre 1793, la section du Panthéon émit le vœu qu'il fût formé une commission centrale de 96 membres pris dans les 48 sections « à l'effet d'aviser à tous les moyens possibles d'approvisionner toutes les sections de cette ville, de toutes les denrées et marchandises indispensables à la vie (3) ». Le vœu s'exécuta. Il se forma un Comité central révolutionnaire des subsistances analogues à celui qui avait fonctionné dans le courant du mois d'août et qui avait causé de vives alarmes. Le 11 brumaire (1er novembre 1793), ce Comité donna avis au Comité de Sûreté générale de la Convention qu'il se proposait de faire le lendemain des visites domiciliaires dans toute l'étendue de la capitale. Les gouvernants s'émurent. Ils craignirent des troubles, un débordement d'émeute. Les deux Comités de Salut public et de Sûreté générale se réunirent, le jour même, et ils prirent un arrêté pour interdire les visites domiciliaires annoncées (4). En

(1) Registre des délibérations municipales.

(2) Archives nationales, F-7, 4778.

(3) Sur ces faits, voir dans Aulard, *Actes du Comité de Salut public*, t. VIII, les séances du Conseil exécutif et du Comité en date du 11 brumaire.

(4) L'arrêté signé de Robespierre, Carnot, Billaud-Varenne et Barère, est de la main de Robespierre.

même temps, le Conseil exécutif provisoire rappelait l'article premier du décret du 25 août 1793, faisant défense « à toutes commissions particulières relatives aux subsistances de la Ville de Paris autres que l'administration municipale de s'immiscer en aucune manière dans les opérations relatives à l'approvisionnement de Paris ». Il ne semble pas que le Comité central ait passé outre. Mais s'il n'y eut pas de perquisition générale, il y en eut beaucoup de particulières. Une gravure du temps (1) nous représente le commissaire aux accaparements dans l'exercice de ses fonctions. Dans un intérieur bourgeois, une femme pleure la tête entre ses mains au coin d'une chambre. Le commissaire aux accaparements campé au premier plan, une écharpe en sautoir, un gourdin à la main, dirige la perquisition. Un de ses aides, monté sur un escabeau, ouvre les placards et en sort un paquet avec satisfaction. Un autre Sans-Culotte prend note sur un registre, tandis qu'un troisième nonchalamment accoudé regarde la scène en riant. Combien de familles n'ont retenu de la Révolution que la visite du commissaire aux accaparements !

LES SANCTIONS ADMINISTRATIVES.

Les contraventions relevées étaient l'objet tantôt de sanctions administratives, tantôt de sanctions judiciaires. Les premières étaient appliquées à Paris par les Comités révolutionnaires. A ce point de vue, la lecture de leurs procès-verbaux est instructive.

Parcourons quelques pages du registre du Comité de la section de l'Observatoire. Nous lisons à la date du 27 du premier mois : « Par devant nous, Commissaire du Comité révolutionnaire de la section de l'Observatoire, est comparu la citoyenne Magdelaine Durand, femme Marly, demeurant, rue Saint-Jacques nº 280, laquelle nous a représenté partie d'un demi-septier de vin qu'elle nous a dit avoir payé à raison de douze sols la pinte chez la citoyenne Leclère, rue du Faubourg-Saint-Jacques nº 283, marchand de vin et limonadier, et qu'elle

(1) Reproduite dans les planches annexes de la réimpression du *Moniteur* (t. XIX).

nous a requis de goûter, la lecture faite de la déclaration, elle a dit icelle contenir vérité et a signé Femme Marly. »

« Sur quoy, nous commissaire ayant goûté ledit vin, avons reconnu qu'il était de la plus mauvaise qualité et n'avait pas même le goût du vin, et, voulant néanmoins nous assurer de la vérité du fait, nous avons envoyé acheter chez ledit Leclère un demi-septier de vin à douze sols par le citoyen Goulard, l'un de nos membres, et l'ayant goûté, nous l'avons reconnu pareil à celuy à nous présenté par la citoyenne Marly, et la citoyenne Leclère ayant reconnu ledit vin pour provenir de chez elle, nous avons ordonné que du tout il serait dressé le présent procès-verbal pour être copie expédiée au procureur de la Commune et que, par suite, une bouteille serait remplie dudit vin et cachetée en présence de la citoyenne Leclère pour servir à conviction et du tout dressé le présent procès-verbal les jours et an que dessus (1)... »

Le lendemain, le Comité décida de ne donner aucune suite à cette affaire : « Le Comité, délibérant sur le délit commis par le citoyen Leclère, lequel a été surpris vendant au maximum du vin frelaté, arrête que, pour cette fois seulement, il sera vivement réprimandé, obligé de restituer la somme qu'il avait reçue de la citoyenne à laquelle il avait vendu ce vin et qu'enfin injonction lui sera faite de ne plus à l'avenir se permettre aucune fraude dans son commerce... »

Voici maintenant une affaire de fraude non plus sur la qualité, mais sur le poids de la marchandise.

« Le 26 brumaire, est comparu au Comité la citoyenne Chirau, boulangère, rue des Lyonnais, pour s'expliquer sur 3 pains apportés au comité, ne portant que 4 livres et demi au lieu de 5 livres. Après avoir été entendue, le Comité arrête que la citoyenne boulangère versera l'argent des 3 pains dans la caisse des pauvres et que, s'il lui arrive dorénavant, le boulanger sera mis en état d'arrestation, ce que le Comité aurait fait à l'instant s'il n'eût pris en considération que le pain était fort cuit et que son mari s'était endormi en fabricant son pain. »

(1) Archives nationales, F-7 2514.

LA RÉPRESSION DES FRAUDES.

Les fraudes sur la qualité des denrées alimentaires, notamment sur les boissons, devinrent si fréquentes après l'institution du maximum général, qu'on dut organiser à Paris un service spécial de la répression des fraudes.

De nombreuses sections avaient mis les scellés sur les caves des marchands de vin. Dès le 11 brumaire (1er novembre 1793), la section de l'Unité déposait à la Commune des procès-verbaux dressés par les chimistes qu'elle avait chargés d'examiner les vins frelatés. La Commune en prononça le renvoi à l'administration de police le 21 brumaire. Puis, le 4 frimaire (24 novembre), elle décida que les vins supects seraient examinés par 4 *commissaires-dégustateurs* qui en feraient l'analyse. Il semble que dans la suite, ces commissaires-dégustateurs furent placés sous les ordres directs du Comité de surveillance du département de Paris. Nous lisons, en effet, dans les procès-verbaux de ce Comité qu'il s'adressa, le 24 pluviôse, à l'apothicaire major de l'Hôtel-Dieu, Dubuisson, pour l'inviter à lui désigner un chimiste compétent (1). Sur les instructions de Dubuisson, le pharmacien Cartier fut nommé et il procéda journellement à de nombreuses analyses qui se terminèrent par des rapports suivis de procès-verbaux et de poursuites devant le tribunal de police correctionnelle (2). Très souvent les vins analysés ne renfermaient que du poiré et du cidre simplement colorés à l'aide d'une teinture.

Indépendamment de ce service central, il existait d'autres commissaires-dégustateurs institués par les sections. Ainsi, le 13 frimaire, sur la proposition du citoyen Marotte, commissaire de police, la section des Piques avait nommé pour dégustateur de vins le citoyen Reis, chirurgien, rue Caumartin. La nomination fut ratifiée par l'assemblée générale de la section (3).

Certaines sections comme celle de l'Unité auraient désiré l'institution de commissaires-vérificateurs de la qualité de

(1) Tuetey, *Répertoire*, t. XI, n° 1001.
(2) Tuetey, t. X, n° 1613, 1801, 1807, 1819, 1830, 1836.
(3) Archives nationales, F-7 4778.

toutes les denrées alimentaires. Elle s'en expliquait dans une pétition qu'elle présenta à la Convention le 30 brumaire (20 novembre) : « N'est-il pas douloureux, par exemple, disait-elle, d'acheter du poiré pour du vin, de l'huile d'œillette et de colza pour de l'huile d'olive, de la cendre ou du bois pour du poivre, de l'amidon pour du sucre ? »

L'exemple de la capitale fut suivi en province. A Dunkerque, le 1er brumaire, la municipalité institua des experts pour l'inspection des denrées [1]. Le 9 prairial an II, le district de Bergues prescrivit aux municipalités de faire analyser les boissons par des gens compétents.

LA RÉPRESSION JUDICIAIRE ET LA RÉFORME DE LA LOI.

La répression administrative aboutissait à la répression judiciaire. En principe, les crimes d'accaparement relevaient des tribunaux criminels qui jugeaient sans appel (article 13 de la loi du 27 juillet 1793). Mais, comme la seule peine édictée était la mort, les juges hésitaient à condamner. De très bonne heure, leur indulgence provoqua les plaintes fort vives des sections et des clubs.

Vers le milieu de septembre, le tribunal du 4e arrondissement de Paris avait acquitté un commerçant accusé d'accaparement, un certain Banel, qui n'avait déclaré que 15 pièces de vin quand on en avait trouvé 35 dans sa cave. Les administrateurs de police prirent prétexte de cet acquittement pour présenter à la Convention une pétition dans laquelle ils réclamaient la réforme de la loi. Ils demandaient que les accapareurs fussent dorénavant jugés par un jury spécial d'où seraient exclus les commerçants et qui jugerait dans les mêmes formes que le tribunal révolutionnaire, c'est-à-dire à la majorité absolue. Les membres du jury, avant d'entrer en fonctions, passeraient au scrutin épuratoire de leur section. Leur pétition fut renvoyée à la Commission des subsistances. Ce ne fut pas la première ni la dernière que reçut la Convention.

La loi avait été votée rapidement dans la crise de l'été de

[1] D'après M. Georges Lefebvre, dans le *Bulletin de l'histoire économique de la Révolution*, 1913, p. 431.

1793 pour calmer les troubles suscités par les Enragés. Sa rédaction hâtive prêtait à l'équivoque.

Dès le 20 août, le Comité de surveillance du département de Paris, qui avait la haute main sur les commissaires aux accaparements, chargeait l'un de ses membres, Delespine, d'étudier la réforme de la loi. Celui-ci signalait, trois jours plus tard, au Comité de législation les difficultés qu'éprouvaient les Commissaires aux accaparements à appliquer l'article 10 qui visait l'obligation de la déclaration et de l'affiche. La veille, le 22 août, une députation de Jacobins, conduite par ce même Royer dont l'action avait été si considérable au moment de la crise du 10 août comme orateur des délégués des assemblées primaires, signalait à la Convention que l'article 5 de la loi était mal rédigé et il proposait de le modifier de telle sorte qu'il fût « défendu à tout particulier d'avoir chez lui des denrées de première nécessité pour plus de trois mois ». Royer demandait aussi qu'il fût donné aux commissaires aux accaparements un insigne distinctif de leurs fonctions.

Le rapporteur de la Commission de l'accaparement, Osselin, fit un premier rapport sur ces pétitions le 19 septembre. Il reconnut que la loi était mal faite. « Des citoyens gémissent de se voir traiter comme accapareurs, tandis qu'ils ne font qu'un commerce licite ; les autorités constituées ne peuvent trouver dans la loi les moyens de la faire exécuter ; les commissaires qui en sont chargés ne savent pas même à qui ils doivent remettre leurs procès-verbaux ; tous se plaignent des dispositions trop vagues d'une loi qui, exécutée à la lettre, pourrait conduire à l'échafaud le plus honnête citoyen et qui, réduite à l'inaction, faute de moyens, laisse le peuple à tous les maux de l'accaparement. » Il ajoutait que l'affiche exigée à la porte des commerçants était une formalité gênante et peu efficace, car sa légende infinie ne pouvait jamais être exacte, « attendu le débit continuel et les variations qu'il occasionne ». Une autre disposition, plus vexatoire encore, était celle qui ordonnait la vente forcée des marchandises après un préavis de trois jours : « Si cet article pouvait s'exécuter, qui oserait désormais tenir en magasin des marchandises nécessaires pour aviver le commerce de détail..., comment les villes et surtout Paris seraient-elles approvisionnées si l'on forçait à vendre dans trois jours toutes les marchandises qui y sont emmagasinées ? » Osselin voulait donc qu'on déchargeât les détaillants de l'obligation de déclarer la quantité de leurs marchandises. Ils ne seraient plus astreints qu'à la déclaration des qualités et des prix. Les contraventions ne seraient plus punies de la peine capitale qu'en cas de récidive. Les fausses déclarations seraient réprimées par 16 ans de fers. Il n'y aurait plus de vente forcée pour le commerce de détail. Les refus de vente par les marchands en gros seraient constatés par les municipalités. Il serait interdit aux détaillants de quitter leur commerce. Les municipalités prononceraient sur la validité des saisies. Enfin, un jury spécial serait constitué auprès des tribunaux criminels pour juger toutes les affaires d'accaparement.

L'Assemblée ne se pressa pas de voter la réforme réclamée par Osselin. Son projet ne vint en discussion que le 2 octobre. On décida ce jour-là de supprimer la nomenclature des denrées de première nécessité et on la remplaça, sur la proposition de Cambon, par un article ainsi conçu : « L'accaparement de toutes les denrées, marchandises et de tous les objets de commerce sans exception est un crime capital. » Cette rédaction, beaucoup plus large que celle qu'Osselin avait proposée, bouleversait son projet. Il demanda lui-même que la discussion en fût interrompue. Mais on vota, sur la motion de Gossuin, que tous les comestibles sans exception seraient dorénavant compris dans la loi du maximum.

Le projet revint devant la Convention le 8 octobre, le jour même où l'Assemblée devait se prononcer sur la question de savoir si le rhum de Robert était une eau-de-vie. Nous avons vu que l'intervention de Thuriot fit rejeter comme trop vague la nouvelle définition de l'accaparement proposée par Osselin. Comme la toile de Pénélope, le projet était encore une fois à refaire.

Les commissaires aux accaparements s'impatientaient. Le jour même où ce vote avait été rendu, ils avaient écrit à la Convention pour lui recommander le vote du texte d'Osselin. Ils se plaignaient d'être entravés dans leur marche par l'imprécision des articles de la loi du 27 juillet. Le ministre de l'Intérieur Paré appuyait leurs plaintes (1). Il précisait que

(1) Sa lettre, datée du 7 octobre, est publiée dans le compte rendu de la séance du 13 octobre aux *Archives parlementaires*.

dans plusieurs sections, la confiscation des marchandises saisies était prononcée sans appel et immédiatement effectuée « nonobstant toute réclamation des parties intéressées », tandis que dans d'autres sections on sursoyait aux ventes jusqu'à la décision des tribunaux. La municipalité et le département de Paris préféraient cette marche. Ils avaient pris des arrêtés pour interdire les ventes en cas de réclamations, mais certaines sections n'en avaient pas tenu compte. Le ministre se déclarait partisan de sursis en cas de conflit porté devant les tribunaux, mais il insistait pour que la Convention déterminât d'une façon nette les diverses attributions des corps administratifs et celles des corps judiciaires en matière de confiscation. Cette discrimination n'était pas faite dans la loi.

Osselin revint devant la Convention, le 16 octobre, avec un nouveau texte qui rétablissait la nomenclature des objets de première nécessité. Après que Thuriot y eut fait ajouter les soieries ouvrées et non ouvrées et Lecointe les limes et autres outils, la nomenclature nouvelle fut adoptée. On adopta encore l'article définissant les accapareurs où furent compris, outre les marchands qui refuseraient de mettre en vente leurs marchandises, les simples particuliers qui conserveraient un approvisionnement supérieur à celui qui leur était nécessaire. Mais la discussion fut une fois encore interrompue.

Les sections ne comprenaient rien à ces lenteurs. Le 23 octobre, les délégués de 43 d'entre elles reparurent à la barre pour présenter une pétition rédigée par celle de l'Observatoire. Elles se plaignaient de nouveau que les accapareurs commençaient à revenir de leur effroi : « Ils voient que l'instrument de mort reste suspendu en l'air au lieu de tomber sur leurs têtes ; ils savent que l'institution si salutaire du jugement par jurés remet presque toujours leur sort entre les mains de leurs amis, enrichis comme eux de la substance du pauvre et qui craindraient de donner contre eux-mêmes un mauvais exemple. » Ils réclamaient à nouveau « l'institution d'un juré spécial choisi hors de la classe des négociants, des banquiers, des agioteurs et même des riches et qu'on y opine à haute voix comme on fait pour les contre-révolutionnaires ». La pétition fut renvoyée au Comité de Législation.

Sans se lasser, les Commissaires aux accaparements réitèrent leurs doléances le 5 brumaire (26 octobre). Ils veulent que la loi fixe d'une façon précise la quantité de denrées que les particuliers pourront conserver pour leur consommation. Nouveau renvoi.

Le Jacobin Vivier, directeur du jury d'accusation près le tribunal du 3e arrondissement, joint sa voix à celle des Commissaires aux accaparements. Il remontre dans un long mémoire [1], très précis, qu'en confiant, par sa loi du 30 septembre 1793, à des jurés choisis parmi les citoyens ayant les connaissances relatives au genre du délit [2], la Convention a rendu à peu près impossible la répression judiciaire de l'accaparement. « Ainsi, dit-il, les accapareurs de subsistances ne peuvent être jugés, d'après la loi du 30 septembre dernier, que par des marchands de subsistances, leurs dignes confrères et émules. » Puisque l'accaparement était un crime révolutionnaire, il ne pouvait être jugé que par des jurés vraiment révolutionnaires. Vivier voulait qu'on imposât aux marchands, au moment de la déclaration de leurs marchandises, de dire immédiatement s'ils voulaient ou non les mettre en vente. Il signalait encore que certains marchands laissaient une partie de leurs denrées en dépôt aux messageries, afin de les dérober aux déclarations et vérifications.

Vivier revint en vain à la charge le 22 brumaire (12 novembre). La Convention fit la sourde oreille. Jamais le jury spécial, le jury révolutionnaire composé uniquement de Sans-Culottes, ne fut institué.

Le rapporteur de la nouvelle loi sur le chantier, Osselin, fut arrêté et décrété d'accusation le 19 brumaire, pour la protection qu'il accordait à la marquise de Charry, femme d'émigré devenue sa maîtresse. Le nouveau rapporteur, Oudot, ne fut nommé qu'après plusieurs mois et il ne fit son rapport qu'au début de ventôse.

Pendant huit mois, la répression de l'accaparement dut se faire avec la loi du 27 juillet, c'est-à-dire avec un instrument défectueux. Les quelques modifications de détail qui lui furent

[1] Publié en annexe à la séance du 13 brumaire aux *Archives parlementaires*.

[2] La loi du 30 septembre avait remis la connaissance des délits relatifs aux subsistances à des jurés spéciaux formés de la manière prescrite au titre XII de la 2e partie de la loi du 29 septembre 1791. Peut-être y eut-il là une manœuvre pour paralyser la loi sur l'accaparement ?

apportées par le décret du 27 brumaire rendu sur le rapport de Monnot, au nom du Comité des finances, ne touchaient pas à ses insuffisances ni à ses lacunes. Elles se bornaient à stipuler que dorénavant le produit des confiscations ne serait plus partagé entre les pauvres et l'État, mais appartiendrait en totalité aux communes et que les commissaires aux accaparements seraient désormais payés sur le montant des confiscations ou, à défaut, au moyen de sous additionnels aux contributions.

L'AFFAIRE GAUDON.

Si l'on songe que les commissaires aux accaparements avaient appuyé de toutes leurs forces le vote du projet d'Osselin, qui était une atténuation de la loi du 27 juillet, puisqu'il substituait à l'unique pénalité de la mort une échelle de peines graduées, si l'on constate que l'opposition qui fit ajourner ce projet est venue tout entière du parti dantoniste, on se demandera si l'ajournement de la réforme de la loi n'a pas été une manœuvre politique, si les dantonistes, qui s'appuyaient sur les classes commerçantes, n'ont pas fait le calcul qu'une loi défectueuse augmenterait l'impopularité de leurs adversaires, les hébertistes. C'étaient ceux-ci qui avaient réclamé les lois révolutionnaires sur les subsistances qu'ils avaient trouvées dans l'héritage des Enragés. C'étaient les hébertistes qui étaient chargés à Paris de l'application de cette législation. Si la loi ne donnait en leurs mains que des résultats stériles ou désastreux, les dantonistes auraient beau jeu pour rejeter sur leurs adversaires la responsabilité de l'échec.

Il est significatif que Billaud-Varenne et Collot d'Herbois, qui avaient été les auteurs de la loi du 27 juillet, aient refusé de venir au secours de Robert qui les avait appelés à son aide, significatif que Billaud-Varenne ait fait chorus aux plaintes des Commissaires aux accaparements dans son grand discours du 28 brumaire sur l'établissement du gouvernement révolutionnaire : « Les décrets sur les accaparements, dit-il, tombent insensiblement en désuétude, parce qu'ils frappent sur l'avidité des riches marchands dont la plupart sont aussi administrateurs » ; plus significatif encore que les dantonistes aient saisi l'occasion d'un jugement trop sévère rendu contre un marchand pour faire suspendre en fait et en droit la partie criminelle de la loi.

Un riche marchand de vin en gros de la section de l'Arsenal, Pierre Gaudon, n'avait pas fait afficher sur sa porte les quantités, qualités et prix de ses vins, comme il y était obligé d'après l'article 10 de la loi. Mais il avait fait la déclaration prévue par l'article 4 et il était absent de son domicile quand les commissaires s'étaient présentés pour vérifier sa déclaration. Le défaut d'affiche ne provenait que d'une négligence de son fils. Verbalisé et traduit au tribunal criminel du département de Paris, Pierre Gaudon avait été condamné à la peine de mort, parce que c'était la seule pénalité que les juges eussent à leur disposition.

Aussitôt le ministre de la Justice Gohier soumit à la Convention un mémoire du gendre du condamné pour demander qu'il fût sursis à l'exécution. Le dantoniste Bourdon (de l'Oise), violent ennemi des hébertistes, appuya la demande de sursis, car le père ne pouvait être puni pour la négligence du fils. « Citoyens, sauvez un innocent, rendez un père à sa famille ! » La proposition fut adoptée à l'unanimité et donna lieu à une scène attendrissante. Danton lui-même y prit part : « On s'honore, dit-il, quand on sauve un innocent, je vole signifier moi-même le décret que la Convention vient de rendre. » Plusieurs autres députés accompagnèrent Danton dans cette sortie théâtrale et allèrent signifier aux juges le sursis du condamné.

Séance tenante, l'Assemblée décréta « que l'application de la peine de mort prononcée par la loi sur les accaparements serait suspendue jusqu'à ce qu'il ait été fait un rapport par la Commission qui en a été chargée pour déterminer d'une manière claire et précise les cas où la peine doit être prononcée »... Six jours plus tard, le 8 nivôse, la Convention annulait définitivement le jugement qui condamnait Gaudon et ordonnait sa mise en liberté, sur le rapport d'Oudot.

Bien que le vote de la Convention sauvant Gaudon ait été unanime, bien que Collot d'Herbois ait participé à la rédaction du décret suspendant la peine de mort contre les accapareurs, il ne semble pas douteux que les Dantonistes aient cherché à tirer parti de l'incident. Ils s'étaient acquis la reconnaissance de toute la classe commerçante. Ils avaient frappé à l'endroit sensible la loi sur l'accaparement qui était maintenant dépourvue de pénalité. Vers le même temps, ils essayaient de sauver le notaire contre-révolutionnaire Chaudot, en faveur duquel ils parvinrent à obtenir d'abord un sursis, mais Chaudot fut quand même exécuté. On comprend que Robespierre les ait accusés de chercher à rallier à leur parti « les riches et l'aristocratie » [1].

LE TRIBUNAL RÉVOLUTIONNAIRE.

Cet exposé de la répression de l'accaparement serait trop incomplet, si nous n'ajoutions que la loi des suspects fut dans bien des cas une arme terrible contre les commerçants et les fournisseurs en défaut.

Depuis le 29 septembre 1793, le tribunal révolutionnaire devint compétent pour toutes les affaires de fraudes et de profits illicites. J'ai étudié dans les *Annales historiques de la Révolution française* quelques affaires de ce genre [2]. Le tribunal révolutionnaire fit en ce temps-là l'office de nos conseils de guerre.

Il arriva plus d'une fois que des commerçants qui n'avaient pas passé de marché avec la République, furent pourtant traduits devant le tribunal révolutionnaire quand il résultait des faits de la cause une intention contre-révolutionnaire. Ainsi, le 5 nivôse, le boulanger Nicolas Gomot, âgé de 41 ans, demeurant à Paris rue Saint-Jacques, fut condamné à mort comme « convaincu d'avoir accaparé du pain pour son usage ; d'avoir, au mépris de la loi, fait et fourni du pain de qualité inférieure, et d'avoir tenu des propos tendant à provoquer la dissolution de la république ». Les griefs écono-

[1] Voir mon édition des notes de Robespierre contre les dantonistes dans mon ouvrage *Robespierre terroriste*, p. 91.

[2] Voir mes articles : *Un fournisseur : Choiseau*; *Comment le tribunal révolutionnaire traitait les mercantis*, dans les *Annales historiques de la Révolution française* de septembre-octobre et de novembre-décembre 1924. Voir aussi la liste des condamnés pour ces délits que nous avons publiée dans les *Annales révolutionnaires* de juillet-septembre, 1917, pp. 548-550.

miques furent joints dans ce curieux jugement aux griefs politiques.

Citons encore la condamnation à mort du marchand de bœufs Jean Musquet, « convaincu d'être auteur ou complice des conspirations et manœuvres qui ont existé tendant à faire exciter des troubles dans Paris relativement aux subsistances, à y occasionner la disette et la guerre civile, en achetant et vendant à cet effet à un prix excessif les bestiaux destinés à l'approvisionnement de cette commune, en retardant ou empêchant l'arrivage des subsistances ».

SAINT-JUST ET LEBAS.

Certains représentants en mission ne se bornèrent pas à faire exécuter les taxes et à réprimer la spéculation au moyen des armes que leur fournissait la législation. Ils prirent des arrêtés qui étaient des lois nouvelles. Ainsi Saint-Just et Lebas dans leur célèbre mission d'Alsace. Ils prirent à Saverne, le 3 nivôse, l'arrêté suivant : « Il est ordonné au tribunal criminel du département du Bas-Rhin de faire raser la maison de quiconque sera convaincu d'agiotage ou d'avoir vendu à un prix au-dessus du maximum. Le présent arrêté sera sans délai publié et affiché dans toute l'étendue du département du Bas-Rhin. »

Je ne serais pas surpris que Saint-Just et Lebas aient eu des émules, mais l'histoire de la loi de l'accaparement dans toute la France exigerait des recherches étendues que je ne puis songer à entreprendre. Comme je le disais au début, j'ai voulu seulement poser des jalons pour des recherches futures.

LA LÉGISLATION ET LES PARTIS.

Il résulte des constatations que nous avons faites qu'un sérieux effort fut tenté à Paris pour exécuter la loi sur l'accaparement, si défectueuse qu'elle fût dans son texte. Les Commissaires aux accaparements, les Commissaires-dégustateurs, sous la direction des Comités révolutionnaires, fournirent un travail considérable. Les répressions administratives paraissent avoir été plus efficaces que les répressions judiciaires, celles-ci étant rendues impossibles par la sévérité outrée de l'unique peine à appliquer qui était la mort. Mais, quand cette peine fut suspendue après l'affaire Gaudon, le tribunal révolutionnaire évoqua à lui des affaires qui étaient de la compétence normale des tribunaux criminels.

Il résulte aussi de notre exposé que l'application des lois révolutionnaires fut gênée par la sourde opposition qu'elles rencontraient dans une bonne partie de la Convention. La Plaine, aidée des dantonistes, les paralysa dans une large mesure, en ne mettant aucun empressement à les améliorer. Sur le terrain économique les luttes des parties ne cessèrent pas plus que sur les autres terrains. Il faut en tenir compte toutes les fois qu'on veut juger équitablement la législation terroriste, législation imposée et non consentie, législation qui se heurtait au terrible obstacle de l'égoïsme individuel, législation qui était la traduction d'une bataille de classes, en un temps où la lutte des classes ne s'avouait pas.

CHAPITRE VIII

LA CHUTE DE L'HÉBERTISME

(Ventôse an II)

A la fin de l'hiver, la disette s'aggrava dans la capitale. On se battait, au début de ventôse, dans les queues à la porte des marchands. Si le pain, grâce à la carte, était à peu près en quantité suffisante, il n'en était pas de même de la viande, dont la carte n'était pas encore instituée. Les ouvriers murmuraient de ne point trouver à manger chez les traiteurs au moment des repas. Dans toutes les auberges, dit le rapport de l'agent Prévost du 3 ventôse, il n'y avait pas une once de viande. Les légumes étaient rares et montés à un prix exorbitant. « Le tableau de Paris commence à devenir effrayant, écrit l'observateur La Tour La Montagne dans son rapport du lendemain. On ne rencontre dans les marchés, dans les rues, qu'une foule immense de citoyens courant, se précipitant les uns sur les autres, poussant des cris, répandant des larmes et offrant partout l'image du désespoir ; on dirait, à voir tous ces mouvements, que Paris est déjà en proie aux horreurs de la famine. » Le même observateur s'étonne et admire que dans ces conditions les propriétés soient respectées. « L'histoire, dit-il, n'offre aucun exemple d'un peuple qui, dans des circonstances aussi pénibles, se soit conduit avec autant de modération. Sous l'ancien régime, il en eût fallu beaucoup moins pour faire pendre un prévôt des marchands, un lieutenant de police, et, aujourd'hui, au moindre mouvement, un simple citoyen parle au nom de la loi, et tout est tranquille. »

Tranquillité relative. Le même agent était obligé, dans son rapport du 15 ventôse, de faire cette constatation : « Le spectacle de plusieurs femmes blessées dans les rassemblements qui se forment aujourd'hui à la porte de tous les marchands, a soulevé le peuple dans plusieurs quartiers. Dans la distribution des denrées, ajoute-t-il, c'est la force qui décide et plusieurs femmes, ce matin, ont failli y perdre la vie pour obtenir un quarteron de beurre. » Quant au respect des propriétés, il n'allait pas sans souffrir quelques accrocs. Le 5 ventôse, l'observateur Siret notait : « Le mal est extrême ; ce matin, le faubourg Saint-Antoine s'est dispersé sur la route de Vincennes et a pillé tout ce que l'on apportait à Paris. Les uns payaient, les autres emportaient sans payer. Les paysans désolés juraient de ne plus rien apporter à Paris. Il est très urgent de mettre ordre à ce brigandage qui finira très incessamment par affamer la capitale. » Et quelques jours plus tard, le 17 ventôse, l'observateur Monin rapporte qu'à la porte et au petit marché Saint-Jacques, à 6 heures du matin, les femmes du quartier avaient arrêté les voitures de provisions et s'étaient emparées du beurre et des œufs qu'elles contenaient. Une partie seulement de la marchandise avait été payée au maximum, le reste avait été perdu par les propriétaires (1).

DANTONISTES ET HÉBERTISTES.

Cette recrudescence de la crise économique se produisait juste au moment où les divisions des Montagnards s'exaspéraient. A la fin de pluviôse, les Jacobins étaient devenus un champ clos entre Hébertistes et Dantonistes. Les premiers avaient triomphé de la mise en liberté de leurs chefs Ronsin, Vincent, Mazuel, reconnus innocents par le Comité de Sûreté générale, mais ils se plaignaient amèrement maintenant que leur dénonciateur Fabre d'Églantine, qui les avait remplacés en prison, n'était pas encore jugé. Ils se plaignaient plus encore des retards invraisemblables que subissait l'instruc-

(1) Voir les rapports de police conservés dans les papiers de Fouquier-Tinville, W. 112, et publiés en partie par Dauban, *Paris en 1794*.

tion de l'affaire politico-financière où étaient mêlés, avec Fabre d'Églantine, Chabot et Basire, qui avaient essayé de représenter Hébert et ses partisans comme des agents de Pitt [1]. Ils voulaient tirer vengeance de Philippeaux qui avait accusé d'ineptie et de trahison les généraux hébertistes employés en Vendée, de Camille Desmoulins, qui avait répandu sur la politique de leur parti comme sur leurs personnes le ridicule et l'odieux dans son *Vieux Cordelier*. Or, ils n'avaient pu faire rayer des Jacobins ni Philippeaux, ni Camille Desmoulins. Robespierre avait pris Camille sous sa protection. Leur mécontentement était devenu de la colère quand les Jacobins s'étaient refusés à admettre dans leur club un de leurs chefs les plus influents, qu'ils considéraient comme une victime et un martyr, Vincent, le bras droit de Bouchotte au ministère de la Guerre et le bras droit d'Hébert au club des Cordeliers. L'échec de la candidature de Vincent aux Jacobins fut sans doute la goutte d'eau qui décida de leur attitude. Ils se crurent en butte au mauvais vouloir systématique des robespierristes coalisés pour la circonstance avec les dantonistes. Ils crièrent dès lors à la persécution et ils ne tardèrent pas à prendre à l'égard du gouvernement, qu'ils avaient jusque-là ménagé, figure d'opposants.

Il était inévitable, il était fatal que la crise économique fournît un aliment et des armes aux luttes des partis, d'autant plus que chacun d'eux avait proposé au problème des subsistances des solutions différentes, sinon opposées.

La plupart des dantonistes, tout en ménageant leur popularité, avaient fait une opposition sourde et tenace aux lois sur l'accaparement, sur les taxes, sur les réquisitions. Ils avaient affecté de prendre le commerce sous leur patronage.

Danton avait triomphé comme d'une victoire personnelle de la grâce que la Convention avait accordée au négociant en vins Gaudon, condamné à mort par le tribunal révolutionnaire en vertu de la loi sur l'accaparement. Chabot, dans sa fameuse dénonciation du 26 brumaire contre les hébertistes et les agents de l'étranger, dans ses lettres personnelles écrites de sa prison à Danton, à Merlin de Thionville, à Robespierre, s'était efforcé de représenter la loi du maximum comme une manœuvre

[1] Voir à ce propos mon ouvrage sur *l'Affaire de la Compagnie des Indes.*

contre-révolutionnaire, destinée à arrêter la circulation des denrées et à provoquer la famine, de manière à amener la contre-révolution, en poussant le peuple aux abois. A l'en croire, les auteurs de cette loi, c'est-à-dire les hébertistes qui l'avaient imposée à la Convention, étaient des agents de Pitt. « Les conspirateurs, dit-il, et par là, il entend Delaunay et Julien de Toulouse et le baron de Batz leur inspirateur, m'ont déclaré que la loi du maximum avait été forcée pour provoquer la guerre civile. La taxe des prix des journées pouvait seule produire cet effet désastreux [1]. »

Un autre ami de Danton, le conventionnel Guffroy, dans son journal *Le Rougyff*, insinuait des choses analogues. Il accusait Chaumette et sa clique d'ameuter la foule pour le pain. Il demandait au Comité de Salut public de dissoudre l'armée révolutionnaire, qui avait été instituée pour faire exécuter les taxes et les réquisitions [2].

Quant à Camille Desmoulins, dans son *Vieux Cordelier*, il rendait les Hébertistes responsables du régime de privations auquel la France était soumise : « Je crois que la liberté n'est pas la misère, qu'elle ne consiste pas à avoir des habits râpés et percés aux coudes, comme je me rappelle d'avoir vu Roland et Guadet affecter d'en porter, ni à marcher avec des sabots [3] ; je crois, au contraire, qu'une des choses qui distingue le plus les peuples libres des peuples esclaves, c'est qu'il n'y a point de misère, point de haillons là où il existe la liberté. Je crois encore, comme je le disais dans les trois dernières lignes de mon *Histoire des Brissotins* que vous avez tant fêtoyée, qu'il n'y a que la République qui puisse tenir à la France la promesse que la monarchie lui avait faite en vain depuis 800 ans : la poule au pot pour tout le monde. Loin de penser que la liberté soit une égalité de disette, je crois, au contraire, qu'il n'est rien de tel que le gouvernement républicain pour amener la richesse des nations. » Il disait encore : « Je crois que la liberté ne consiste point dans une égalité de privations et que le plus bel éloge de la Convention

[1] Manuscrit de Chabot intitulé « Réfutation du rapport de Barère » du 3 ventôse (Arch. nat. F.-7 4637).

[2] Voir les nos 54, 55, etc.

[3] Les Jacobins, à l'exemple de Chaumette, avaient conseillé de porter des sabots pour économiser le cuir nécessaire aux chaussures des soldats.

serait, si elle pouvait se rendre ce témoignage : J'ai trouvé la nation sans culottes et je la laisse culottée. » Il se moquait enfin des couches de melons de la terrasse des Tuileries et des carrés d'oignons du Palais Royal. Ces traits devaient être goûtés des aristocrates qui faisaient leurs délices du journal de Desmoulins.

Les Dantonistes, qui n'étaient pas des ascètes, soupiraient après la vie joyeuse et facile et, pour en accélérer le retour, ils promettaient à leurs partisans la paix, l'amnistie, la libération des suspects, la suppression des taxes, des réquisitions, de toutes les mesures révolutionnaires que les Hébertistes avaient fait voter pour continuer la guerre jusqu'au bout, jusqu'à la victoire.

LA POLITIQUE GOUVERNEMENTALE.

Les hommes au gouvernement, les robespierristes, pour les appeler d'un nom plus court, mais inexact, car Robespierre n'était pas un dictateur, les hommes au gouvernement résistaient au modérantisme des Dantonistes comme aux exagérations des Hébertistes. Ils avouaient avec les premiers, que le maximum général leur avait été imposé contre leur gré : « La première idée des taxes, écrivait Saint-Just dans ses *Institutions républicaines*, qui ne verront le jour qu'après sa mort, mais qui furent rédigées en pluviôse, est venue du dehors, apportée par le baron de Batz ; c'était un projet de famine. Il est très généralement reconnu aujourd'hui dans l'Europe que l'on comptait sur la famine pour exciter le courroux populaire, sur le courroux populaire pour détruire la Convention, et sur la dissolution de la Convention pour déchirer et démembrer la France. » C'était la thèse de Chabot que Saint-Just faisait sienne. Robespierre et Barère ne pensaient pas autrement.

Robespierre jeune, au cours de ses missions, s'élevait contre les déclamations des clubistes qui apeuraient le peuple sur les subsistances et provoquaient ainsi la famine, sous prétexte de la conjurer [1]. Robespierre aîné avait l'œil sur

[1] Voir dans les *Annales révolutionnaires* de 1914, p. 717, l'arrêté de Robespierre jeune du 24 pluviôse.

l'armée révolutionnaire. Il écrivait sur son carnet intime dès le mois de décembre 1793 : « Dufresse et l'armée révolutionnaire sont inquiétans » [1]. Mais, quels que fussent leurs sentiments intimes sur la valeur propre du maximum, les hommes au gouvernement ne songeaient nullement à l'abroger ou à le saboter dans l'application. Bien au contraire! Tous leurs actes prouvent qu'ils s'efforçaient de leur mieux d'en tirer parti et de le faire servir à la victoire de la Révolution sur ses ennemis. Ils savaient que les Sans-Culottes des villes, à tort ou à raison, considéraient les taxes comme le salut. Ils n'avaient pas réussi à les détromper. Les lois avaient été votées. Ils mirent les lois en vigueur. La Commission des subsistances, à qui avait été confiée la tâche de dresser le tableau des prix de toutes les marchandises à leur lieu de production ou de fabrique, fut vigoureusement éperonnée par le Comité de Salut public. Comme le premier agent qui avait été placé à la tête du bureau du maximum n'allait pas assez vite, il fut remplacé, le 16 frimaire, par un autre, le citoyen Desrues, qui eut ordre d'imprimer un mouvement rapide à ce bureau. L'attente du Comité ne fut pas trompée. Au prix d'un travail fiévreux, l'immense tableau de tous les prix de toutes les denrées produites par tous les districts de la République fut dressé en trois mois. La Commission vint le présenter à la Convention, le 3 ventôse, et Barère le commenta le même jour dans un rapport enthousiaste, sur lequel nous reviendrons. Loin de songer à abroger la législation économique d'exception que les circonstances lui avaient imposée, le Comité de Salut public ne songeait alors qu'à la renforcer. Barère avait pris prétexte, le 16 nivôse, que, dans Landau assiégé, les marchands avaient vendu leurs denrées à un prix exorbitant, pour faire décréter que dorénavant dans toute ville assiégée ou bloquée, les marchandises et les denrées de tout genre nécessaires à l'existence, ainsi que les habillements et équipements seraient mis en commun, payés aux propriétaires aux frais de la République et distribués également à tous les citoyens en raison de leurs besoins. Dans ses circulaires comme dans ses actes, le Comité tenait strictement la main à l'application des textes. Robespierre jeune, dans sa

[1] Le Carnet de Robespierre dans mon livre *Robespierre terroriste.*

mission en Franche-Comté, mettait l'exécution du maximum sous l'autorité des Comités révolutionnaires. Barère, dans son grand rapport du 3 ventôse, s'en prenait violemment à l'avidité des marchands, à la cupidité des propriétaires, à l'ambition des fabricants. Il annonçait la disparition des intermédiaires, ces parasites. Il menaçait les autorités indolentes qui mettaient de la négligence à exécuter la loi.

Il n'est pas douteux que le Comité de Salut public faisait tous ses efforts pour désarmer les défiances populaires et pour ôter aux Hébertistes tout prétexte de calomnier ses intentions. Il n'est pas douteux que Robespierre en particulier s'inquiétait des sympathies des Dantonistes pour l'aristocratie mercantile. Il leur reprochera bientôt, dans les notes qu'il remit à Saint-Just, d'avoir cherché à rallier les riches à leur parti. Déjà il luttait énergiquement avec Barère contre leur politique pacifiste. S'il s'était opposé à la radiation de Camille de la liste des Jacobins, ce n'était pas seulement en souvenir de leur ancienne amitié, mais c'était parce qu'il ne voulait pas briser l'unité du parti montagnard. Il s'efforçait de prévenir, de calmer les divisions qui ne profitaient qu'à l'ennemi. Nul doute qu'il n'ait été vivement ému des violentes protestations des Hébertistes contre sa politique conciliatrice. Hébert ne se souvenait donc plus qu'en frimaire, lui, Robespierre, n'avait pas voulu ajouter foi aux accusations que Chabot et Fabre d'Églantine avaient portées contre Hébert? Hébert avait pourtant reconnu que s'il n'avait pas été arrêté alors et mêlé à la conspiration de Batz, c'est que Robespierre s'était constitué son défenseur. En protégeant Camille comme il avait protégé Hébert, en les considérant tous les deux comme simplement égarés, Robespierre croyait avoir fait preuve d'impartialité et donné des gages à l'union nécessaire. Les Hébertistes ne comprenaient-ils pas cette nécessité ?

Hébert, qui ne manquait ni de talent, ni de savoir-faire, mais de courage et encore plus d'idées, n'aurait sans doute pas mieux demandé que de vivre en bonne intelligence avec le pouvoir. Mais il était poussé en avant par son parti, par Ronsin, par Vincent qui brûlaient de tirer vengeance de leur incarcération et qui se croyaient tout-puissants, parce que l'un commandait l'armée révolutionnaire et l'autre les bureaux de la guerre. Puis Hébert avait à satisfaire sa clientèle. C'était dans l'intérêt des Sans-Culottes, lecteurs du *Père Duchesne*, qu'il avait fait instituer les taxes, et loin d'avoir amélioré la situation économique, les taxes l'avaient plutôt aggravée. Il devait justifier sa politique devant les masses et proposer, si possible, de nouveaux remèdes. A partir du début de pluviôse, il se met à attaquer, dans sa feuille, avec une violence croissante, les marchands qui violent le maximum, les épiciers et les aubergistes qui fraudent leurs marchandises, les bouchers qui n'ont plus que de la « réjouissance » pour leurs petites pratiques, les cordonniers qui refusent le cuir aux Sans-Culottes, les cultivateurs qui oublient ce que la Révolution a fait pour eux et qui affament les citadins par avarice. Il est ainsi conduit par la logique de sa thèse à jeter l'anathème contre tous ceux qui ont quelque chose à vendre. « Je n'épargnerai pas plus, écrit-il dans son nº 345, le marchand de carottes que le plus gros négociant, car f..., je vois une ligue formée de tous ceux qui vendent contre ceux qui achètent et je trouve autant de mauvaise foi dans les échoppes que dans les gros magasins. » En inquiétant ainsi le menu peuple, il devait courir à sa perte.

Pour l'instant, son explication de la crise était simple et ses remèdes plus simples encore. C'était depuis qu'on avait parlé d'ouvrir les prisons et d'instituer un Comité de clémence que les accapareurs et les marchands avaient repris courage. Il n'y avait donc qu'une chose à faire : tripler l'armée révolutionnaire, terroriser davantage. La guillotine était pour Hébert l'alpha et l'oméga de sa politique. Il voulait bien ajouter qu'on pouvait ordonner un carême civique et, en attendant, mettre les prisonniers au régime.

LA MENACE HÉBERTISTE.

Les rapports de police nous prouvent que les grossières excitations d'Hébert trouvaient de l'écho dans la population ouvrière. L'agent Pourvoyeur écrivait, le 1er ventôse : « Les aristocrates, dit le peuple, ressemblent à une multitude de pigeons qui dévastent un champ, il leur faut un épouvantail et cet épouvantail est la guillotine. » Le même agent note, le

17 ventôse : « Le peuple observe que tant que l'on ne guillotinera pas quelqu'un, cela n'ira pas. » Le 10 ventôse, à l'assemblée générale de la section des Marchés, le cordonnier Bot, membre du Comité révolutionnaire, déclara que si la disette continuait, il fallait se porter aux prisons, égorger les prisonniers, les faire rôtir et les manger. Les exaltés parlaient couramment d'un nouveau 2 septembre (1).

Les pouvoirs publics chargés d'assurer l'ordre ne pouvaient que se préoccuper vivement d'une agitation qui grandissait et dont ils connaissaient les auteurs responsables.

Les hébertistes, cela n'est pas niable, s'efforcèrent d'exploiter la famine pour se débarrasser de leurs adversaires politiques. Le lendemain même du jour où Barère avait présenté à la Convention les tableaux du maximum, le 4 ventôse, Hébert sonnait le tocsin aux Cordeliers non seulement contre les nouveaux Brissotins, mais contre ceux qu'il appelait les Endormeurs, parmi lesquels il était facile de discerner Robespierre et les membres du gouvernement : « Remarquez que toujours nous avons été menacés de la disette au moment même où quelque faction vouloit ourdir ses trames criminelles... N'oubliez jamais, Cordeliers, que c'est pendant le calme que la foudre se prépare. On nous a peint Camille comme un enfant, Philippeaux comme un fou, Fabre d'Églantine comme un honnête homme ; citoyens, défiez-vous des endormeurs et soyez toujours l'avant-garde courageuse, la sentinelle fidèle de la Révolution. On nous dit que les Brissotins sont anéantis et et il reste encore 61 coupables à punir (les 75 protestataires contre le 2 juin sauvés par Robespierre). »

Et, liant très habilement la question politique à la question économique, Hébert terminait son discours par des considérations sur la disette. « Que l'armée révolutionnaire s'augmente, qu'elle marche la guillotine en avant, et je vous réponds de l'abondance. » Les Cordeliers décidèrent qu'ils demanderaient à la Convention la punition des accapareurs et l'augmentation de l'armée révolutionnaire.

Le discours d'Hébert scandalisa « l'observateur » Grivel qui le réfuta dans son rapport du 8 ventôse. Hébert, d'après

(1) Voir les dépositions reçues par le juge Coffinhal le 20 ventôse (Pierre Bussey) et devant le juge Étienne Masson le 22 ventôse (Berrard, Morrain, etc.). Arch. nat. W 76.

Grivel, avait avili la Convention, excité la haine entre les campagnards et les citadins, réduit les premiers au désespoir en les menaçant de l'armée révolutionnaire et de la guillotine, attenté enfin au droit de propriété en proclamant que tout doit être mis en commun.

Le lendemain, 5 ventôse, la Commune et les sections s'ébranlaient sous l'impulsion évidente des Cordeliers. Une députation officielle demanda à la Convention l'exécution stricte et sans réserve de la loi contre les accapareurs et que des commandes fussent faites aux ateliers de confection des sections qui chômaient faute de marchandises. La pétition des sections fut renvoyée au Comité de Salut public et, quatre jours plus tard, Oudot déposait son rapport sur la révision de la loi contre l'accaparement. Ce premier résultat aurait dû, semble-t-il, faire patienter les hébertistes, s'ils n'avaient eu en vue que la question économique et cela d'autant plus que la veille, 8 ventôse, Saint-Just avait fait voter par la Convention un décret qui aurait dû les réjouir, car il proclamait en principe que les biens des aristocrates seraient mis sous la main de la nation et que les biens des seuls patriotes seraient inviolables (1). Mais ces concessions, loin de calmer les hébertistes, les enhardirent. L'agitation devint menaçante et prit un caractère insurrectionnel.

Des placards anonymes furent affichés, à partir du 11 ventôse, dans les quartiers populaires, des lettres répandues pour conseiller au peuple de dissoudre la Convention qui ne faisait rien pour lui et de la remplacer par un dictateur, par un chef qui saurait bien ramener l'abondance. L'un de ces placards commençait ainsi : « Sans-Culotte, il est temps, fais battre la générale et sonner le tocsin, arme-toi et que cela ne soit pas long, car tu vois que l'on te pousse à ton dernier soupir. Si tu veux me croire, il vaut mieux mourir en défendant sa gloire pour sa patrie que de mourir dans la famine où tous les représentants cherchent à te plonger. Méfie-toi, il est temps. La guerre civile se prépare. Tu fais un jeu de tous les scélérats qui gouvernent soi-disant la République. Ce sont tous les conspirateurs et tous les marchands de Paris. Je les

(1) Momoro a fait l'éloge de ce décret dans un discours qui se trouve dans ses papiers aux archives nationales et que j'ai publié dans les *Annales historiques de la Révolution* de septembre-octobre 1926.

dénonce [1]... » Que ces appels à l'insurrection aient été l'œuvre des hébertistes, c'est ce dont il est difficile de douter quand on examine les comptes rendus de leurs séances au club des Cordeliers à la même date.

LES SÉANCES DES CORDELIERS.

Le 12 ventôse, Ronsin, commandant de l'armée révolutionnaire, déclara qu'il fallait une insurrection, un nouveau 31 mai. Hébert conseilla cependant de temporiser et de se borner pour l'instant à réclamer la punition des 75 et des nouveaux Brissotins. Le Club décida, en outre, de réclamer au Comité de Sûreté générale la mise en liberté d'un de ses membres, Marchand, qui venait d'être incarcéré par ordre du Comité révolutionnaire de sa section, à la suite de démêlés avec le procureur général du département, Lullier [2].

Mais, le 14 ventôse, les partisans de l'insurrection prirent le dessus au Club, grâce à l'intervention de Carrier que le Comité de Salut public venait de rappeler de sa sinistre mission en Vendée [3].

Après que Vincent eut dénoncé de nouveau la faction de Chabot, de Bourdon, de Philippeaux, de Lullier et de Dufourny et qu'il eut conclu que cette faction renverserait infailliblement la liberté, si on ne déployait pas contre elle « toute la terreur que la guillotine inspire aux ennemis du peuple », Carrier déclara qu'il était effrayé, depuis son retour, des nouveaux visages qu'il avait rencontrés à la Montagne, des propos qu'il avait entendus. Le plan était formé, dit-il, il n'en fallait pas douter, de faire rétrograder la Révolution. « Les monstres! Ils voudraient briser les échafauds ; mais citoyens, ne l'oublions jamais, ceux-là ne veulent point de guillotine qui sentent qu'ils sont dignes de la guillotine. » Carrier évoqua ensuite l'article de la Déclaration des droits

[1] Ces placards sont dénoncés comme une manœuvre de la Contre-Révolution dans une proclamation de l'administration de police, datée du 12 ventôse. Archives nationales W 76.

[2] Voir sur cette séance les déclarations du témoin E. Jacques-Philippe Jarry, courrier au département de la guerre, aux Archives nationales, W 76.

[3] Voir sur cette séance, le *Moniteur*, la *Feuille du Salut public* et les déclarations des témoins, aux Archives nationales, W 76.

qui autorisait l'insurrection quand le peuple est opprimé, puis il conclut, au milieu de vifs applaudissements : « L'insurrection, une sainte insurrection, voilà ce que vous devez opposer aux scélérats! »

Hébert succéda à Carrier et longuement dénonça les crimes des Indulgents et de leurs protecteurs. Pourquoi les 75 Girondins n'étaient-ils pas jugés? Pourquoi Chabot et ses complices, Fabre d'Églantine, ce fripon, n'étaient-ils pas jugés non plus? Sortant des généralités, Hébert se risqua à nommer les responsables. « Je vais vous dire le pourquoi ; c'est que M. Amar est le grand faiseur, l'instrument qui prétend soustraire au glaive vengeur les 75 coupables. » Amar, un noble, ancien trésorier du Roi de France, qui avait acheté sa noblesse 200 000 livres! Puis Hébert se déchaînait contre les députés voleurs, hier dans les greniers, aujourd'hui dans de bons appartements et de bons carrosses. De là, il passait aux ambitieux, « ces hommes qui mettent tous les autres en avant, qui se tiennent derrière la toile, qui, plus ils ont de pouvoir, moins ils sont rassasiables, qui veulent régner... Ces hommes, qui ont fermé la bouche aux patriotes dans les sociétés populaires, je vous les nommerai! Depuis deux mois, je me retiens. Je me suis imposé la loi d'être circonspect, mais mon cœur ne peut plus y tenir ; en vain voudraient-ils attenter à ma liberté... » Ici toute la salle encouragea Hébert. Boulanger lui cria : « Père Duchesne, parle et ne crains rien ; nous serons, nous, les pères Duchesne qui frapperons! » Momoro et Vincent lui reprochèrent la faiblesse qu'il montrait dans ses numéros depuis deux mois. Alors Hébert s'excusa en invoquant le système d'oppression qu'on avait dirigé contre lui. On lui avait refusé la parole aux Jacobins. Il revint ensuite sur Camille Desmoulins : « Rappelez-vous qu'il fut chassé, rayé par les patriotes et qu'un homme égaré sans doute..., autrement je ne saurais comment le qualifier, se trouva là fort à propos pour le faire réintégrer malgré la volonté du peuple qui s'était bien exprimée sur ce traître. » C'était désigner clairement Robespierre [1]. Hébert s'en prit ensuite aux ministres, à Paré,

[1] L'incident est rapporté en ces termes dans la *Correspondance politique de Paris et des départements* (nº du 16 ventôse) : « Il existe une faction, puisqu'on protège Camille Desmoulins, qui a proposé des

« un nouveau Roland », dit Vincent, à Desforgues, qui était plutôt étranger aux affaires qu'un ministre des Affaires étrangères, à Destournelles, « insignifiant, instrument passif ». Visant plus haut encore, Hébert attaqua Carnot qui voulait, à l'en croire, chasser Bouchotte du ministère de la Guerre pour y installer son frère, l'ex-membre de la Législative, « imbécile et malveillant ». Il conclut que puisqu'il était évident qu'une faction voulait anéantir les droits du peuple, il n'y avait qu'un remède : l'insurrection. « Oui, l'insurrection et les Cordeliers ne seront point les derniers à donner le signal qui doit frapper à mort les oppresseurs ! »

Il y eut dans le club quelques mines allongées, selon le mot de Vincent, mais personne n'osa contredire les orateurs, qui tous avaient fait appel à l'insurrection.

Le club avait décidé de reprendre le journal de Marat et de s'en servir particulièrement pour dénoncer « les mandataires infidèles ». Dans cette même séance encore, on décida de jeter un voile noir sur la Déclaration des droits, pour matérialiser en quelque sorte l'oppression dont les Cordeliers se disaient victimes.

Le lendemain, Momoro entraînait sa section, la section de Marat qu'il présidait. Habilement, son ami Ducroquet, commissaire aux accaparements, chercha à alarmer les esprits sur les subsistances et fit voter cet arrêté : « La section de Marat déclare qu'elle est debout et qu'elle va voiler le tableau de la Déclaration des droits de l'homme dans la salle de ses séances pour rester en cet état, jusqu'à ce qu'elle soit certaine que les subsistances et la liberté sont assurées et que les ennemis du peuple qui l'oppriment de tout côté soient punis (1). » Séance tenante, la section en masse se rendit à la Commune pour lui faire part de cet arrêté et lui demanda de s'y associer. Son orateur, sans doute Ducroquet, prit la parole pour dénoncer les riches qui causaient la disette en achetant les vivres en cachette au-dessus du maximum. Il conclut qu'il fallait faire voir aux aristocrates que leur audace

mesures contre-révolutionnaires. Il se cache à l'ombre d'un grand personnage que je vous nommerai bientôt. Il existe une faction, puisqu'on veut nous faire envisager les gens les plus suspects comme des imbéciles qui ne sont pas dangereux » (Archives nat. W 76).

(1) Archives nationales W 78 et *Journal de la Montagne* du 18 ventôse.

n'épouvantait pas les Sans-Culottes, mais que la guillotine les attendait.

LA COMMUNE.

Si les Hébertistes, par cette démarche, avaient cru entraîner la Commune, ils furent déçus. Lubin, qui présidait, répondit à la députation de la section de Marat en ces termes sévères : « Quoi donc! Lorsque la Convention nationale prend les mesures les plus révolutionnaires, lorsque le Comité de Salut public marche rapidement dans le sentier de la Révolution, déjoue journellement les trames perfides des cabinets de Saint-James et de Berlin, démasque les intrigants et fait tourner contre eux leurs projets contre-révolutionnaires ; lorsque le Comité de Sûreté générale met à exécution le décret salutaire qui ordonne le séquestre des biens des gens reconnus suspects (décret du 8 ventôse), la section de Marat, qui s'est toujours signalée dans les époques mémorables de la Révolution, semblerait craindre une disette qui n'est que factice et voilerait la Déclaration des Droits de l'Homme! »

Les membres de la Commune qui prirent ensuite la parole parlèrent dans le même sens. Arthur, qui représentait la section des Piques, fit de nouveau l'éloge du Comité de Salut public : « Ce Comité qui mérite la confiance des patriotes, s'occupe d'assurer de la manière la plus prompte et la plus efficace les approvisionnements de Paris. Nous devons espérer que ses soins ne seront pas infructueux. » Chaumette fit appel au calme : « Considérez, citoyens, combien il serait dangereux de voir éclore le plus léger trouble à Paris, au moment où nous entrons en campagne et où nous devons porter tous nos efforts contre l'ennemi extérieur. » Il fit, lui aussi, l'éloge du Comité de Salut public et particulièrement de Saint-Just, et enfin il conclut en proposant diverses mesures pour atténuer la crise des subsistances. On activerait la culture des jardins de luxe, on ferait défense à tout fournisseur et marchand de comestibles de porter des provisions à domicile et partout ailleurs que dans les marchés, on stimulerait, par une adresse, le zèle patriotique des communes avoisinant Paris, on seconderait énergiquement l'action de la

Commission des subsistances. Dès lors, il était certain que la Commune refusant de suivre les Hébertistes, ceux-ci ne réussiraient pas la journée qu'ils méditaient.

LA RIPOSTE GOUVERNEMENTALE.

Si l'attaque hébertiste surprit le Comité de Salut public, elle ne le prit pas au dépourvu. Il y fit face avec promptitude et résolution. Les Hébertistes, par Ronsin et Mazuel, dirigeaient l'armée révolutionnaire dont les détachements étaient répartis dans les environs de Paris. Par Vincent, ils avaient les bureaux de la guerre ; justement les ouvriers des ateliers des fabrications de guerre de la place de l'Indivisibilité étaient en grève (1) ; il fallait se hâter d'éteindre l'incendie.

Le Comité était réduit en nombre. Couthon et Robespierre, malades, n'assistaient plus aux séances. Billaud, Prieur de la Marne, Saint-André étaient en mission. Hérault de Séchelles, suspect, était depuis plusieurs semaines écarté des délibérations. Les six membres restants décidèrent sur-le-champ de déclencher l'action judiciaire contre les Hébertistes. Ils avaient mis en accusation plusieurs membres du gouvernement ; ils avaient appelé le peuple à l'insurrection. Crime de contre-révolution, par conséquent justiciable du tribunal révolutionnaire. Mais, d'autre part, il était à craindre que si la répression s'abattait sur les seuls Hébertistes, leurs adversaires, les Dantonistes qui s'opposaient aussi à la politique du Comité, n'en tirent victoire. Le Comité décida qu'il frapperait à la fois sur les uns et sur les autres. Il n'est pas exact, comme on le dit trop souvent, que le Comité ait essayé de se servir des Dantonistes contre les Hébertistes et de les ruiner par un jeu de bascule. Il aborda le problème de front, en bloc, sans ruse ni équivoque.

Le 16 ventôse, Barère exposa, dans un rapport à la Convention, les conclusions arrêtées par le gouvernement. Barère affirma que la disette était l'œuvre de ceux-là mêmes qui s'en plaignaient. C'étaient eux qui affichaient des placards contre la Convention et qui allaient sur les routes écarter les subsis-

(1) Sur cette grève, voir Camille Richard, *Le Comité de salut public et les fabrications de guerre sous la Terreur*, p. 714.

tances. Ils faisaient le jeu de Pitt ; ils étaient ses stipendiés. Puis Barère se retournait contre les Indulgents, contre ceux qui voulaient ouvrir les prisons, « mettre à couvert les aristocrates riches et qui protégeaient les fortunes des ennemis connus de la Révolution ». « Que les conspirateurs de tout genre tremblent!... Il faut réprimer les penchants ambitieux ou turbulents des meneurs ; il faut surveiller la faction des Indulgents et des Pacifiques autant que celle des prétendus Insurgents! » En terminant, Barère annonçait que bientôt Amar déposerait son rapport sur Chabot et ses complices et que Saint-Just proposerait de nouvelles mesures pour assurer le gouvernement et le bonheur du peuple. Pour l'instant, il concluait qu'il fallait donner ordre à l'accusateur public d'informer sans délai contre les auteurs et distributeurs des affiches incendiaires attentatoires à la représentation nationale et aussi contre les auteurs de la méfiance inspirée aux marchands et cultivateurs qui approvisionnaient Paris.

Comme le Comité l'avait prévu, les Indulgents tentèrent d'exploiter à leur profit la situation créée par la menace hébertiste. Tallien, l'un d'eux, dénonça longuement, après Barère, les hommes à bonnets rouges qui calomniaient la Convention et la Montagne. Il déclara qu'ils étaient certainement des royalistes déguisés. C'étaient eux qui, par leurs manœuvres, avaient divisé la Convention. Et Tallien concluait par cet appel qui visait, en réalité, le Comité de Salut public : « Il faut que les défiances particulières cessent, que les hommes faits pour s'estimer mutuellement s'examinent et sachent accorder leur confiance à ceux qui la méritent. » Tallien, qui venait d'être rappelé de sa mission de Bordeaux, était une des victimes de ces défiances qu'il déplorait. Il priait indirectement le Comité de réviser le jugement défavorable qu'il avait porté sur ses actes en prononçant son rappel.

La Convention vota la motion préalable présentée par Barère. L'accusateur public informerait sans délai.

UNE RÉCONCILIATION PLATRÉE.

Le même soir, Collot d'Herbois se rendit aux Jacobins pour défendre le gouvernement attaqué par les Hébertistes :

« Le Comité de Salut public goûtait les plus heureux présages. Nous attendions des victoires. » Ce début exprimait la surprise amère de l'attaque hébertiste. Puis Collot justifiait le Comité : « Il faut que nous ayons votre confiance ou que nous nous retirions, si nous ne sommes pas soutenus par vous. » De toutes parts le cri s'éleva : « Nous vous soutiendrons tous! » Venait alors la charge contre les Exagérés : « La Société des Cordeliers ne sera pas longtemps la dupe des intrigants qui l'ont jouée... Jacques Roux aussi avait tâché de la séduire ; elle en a fait justice... Ces hommes ambitieux qui ne veulent faire des insurrections que pour en profiter, qu'ont-ils fait pour la chose publique... ? Croient-ils qu'il suffira de couvrir les murs de mauvais placards pour prouver leur patriotisme ? » Et Collot conclut qu'il fallait, comme au temps de Jacques Roux, envoyer aux Cordeliers une députation « pour les engager à faire justice des intrigants qui les avaient égarés ».

Ces « intrigants », que Collot avait dédaigné de nommer, étaient présents à la séance. Ils n'osèrent pas relever le gant qui leur avait été lancé. Ils avaient prêché l'insurrection l'avant-veille. Ils ne surent que s'humilier en plates rétractations.

Momoro exposa qu'on avait exagéré ce qui s'était passé aux Cordeliers. Ce n'était pas l'avant-veille, mais depuis un mois déjà, lors de la première arrestation de Vincent et de Ronsin, qu'ils avaient voilé les Droits de l'homme.

Collot lui répliqua qu'on ne devait voiler les Droits de l'homme qu'au cas où on désespérerait de pouvoir les faire triompher.

Mais on n'était plus à la veille du 31 mai! Il se plaignit qu'on eût parlé d'épurer la Convention, « un moyen excellent pour n'avoir plus demain la Convention ». Le juré Renaudin, ami de Robespierre, stigmatisa à son tour les prêcheurs d'insurrection. Carrier, comme Momoro, se plaignit qu'on eût défiguré dans la presse la physionomie de la séance des Cordeliers. Mais, plus franc que Momoro, il maintint qu'il y avait un système de modérantisme, qu'il y avait des factieux. Il en voyait devant lui aux Jacobins. Il répudia cependant toute pensée d'insurrection : « On n'a point parlé de faire des insurrections, excepté dans le cas où on y serait forcé par les circonstances. Si on y a fait une motion contre le Comité, je donne ma tête! » Plusieurs Hébertistes sautèrent sur l'explication de Carrier. Hébert, à l'en croire, n'avait parlé que d'une *insurrection conditionnelle.* Mais le club ne fut pas dupe de ces rétractations. Tallien insista sur les placards incendiaires qui avaient été affichés. Il fut vivement applaudi (1).

Le désaveu des Jacobins, venant après celui de la Commune, achevait de tuer dans l'œuf la tentative hébertiste.

Le scénario se déroula comme au temps de Jacques Roux. Une délégation de Jacobins conduite par Collot d'Herbois se rendit aux Cordeliers le 17 ventôse. Collot recommença avec plus de pathétique son discours de la veille. Pendant qu'il parlait, la femme d'Hébert disait à voix basse à sa voisine : « C'est une comédie, un intrigant, il joue la comédie, c'est un coup de théâtre (2). »

Successivement Momoro (3), Hébert, Ronsin lui-même firent amende honorable, proclamant qu'on avait trompé le Comité de Salut public et les Jacobins sur leurs véritables sentiments. Le crêpe noir qui couvrait la table des Droits de l'Homme fut déchiré et remis aux Jacobins en signe de fraternité. Les deux clubs se jurèrent « union indissoluble ».

Mais, sous les beaux semblants de la réconciliation, les méfiances subsistaient et aussi les arrière-pensées. Tous les Cordeliers n'avaient pas approuvé les rétractations assez plates d'Hébert et de Momoro. Le 19 ventôse, Vincent tenta un retour offensif. Il déclama contre les Cromwellistes, contre les orateurs adroits et leurs grands discours, c'est-à-dire contre Collot ; il s'indigna une fois de plus contre l'impunité accordée aux 75 Girondins. Il y eut certainement des explications violentes. La rédaction du procès-verbal de la séance où avait paru Collot ne fut pas adoptée, pas plus que le projet de lettre qui devait être envoyée aux Jacobins. Le club décida qu'on ne ferait pas une *adresse* aux Jacobins, mais qu'on leur communiquerait un *arrêté* « très simple et très ferme (4). »

(1) Voir la séance dans la *Feuille du Salut public.*

(2) Déposition de Marie-Jeanne-Élisabeth Brocard-Jolly, femme Metrasse-Garnier (Arch. nat. W 78).

(3) Le discours de Momoro qui manque dans les journaux est manuscrit, aux Arch. nat. W 78. Celui de Ronsin dans W 76.

(4) *Moniteur.* Cette communication fut faite aux Jacobins le 22 ventôse seulement.

Il était évident qu'une partie importante des Cordeliers, celle que conduisait Vincent, n'avait pas renoncé à l'agitation commencée. Et, ce qui le prouve, c'est que les sections où dominaient les Hébertistes continuèrent à se répandre en pétitions menaçantes dont la famine et le modérantisme étaient le prétexte, telle la section de Brutus, qui, le 20 ventôse, déclara à la Convention qu'elle était debout jusqu'à ce que fussent exterminés tous les royalistes cachés, tous les fédéralistes, tous les modérés, tous les indulgents, telle la section du Finistère et la Société populaire de Lazowski qui, par la voix de Boulland, réclamèrent le même jour un décret pour « déparalyser » l'armée révolutionnaire et pour juger sommairement les accapareurs.

Hébert lui-même, sans doute fouetté par les reproches de Vincent, déclamait, le 22 ventôse, aux Cordeliers, contre Barère. Le même jour, Momoro se plaignait amèrement d'avoir été interrogé par les juges d'instruction du tribunal révolutionnaire, ainsi que les meneurs de sa section, sur les placards incendiaires, les menaces d'insurrection, la disette factice. Il s'indignait que les meilleurs patriotes fussent l'objet d'une enquête judiciaire quand les royalistes déguisés restaient impunis.

L'ARRESTATION DES HÉBERTISTES.

Le Comité de Salut public était fondé à croire que l'agitation hébertiste ne s'était calmée qu'en apparence et que le feu couvait sous la cendre. Mais le comité savait aussi que les Hébertistes avaient contre eux la grande majorité de la population et les autorités constituées. Le commandant de la garde nationale Hanriot avait pris énergiquement parti dès la première heure. Dans son ordre général du 19 ventôse, il ordonnait à la force armée « de surveiller avec exactitude les citoyens qui excitent au pillage des voitures, avant d'être rendues à destination. Il faut espérer, ajoutait-il, que la justice nationale sévira contre ceux qui veulent l'anarchie et la dissolution de la société ». La Commune qui s'était prononcée, dès le premier jour, en faveur du gouvernement, accentuait son désaveu de l'hébertisme. Le 19 ventôse, un de ses membres s'élevait avec force contre les Commissaires aux accaparements qui, disait-il, ont fait beaucoup de mal et font peu de bien. Par leurs vexations ils faisaient détester la Révolution et il citait, sans le nommer toutefois, l'exploit de Ducroquet qui avait fait saisir 36 œufs chez un citoyen qui avait 7 personnes à nourrir et qui avait partagé les 36 œufs entre 36 personnes différentes [1]. « N'est-ce pas insulter à la misère publique que d'offrir un œuf à un citoyen et de priver un père de famille de sa subsistance et de celle de ses enfants ? » La Commune décida de demander à la Convention la suppression des Commissaires aux accaparements et la réunion de leurs fonctions à celles des Comités révolutionnaires des sections.

Ces manifestations et d'autres prouvaient au Comité de Salut public qu'il lui serait facile d'avoir raison de l'hébertisme. Billaud-Varenne, de retour d'une mission à Port-Malo, Couthon et Robespierre à peine convalescents, assistèrent à la séance du 22 ventôse où furent approuvées les conclusions du fulgurant rapport que Saint-Just présenta le lendemain à la Convention contre les deux factions qui faisaient le jeu de l'ennemi, à la veille de la campagne qui allait s'ouvrir. La Convention acclama le projet de décret que lui soumit Saint-Just, pour faire traduire au tribunal révolutionnaire ceux qui complotaient contre la représentation nationale, méditaient d'instituer une dictature, une régence, excitaient à cet effet les inquiétudes sur les subsistances, dont ils empêchaient l'arrivage, etc. Le soir même, Fouquier-Tinville était appelé au Comité et, le lendemain, dans la nuit du 23 au 24 ventôse, les principaux chefs hébertistes étaient arrêtés, au milieu de l'indifférence générale. La plupart des sections vinrent féliciter la Convention les jours suivants.

Le procès des hébertistes fut avant tout un procès politique. Le grief qu'on leur fit d'être responsables de la famine s'effaça rapidement devant les autres chefs d'accusation plus graves, notamment devant celui de complot contre la Convention. Le premier grief seul importe à notre sujet. Nous négli-

(1) L'enquête de Fouquier-Tinville prouve qu'il s'agit bien de Ducroquet. Voir la déposition de Brochet résumée par Tuetey dans son *Répertoire*, t. XI, n° 157.

gerons les autres [1]. Fouquier-Tinville avait fait entendre au cours de l'instruction de nombreux témoins, appelés parfois de 10 à 20 lieues à la ronde, pour essayer d'établir que les Hébertistes avaient voulu affamer Paris. Les dépositions de cette enquête existent aux archives. Qu'en résulte-t-il ? Que nous apprennent-elles sur les causes de la famine qui n'était que trop réelle ?

L'enquête prouve d'abord que les accusations des Hébertistes contre les manœuvres des commerçants n'étaient pas sans fondement. Ainsi, la coalition des beurriers et des coquetiers d'Étampes fut cause qu'au début de ventôse, 4 000 livres de beurre et 10 000 douzaines d'œufs restèrent sur le marché de cette ville sans trouver d'acheteurs. Le district d'Étampes donna mandat à la commune de Méréville d'acheter les denrées en souffrance et de les conduire à Paris.

L'enquête prouva également l'existence de ces achats clandestins effectués hors des marchés que les Hébertistes dénonçaient sans cesse. Ainsi plusieurs témoins de Montlhéry et de Linas attestèrent que les cultivateurs ne portaient plus rien aux marchés de Paris, depuis que les particuliers venaient chez eux leur acheter des vivres au-dessus de la taxe.

Mais l'enquête prouvait aussi que le défaut d'approvisionnement des marchés de Paris provenait pour une bonne part de la façon vexatoire dont certaines autorités policières appliquaient les lois et les règlements. Beaucoup de campagnards se plaignirent qu'on ne leur laissait pas emporter de Paris ni chandelles, ni savon, ni sucre et que, dans ces conditions, ils n'avaient plus intérêt à s'y rendre.

Mais, surtout, les commerçants dénoncèrent les mauvais procédés des Commissaires aux accaparements et nommément de Ducroquet. Celui-ci, qui fut interrogé avant d'être mis en arrestation, exposa qu'à son sens, le moyen de ramener l'abondance ou du moins le nécessaire était d'empêcher que les denrées alimentaires eussent une destination particulière, autrement dit d'obliger tous leurs détenteurs à les porter au marché où elles seraient réparties entre tous les consommateurs au prix du maximum. Il considérait tout commerce de gré à gré comme clandestin et illicite. De nombreux

[1] Voir notre étude sur le Procès des Hébertistes dans notre ouvrage *Robespierre terroriste.*

témoins citèrent des faits qui prouvaient que Ducroquet et plusieurs de ses confrères mettaient leurs théories en application.

Dans la section de Marat, la section de Ducroquet, on faisait main basse sur tous les vivres qui circulaient dans les rues et on les répartissait ensuite, que ces vivres fussent la propriété de marchands, de cultivateurs ou de simples habitants domiciliés. Bref, on appliquait une sorte de communisme des denrées alimentaires. Cela n'allait pas sans inconvénients. Les marchands et les cultivateurs défendaient leurs biens et désertaient Paris. Quant aux simples particuliers, ils protestaient contre la saisie de leurs provisions qu'ils avaient achetées souvent à grands frais.

La méthode de Ducroquet, qui était une interprétation très libre de la loi, fut appliquée dans d'autres sections parisiennes, par exemple dans la section des Marchés. Ici, les membres du Comité révolutionnaire arrêtaient les comestibles à destination des riches et des égoïstes et les vendaient sur le carreau de la halle.

On pouvait considérer ces pratiques comme très regrettables. Elles allaient parfois contre leur but. Elles augmentaient la disette au lieu d'y remédier. Mais il est bien certain qu'elles ne provenaient que du désir de nourrir les Sans-Culottes et non celui de les affamer. Il fallait avoir beaucoup de bonne volonté et d'imagination pour les transformer en délits contre-révolutionnaires.

Fouquier-Tinville, dans son acte d'accusation, n'eut cependant garde d'omettre le grief économique parmi les crimes reprochés aux Hébertistes. Ducroquet et ses complices, d'après lui, empêchaient l'arrivée des approvisionnements, « soit en dépouillant les vendeurs, soit en arrachant des mains des acheteurs, soit en laissant corrompre une partie des denrées qu'il avait indûment saisies, soit en s'appropriant les autres ».

Au cours du procès, le grief fut à peine mentionné. On ne retint contre Ducroquet que la distribution d'une voiture d'œufs, objet de reproches de l'épicier Lohier, juge au tribunal. La chose parut si peu grave que le jugement qui condamna les Hébertistes ne dit pas un seul mot dans ses considérants de leurs soi-disant manœuvres pour affamer Paris.

CONCLUSION.

Les Hébertistes ne succombèrent pas à cause de leur politique économique. Le Comité de Salut public, qui avait subi cette politique, dont il voyait les dangers, n'aurait pas eu l'idée d'inquiéter ses auteurs et de la leur imputer à crime, si ceux-ci n'avaient commis l'imprudence de se dresser contre lui et de tenter un mouvement insurrectionnel dont la disette était le prétexte.

Il n'en reste pas moins que la chute de l'hébertisme devait exercer une influence sur l'orientation de la politique gouvernementale en matière de réglementation et de taxes.

Les Hébertistes tombés, le maximum a perdu ses auteurs et ses défenseurs. Le gouvernement maintient la loi, mais sans enthousiasme et même sans conviction. Il va l'appliquer désormais dans un esprit sinon de douceur, du moins de tolérance.

CHAPITRE IX

LE TROISIÈME MAXIMUM

(*germinal-thermidor an II*)

Une idée centrale domine la politique alimentaire du Comité de Salut public depuis la mise en vigueur du troisième maximum : ranimer le commerce que la taxe et les procédés de violence avaient paralysé, rétablir la circulation économique sans renoncer cependant à une réglementation que les circonstances imposaient.

Les Hébertistes avaient considéré les commerçants et les producteurs en général comme des accapareurs. Ils les avaient terrorisés. Le Comité s'efforce au contraire de les rassurer et de leur rendre confiance.

Le lendemain de l'arrestation des Hébertistes, le 25 ventôse, la section de Bonne-Nouvelle, la section d'Hébert, était venue à la barre de la Convention déclamer avec violence contre les commerçants : « Vous avez détruit l'aristocratie nobiliaire et sacerdotale, c'est contre l'aristocratie mercantile et l'égoïsme que doit se tourner votre sollicitude. Les marchands et les riches, voilà les principaux auteurs de la rareté des subsistances! Nous sommes en Révolution : adoptez les mesures révolutionnaires que nous vous proposons : décrétez que *les marchands seront exclus de toutes les fonctions publiques jusqu'à la paix* et que tout citoyen qui ne sera pas marchand ne puisse acheter que chez les détaillants. »

Le lendemain, Robespierre releva vivement à la tribune l'exagération d'une pétition qu'il considéra comme inspirée par l'intrigue et la perfidie : « Hébert disait, il y a quelque temps, que tout commerce était un despotisme ; qu'où il y a un commerce, il ne peut y avoir en même temps de liberté, d'où il résultait que le commerce était un crime et que par conséquent il était impossible d'approvisionner Paris et les grandes communes... Si le marchand est nécessairement un mauvais citoyen, il est évident que personne ne peut plus vendre ; ainsi cet échange naturel qui fait vivre les membres de la société est anéanti et par conséquent la société est dissoute. Voilà quel était le but de nos ennemis ; en détruisant le commerce, ils voulaient affamer le peuple et le ramener à la servitude par la faim. Les intrigants voulaient qu'on ne pût ni vendre ni acheter et que la famine s'introduisît par ce moyen dans la République. » L'incident est caractéristique et tout à fait révélateur de la politique qu'entendait suivre le Comité et qu'il s'efforça, en effet, d'appliquer.

LE TABLEAU DU MAXIMUM.

C'était pour ranimer le commerce que le Comité avait confié à la Commission des subsistances la mission de dresser le tableau général des prix de toutes les denrées à leur lieu d'origine ou de fabrication. Le tableau, dans la pensée de ses auteurs, devait mettre fin à l'arbitraire des autorités locales. La taxe laisserait à chacun un juste bénéfice, car dans les prix officiels seraient obligatoirement incorporées des indemnités spéciales pour les transports et pour la rémunération du marchand en gros et du marchand détaillant.

En trois mois et demi, fut menée à bien une vaste enquête conduite avec activité par le bureau du maximum sous la haute impulsion de Goujon. On interrogea non seulement les autorités administratives, mais les sociétés populaires et les fabricants eux-mêmes. La plupart de ceux-ci fournirent les renseignements demandés. La Commission suppléa au silence des autres à l'aide de factures ou d'informations puisées aux lieux les plus voisins des centres de fabrication. Ainsi put être dressé un véritable dictionnaire de toutes les productions de la France, agricoles et industrielles. Ce tableau ou ce dictionnaire fut divisé en 4 grandes classes : les Aliments, — les Vêtements, — les Métaux et Combustibles, — enfin l'Épicerie et les Drogueries. En regard de chaque produit, différentes colonnes indiquaient les prix de 1790 au lieu de fabrication ou d'origine, puis l'addition du tiers en sus. Les agents nationaux des districts n'avaient plus qu'à compléter les tableaux en y faisant figurer le prix du transport qui était fixé proportionnellement à la distance et au poids, le bénéfice du marchand en gros, c'est-à-dire 5 % sur les chiffres précédents, enfin le bénéfice du marchand détaillant, c'est-à-dire 10 % du total.

Le prix du transport des grains avait été fixé uniformément à 5 sous le quintal par lieue sur les grandes routes et à 6 sous sur les chemins de traverse. Barère estima que ce taux était trop élevé pour les marchandises ordinaires et il proposa de le réduire à 4 sous et 4 sous 6 deniers, ce qui finit par être voté non sans peine. Les prix du transport des céréales furent diminués à 4 sous et demi et 5 sous.

La question s'était posée de savoir si le bénéfice du marchand en gros devait être calculé sur le seul prix de 1790 augmenté d'un tiers ou sur ce prix augmenté du prix du transport. Barère fit prévaloir cette dernière interprétation plus favorable au commerce (séance du 30 ventôse).

Barère, qui présenta à la Convention, le 3 ventôse, les tableaux arrêtés par la Commission des subsistances, exprimait l'espoir qu'ils feraient disparaître tous les inconvénients qui avaient frappé de paralysie la loi du 29 septembre. Chaque district, en vertu de cette loi, avait fait son maximum particulier. Les districts s'étaient isolés. Les détaillants ne pouvaient plus ni acheter ni vendre. Dorénavant, il n'en serait plus de même. Le maximum reposerait sur des bases uniformes, la circulation serait rétablie. Seuls souffriraient de la réforme les parasites, les intermédiaires qui disparaîtraient, car il n'y avait pas de place pour eux dans la nouvelle loi. « L'ouvrage que la Commission des subsistances et des approvisionnements vient de vous présenter, proclamait Barère, va propager les lumières, mettre à la portée de tous les citoyens ce qu'un petit nombre connaissait, il va exciter l'industrie, rapprocher le fabricant du commerçant et de l'homme industrieux. Le consommateur n'achètera plus des marchandises qui auront passé par 5 ou 6 mains avares, c'est-à-dire par des éponges absorbantes... Le secret du commerce va être connu, les opérations de l'industrie vont être divulguées, les manifestations de toutes les matières mises au jour, tous les bénéfices modérés, tous les intérêts balancés et tous les vices, tous les abus, tous les crimes contre la vie du peuple et les besoins de la république dénoncés et punis. Des naturalistes, des médecins ont fait avec de longs travaux, des tables de mortalité pour l'espèce humaine ; vous avez fait dans deux mois des tables de vie pour le peuple. Aucune nation ne possède un semblable travail. »

Nous examinerons, tout à l'heure, dans quelle mesure l'optimisme de Barère fut justifié par les faits. Pour l'instant, nous voulons nous borner à faire connaître la politique gouvernementale. Il n'est pas douteux qu'elle ne s'inspirât d'un esprit de bienveillance à l'égard des commerçants et qu'elle ne s'efforçât de résoudre par les voies de la conciliation les difficultés auxquelles les Hébertistes n'appliquaient comme unique remède que la contrainte et la répression.

LE RENVOI DE GOUJON ET LA RÉFORME DE LA COMMISSION DES SUBSISTANCES.

Dès que les tableaux du maximum furent terminés, Goujon, qui avait été chargé de leur exécution, fut relevé de ses fonctions de membre de la Commission des Subsistances et remplacé par un haut employé de la Commission des Subsistances militaires, Jouennault. Barère couvrit de fleurs Goujon, mais, si on songe que celui-ci avait été le véritable auteur du maximum, on peut être surpris que le Comité se soit privé de ses services juste au moment où les tableaux qu'il avait dressés allaient entrer en application. Goujon fut adjoint à la section d'agriculture et des arts, puis nommé ministre par intérim des Affaires étrangères, avant d'entrer à la Convention comme suppléant d'Hérault de Séchelles, guillotiné.

On devine la signification de la mutation dont il fut l'objet quand on constate qu'elle s'accompagna d'une réforme profonde dans l'organisation de la Commission des Subsistances. Cette Commission dut dédoublée, le 22 pluviôse, en deux sections distinctes dont l'une s'intitula Section de l'agriculture et des subsistances dans l'intérieur et l'autre Section du commerce, de l'industrie et des relations extérieures. Un mois et demi plus tard, quand les ministères supprimés furent remplacés par 12 Commissions exécutives, chacune des deux sections créées le 22 pluviôse devint une Commission spéciale. Il y eut dorénavant une *Commission de l'Agriculture et des Arts*, chargée avant tout de stimuler la production agricole et manufacturière et une *Commission du Commerce et des Approvisionnements*, chargée de présider au ravitaillement. Le titre même de cette dernière Commission était déjà un programme. Les actes suivirent.

RÉFORME DE LA LOI SUR L'ACCAPAREMENT.

La réforme de la loi sur l'accaparement laissée en suspens depuis plusieurs mois aboutissait enfin à un texte qui adoucissait les rigueurs contre les commerçants. La peine de mort, peine unique prévue par la loi du 26 juillet, n'était plus maintenue que pour ceux qui soustrairaient à la circulation les denrées de première nécessité dans des vues contre-révolutionnaires ou qui les feraient périr volontairement, afin d'en priver le peuple (1). Toute une échelle de pénalités variées était instituée, allant de l'amende et de la prison aux travaux forcés et à la confiscation. Les marchands en gros seuls restaient astreints à la déclaration et à l'affiche (2). Les marchands détaillants en étaient exemptés. Chose plus significative encore, la loi nouvelle supprimait formellement les Commissaires aux accaparements qui avaient été auparavant la terreur des commerçants et la cheville ouvrière de toute la taxation. Leurs fonctions devraient être exercées désormais gratuitement par des officiers municipaux qui seraient désignés chaque décadi. Il était à prévoir que ces officiers municipaux ainsi désignés par roulement ne mettraient que peu de zèle à faire appliquer les lois d'autant plus que la compétence spéciale leur faisait défaut. Les commerçants durent se sentir à l'aise.

(1) Rapport d'Oudot du 9 ventôse et discussion du 9 germinal.
(2) Décret du 12 germinal.

SUPPRESSION DE L'ARMÉE RÉVOLUTIONNAIRE.

En même temps le gouvernement rassurait les cultivateurs en faisant supprimer cette armée révolutionnaire que les Hébertistes avaient fait instituer pour faire exécuter les réquisitions de grains en faveur de la capitale. Dans un rapport savamment balancé où le blâme se mêlait constamment à l'éloge, Barère fit voter cette suppression le 7 germinal. L'armée révolutionnaire, disait-il, « protégea longtemps les arrivages de subsistances à Paris ; elle a un instant nui à son approvisionnement par les mêmes motifs ; elle a apaisé quelques troubles par sa fermeté, elle a excité le fanatisme par quelques abus »... Mais Barère passait rapidement sur la rôle économique de l'armée révolutionnaire pour insister surtout sur le danger politique qu'un tel instrument aux mains d'un conspirateur comme Ronsin aurait pu faire courir à la liberté. Ces deux mesures prises coup sur coup (7 et 9 germinal), la suppression des Commissaires aux accaparements et la suppression de l'armée révolutionnaire, signifiaient clairement que le gouvernement entendait désormais appliquer la législation économique sans recourir à la Terreur.

LES AUTORISATIONS D'EXPORTATION.

En réalité, c'est à une sorte de révision de cette législation elle-même que le gouvernement procède. Barère avait dit, le 14 ventôse, qu'il fallait « guérir le commerce et non le tuer ». Cette formule résume à merveille l'ensemble des mesures qui se succèdent.

Le 20 ventôse, le même Barère expose à la Convention les inconvénients qui résultent de l'interdiction d'exporter à l'étranger toutes les denrées qualifiées de première nécessité. « Il est cependant de ces denrées ou productions qui se trouvent dans une quantité si surabondante que l'on opérera la ruine des propriétaires, si l'on n'en permet pas l'exportation... Il ne convient pas à une république puissante de s'isoler et de renoncer à tous ses rapports commerciaux. La

Convention nationale doit se regarder comme chargée du bonheur du monde et de l'alliance générale entre tous les peuples : c'est par le commerce, c'est par les échanges des productions territoriales et de celles des arts et de l'industrie que l'on peut se promettre de réunir les nations. Appelons nos alliés et les neutres à partager nos productions surabondantes. » Sur sa proposition, l'Assemblée décida que la Commission des subsistances, avec l'approbation du Comité de Salut public, pourrait désormais accorder des autorisations d'exportation.

Le décret ne resta pas lettre morte. Une série d'arrêtés du Comité de Salut public réorganisa et ranima le commerce d'exportation qui était à peu près complètement paralysé : arrêté du 23 ventôse ordonnant l'exportation du café, de l'eau-de-vie, du sucre, du vin en dépôt chez les commerçants des villes maritimes ; arrêté du même jour autorisant les commerçants de Bordeaux à exporter aux États-Unis du vin, des eaux-de-vie, des marchandises de luxe pour une valeur de 4 millions, à charge d'importer 100 000 boisseaux de blé provenant du même pays ; arrêté du 3 germinal pour exporter dans le Levant les draps du département de l'Aude par l'intermédiaire de l'agence des approvisionnements de Marseille ; arrêté du même jour dressant la liste des denrées et marchandises qui pourront être exportées sans autorisation particulière et de celles dont l'exportation pourra être permise après approbation de la Commission des subsistances ; arrêté du 7 germinal levant l'embargo sur les navires étrangers retenus au port de Bordeaux ; arrêté du 11 germinal créant à Bordeaux une agence chargée de ranimer et d'organiser l'exportation; arrêté du 23 germinal accordant de nouvelles facilités aux négociants exportateurs, etc.

Tous ces arrêtés répétés n'auraient pas pu être pris, si l'Hébertisme n'avait été abattu auparavant. Le Comité ne se serait pas risqué à provoquer une insurrection des faubourgs. Maintenant il accomplit tranquillement sa retraite économique. Il inaugure une nouvelle politique, comme Lénine le fera en Russie après l'écrasement de la révolte des marins de Cronstadt.

Sans doute, le Comité de Salut public n'entendait pas revenir au régime de la liberté illimitée. Il n'aurait pu le faire qu'en proposant la ruine de la législation qu'il ne renonçait pas à appliquer. Ses arrêtés s'inspiraient du moins de cette idée nouvelle que l'État ne pouvait tout faire par lui seul, mais qu'il devait associer à son action la bonne volonté et l'expérience des commerçants professionnels par une collaboration active et confiante.

La Commission du Commerce et des approvisionnements gardait la haute main sur tout le commerce d'importation et d'exportation. Tout ce qui entrait en France par terre ou par mer fut même mis à la disposition de cette Commission par un arrêté du 11 prairial, en vertu duquel la Commission put s'emparer des objets qui étaient à sa convenance, le surplus restant seul à la disposition des commerçants.

Il n'en est pas moins vrai que le commerçant cessait d'être considéré comme un ennemi. On s'efforçait de rechercher et d'organiser sa collaboration à l'œuvre du ravitaillement et de la production. Les commissions et les agences étaient composées pour une notable part de négociants et beaucoup de ceux-ci recevaient des missions de confiance. Le gouvernement les associait directement à son action [1].

SUPPRESSION DES ZONES DE RÉQUISITIONS.

Rien n'avait autant paralysé la circulation des denrées que l'abus des réquisitions. Pour y mettre un terme, l'arrêté du 27 germinal réserva le droit de réquisition à la Commission des subsistances et aux seuls représentants aux armées.

L'établissement de zones de réquisitions constituait autant d'obstacles à la libre circulation des marchandises. Le Comité de Salut public ne maintint ces zones que pour les seuls grains et fourrages. Un arrêté du 6 prairial stipula formellement que les zones n'étaient point applicables « aux étoffes, marchandises, effets d'habillement, équipement, huiles, vins, eaux-de-vie et toutes denrées autres que les grains et fourrages ». Les arrêtés des représentants qui contenaient des dispositions contraires furent annulés.

[1] Voir dans mon livre *Autour de Danton*, le chapitre consacré au banquier Perregaux.

LES PRIMES.

L'arrêté du 27 germinal renfermait déjà un article 24 ainsi conçu : « Le Comité de Salut public encouragera par des indemnités et des récompenses les fabriques, l'exploitation des mines, les manufactures, le dessèchement des marais. Il protégera l'industrie, la confiance entre ceux qui commercent ; il fera des avances aux négociants patriotes qui offriront des approvisionnements au maximum. Il donnera des ordres de garantie à ceux qui amèneront des marchandises à Paris pour que les transports ne soient pas inquiétés ; il protégera la circulation des rouliers dans l'intérieur et ne souffrira pas qu'il soit porté atteinte à la bonne foi publique. »

Cette politique d'avances, d'indemnités et de primes qui avait pour but de tempérer la rigueur de la législation et de stimuler les initiatives privées fut réellement appliquée.

Ainsi, un arrêté du 27 germinal accorda aux mariniers de la Seine et de ses affluents qui conduisaient du charbon à Paris, une prime de 15 à 20 francs par chargement. Un autre arrêté du 27 floréal accorda de même une prime de 10 sols par voie aux particuliers qui approvisionnaient Paris de charbon de bois.

LA PROTECTION DU COMMERCE.

La protection que le gouvernement avait promise aux commerçants ne fut pas illusoire. Un nommé Lelièvre avait proposé, le 20 germinal, à l'Assemblée de sa section (les Lombards) de faire subir à tous les marchands un scrutin épuratoire et de ne permettre d'ouvrir leurs boutiques qu'à ceux qui seraient épurés. Lelièvre fut mis en arrestation le lendemain par ordre du Comité de Sûreté générale [1]. Les temps de l'Hébertisme étaient bien passés.

Il suffit de lire les ordres qu'Hanriot donnait journellement à la garde nationale parisienne pour se rendre compte que la consigne était maintenant de rassurer tous ceux qui se li-

[1] TUETEY, *Répertoire*, t. XI, n° 1095.

vraient au négoce. Le 23 germinal, Hanriot traite d'imposteurs ceux qui répandent la légende que les marchands ne sont pas en sûreté à Paris. Le 29 germinal, il blâme vertement quelques citoyens et citoyennes qui ont pillé la veille aux Halles plusieurs marchands de fromage. « Sûrement, ce ne sont pas des Sans-Culottes qui ont commis ce délit. Ce sont des traîtres et des ennemis de la chose publique » et il commande pour faire le service d'ordre, aux Halles, 8 patrouilles de 50 hommes, etc. [1].

La nouvelle Commune, réorganisée après l'exécution d'Hébert et de Chaumette, appuie de toutes ses forces la politique gouvernementale. Le 9 floréal, elle prend un arrêté fortement motivé pour avertir les Parisiens qu'aucune loi, qu'aucun règlement ne leur interdit de faire venir des denrées du dehors à leur domicile. Elle proclame que ce sont les vexations qui ont causé la disette factice et elle invite toutes les autorités et tous les citoyens à protéger la libre circulation des marchandises.

Il est vrai que, le 3 messidor, la Commune dut réglementer de nouveau l'arrivage des denrées à destination particulière. Celles qui arrivaient dans les halles et marchés devaient être conduites aux adresses indiquées, mais « dans le cas de fausses déclarations bien constatées, ces denrées seront confisquées et vendues, le produit versé dans la caisse établie près la Commune et le délit dénoncé à l'agent national ». Le même arrêté ordonna l'arrestation de toute personne qui se permettrait « d'arrêter en route les marchands forains et de les empêcher de se rendre sur les carreaux affectés aux marchandises qu'ils apportent ».

L'agent national Payan, un ami de Robespierre, s'efforce de stimuler l'initiative des commerçants pour assurer le ravitaillement de la capitale. « Vous aurez éprouvé, citoyens, dit-il à la Commune, le 9 messidor, combien il avait été dangereux à la liberté, ce système perfide dont le but était de détruire le commerce en déclamant sans distinction contre tous les citoyens qui s'y livrent. Les effets funestes à l'approvisionnement de Paris par les dénonciations d'Hébert, dénonciations toujours vagues, toujours générales et qui tendaient

(1) TUETEY, *Répertoire*, t. XI, nos 1110, 1153, etc.

à faire fermer les boutiques et déserter les marchés, doivent servir aux citoyens d'utiles leçons et leur rappeler que l'on doit respecter tous les états, principalement ceux qui s'occupent plus immédiatement de la subsistance du peuple... Les malveillants voulaient imprimer au commerce un tel déshonneur que les bons citoyens rougiraient de s'y livrer, que le commerce fût partout abandonné ou partout suivi par les seuls contre-révolutionnaires. Ainsi aucun crédit ne fut plus accordé à des marchands que l'on déshonorait chaque jour à Paris et de là résulta la pénurie des denrées qui se fit sentir dans cette commune... N'attaquons jamais les sections particulières de la société, mais frappons indistinctement dans toutes les classes les mauvais citoyens. » C'était le désaveu éclatant de la politique de classe des Hébertistes.

Comme Robespierre qui, vers la même date, s'efforçait de réconcilier tous les bons Français dans le culte de la patrie et de l'Être suprême, Payan ne voulait plus connaître que des bons et des mauvais citoyens. Le bon citoyen était celui qui ravitaillait ses frères. Il ne faisait que suivre à la lettre les instructions de la Commission des subsistances qui lui avait fait cette recommandation, le 23 germinal : « Que tout ce que la loi a laissé de liberté au commerce et à l'industrie leur soit garanti [1]. »

Plusieurs épiciers de la capitale ayant demandé une autorisation pour se rendre en Provence et dans les départements du Midi afin d'y acheter de l'huile, la commission du commerce et des approvisionnements, par la plume de Jouennault, leur répondit qu'ils n'avaient pas besoin d'aucune autorisation particulière, car ils étaient sous la protection des lois. Il ajouta que la réquisition générale qui avait été mise sur les huiles du Midi avait été levée et que sur les huiles de colza du Nord il n'y avait que des réquisitions partielles. Il ajouta que les détenteurs ne pouvaient pas refuser de vendre : « L'article 9 du décret du 12 germinal interprétatif de la loi du 26 juillet dernier sur les accaparements prononce confiscation de toute la marchandise de l'espèce qu'on aura refusé de vendre. Dans le cas où on opposerait le prétexte d'une réquisition, il sera facile de vérifier si elle est légale...

[1] Dauban, p. 341.

Les observations que nous présentons ici ne s'appliquent pas aux huiles seules, elles s'étendent à toute autre espèce de denrée ; la circulation intérieure ne peut être arrêtée. » Cette lettre parut si importante à la municipalité de Paris qu'elle la fit afficher sur les murs en y joignant ce commentaire : « Ils seroient bien coupables les négociants et marchands qui ne sortiroient pas de leur inertie et ne se livreroient pas avec beaucoup de zèle à leurs opérations ordinaires. Il faut que le commerce, dégagé de toutes ses entraves, reprenne enfin toute son activité et qu'il ramène incessamment l'abondance dans cette vaste cité [1]. »

ADOUCISSEMENT DE LA RÉPRESSION.

Il était difficile de protéger à la fois les vendeurs et les consommateurs sans sacrifier les uns aux autres... C'était pourtant le problème que le Comité de Salut public s'efforçait de résoudre. Il se flattait de faire exécuter les réquisitions et les taxes, tout en contentant les commerçants dont la loi réduisait les bénéfices.

Depuis que le mot d'ordre était de ranimer le commerce et d'encourager les cultivateurs, il était fatal que la justice répressive fût émoussée. Et, en effet, il semble bien que l'indulgence ait été recommandée aux magistrats. Le 8 floréal, Oudot, au nom du Comité de législation, fit casser par la Convention un jugement du tribunal correctionnel de Pont-de-l'Arche qui avait condamné à 1 000 livres d'amende et à la confiscation de leurs voitures, chevaux et harnais, trois voituriers qui avaient conduit des cuirs et des eaux-de-vie sans se munir d'un acquit à caution. L'acquit à caution, d'après lui, n'était exigible que pour les grains et farines. « Ceux qui se permettent de donner aux lois une extension qu'elles n'ont pas, sont bien coupables ; ils tournent contre le peuple les mesures salutaires que vous prenez pour le garantir de la pénurie factice que les malveillants veulent occasionner ; ils entravent la circulation, ils jettent l'épou-

[1] Affiche in-folio intitulée : *Municipalité de Paris, Département de Subsistances et du commerce*, 6 prairial an II. Signée Louvet, Champeaux et Dumez. — Bibl. nat. Lb-40 3264.

vante et le découragement chez les négociants, ils propagent les embarras, les inquiétudes et la désolation. »

Le 29 messidor encore, le député Roux, au nom du Comité d'agriculture, faisait casser le jugement par lequel le juge de paix de Canapville avait ordonné une confiscation de farine, de voitures et de chevaux pour cette raison que le voiturier n'avait pas un acquit à caution en règle. Le juge de paix n'avait fait pourtant qu'appliquer à la rigueur et dans sa lettre la loi du 11 septembre sur le maximum des grains. Mais la Convention ne voulait plus de rigueur.

Déjà Couthon avait fait remettre en liberté une dizaine de cultivateurs du Puy-de-Dôme qui avaient été arrêtés pour résistance aux réquisitions (séance du 22 floréal à la Convention).

ATTÉNUATION DU MAXIMUM.

L'hébertisme avait prétendu que la terreur était nécessaire à l'application de la législation exceptionnelle imposée par les circonstances.

Les gouvernants répudient ce moyen brutal et grossier. Mais par une nécessité inéluctable, ils sont amenés à modifier en fait la législation. Déjà le système de primes et d'indemnités qu'ils avaient institué en germinal était une violation indirecte du maximum. La façon dont les tableaux du maximum furent dressés à Paris aboutissait à une nouvelle atténuation de la loi.

L'agent national provisoire près le département de Paris, Concedieu, chargé de leur confection, expliqua qu'il avait calculé les prix du transport des marchandises sur le poids brut (emballage compris) et il en donna cette raison : « Il fallait exciter l'importation dans Paris dont la population est considérable. » Autrement dit, il avouait que, par cet artifice, il avait donné une prime indirecte aux commerçants. Ainsi les prix du nouveau maximum étaient-ils plus élevés que ceux de l'ancien (1).

(1) Voir l'*Instruction aux habitants de Paris sur l'exécution de la loi du maximum par l'agent national provisoire près le département de Paris*. Bibliothèque nationale, Lb-41 3777 A., in-4°.

Il serait bien extraordinaire que l'augmentation des prix qu'on constate dans le nouveau maximum à Paris ait été particulière à la capitale. Il est probable que les autres villes, pour faciliter leur approvisionnement, s'ingénièrent elles aussi à améliorer la législation en faveur du commerce. Je vois, dans la correspondance du bureau du maximum [1], que l'agent national de Dun-sur-Loire avait calculé le bénéfice du détaillant (10 %) non pas sur le seul prix de la marchandise tel qu'il ressortait des bases du tableau général, mais en ajoutant à ce prix le bénéfice du marchand en gros. Le bureau du maximum qui vérifiait tous les tableaux des districts l'obligea à rectifier son erreur [2].

Je vois que le représentant Crassous signale au Comité de Salut public, le 10 prairial, au cours de sa mission en Seine-et-Oise, que les tableaux du maximum présentent sur les mêmes articles, dans des districts voisins, des différences anormales qui proviennent de ce que certains districts ont évalué trop haut les prix de 1790.

L'exécution des taxes, à une époque de disette, de guerre civile et de papier déprécié, était naturellement une entreprise d'une difficulté énorme. Le même Crassous signale que dans les campagnes, faute de police, il n'est pas possible de connaître et de réprimer les contraventions (Lettre du 13 floréal).

Mais le maximum avait été surtout établi dans l'intérêt des villes. Ici la police existait. La Commission des subsistances recommandait à l'agent national de la Commune de Paris, le 23 germinal, d'envoyer dans les environs de Paris des agents secrets pour découvrir les fraudes et les réprimer. Mais la police ne pouvait avoir l'œil partout. Le 1er messidor, des membres de la Commune dénoncèrent les nombreuses infractions dont la taxe était l'objet. L'agent national Payan reconnut la vérité des faits et il ne vit pas d'autre remède que d'inviter les citoyens à dénoncer eux-mêmes les fraudeurs aux commissaires de police de leurs sections [3]. Remède logique, mais illusoire. Logique, car c'était aux consommateurs lésés à faire respecter la loi faite à leur profit. Illusoire,

(1) Archives nationales, F-12 183.
(2) Lettre du bureau en date du 13 thermidor an II.
(3) DAUBAN, p. 341.

car les consommateurs avaient intérêt à tolérer les fraudes qui leur profitaient, puisqu'elles étaient souvent le seul moyen qu'ils avaient de s'approvisionner.

L'agent national de Poitiers, Fradin, disait très justement : « Il faudrait autant de commissaires que de vendeurs et d'acheteurs pour réprimer les fraudes » (9 pluviôse) (1).

Le représentant Mallarmé s'indignait, le 8 germinal, que le maximum ne fût pas exécuté à Thionville ; le représentant Michaud, le 28 germinal, qu'il fût mal exécuté à Bourges.

La municipalité de Besançon, plus rigoureuse que la municipalité parisienne, ne voyait pas d'autre moyen de faire respecter les taxes que d'interdire absolument toute vente à domicile (19 germinal an II). Un peu plus tard, elle supprimait les revendeurs au marché (3 messidor).

Là où les municipalités étaient jacobines, a bien vu M. Georges Lefebvre, un effort considérable fut fait pour l'exécution des taxes (2). Le rôle des sociétés populaires fut particulièrement efficace. Ce sont elles qui dénoncent les infractions et qui mettent en marche l'appareil de répression (3). Ainsi le club de Bourbourg nomme, le 2 messidor, 13 commissaires pour surveiller les accapareurs dans les campagnes. Mais, dans cette région du Nord, où les clubs étaient nombreux et énergiques, les autorités s'efforcèrent d'atténuer la rigueur du maximum comme à Paris. Dans le district de Bergues, le maximum élaboré en germinal an II édictait des prix ordinairement très supérieurs à ceux du premier... La viande était portée de 11 sous à 14 sous, 15 sous 6 deniers et 17 sous, le lard de 12 sous 6 deniers à 19 sous 3 deniers et 1 livre 3 deniers (4).

Certains représentants, comme Bô, ne restaient pas inactifs devant les fraudes. Bô faisait arrêter « deux scélérats, disait-il, qui avaient vendu 200 livres deux quintaux de blé » et il les traduisait au tribunal criminel (lettre du 2 prairial datée de Gaillac).

Mais il est significatif qu'il ne soit plus question pour ainsi

(1) F. Pilod, *L'application du maximum dans la Vienne*, p. 25.
(2) *Bulletin d'histoire économique*, 1913, p. 427 et suiv.
(3) Lefebvre, *La société populaire de Bourbourg*, dans la *Revue du Nord*, 1918.
(4) Communication de M. G. Lefebvre dans le *Bulletin d'histoire économique* de 1913, p. 425.

dire du maximum dans la correspondance des représentants avec le Comité de Salut public à partir de l'exécution des Hébertistes. C'est que la tâche du ravitaillement et de la production passait alors au premier plan des préoccupations. Les taxes devenaient l'accessoire.

Pour stimuler la production, surtout celle des usines de guerre, le Comité de Salut public était obligé d'enfreindre lui-même le maximum dans certains cas. Le 2 floréal, il exclut du maximum les étoffes de luxe, afin de stimuler leur fabrication en vue de l'exportation. Le 23 prairial, il autorisait la Commission des armes à payer les canons fabriqués à Indret à 35 livres le quintal, c'est-à-dire au-dessus de la taxe. Le 10 messidor, il décidait que la vente de la quincaillerie à Saint-Étienne se ferait de gré à gré, sans égard au maximum. Le même jour, il suspendait pour une durée de deux mois le maximum en faveur des fabricants d'armes de Saint-Étienne.

Les infractions d'espèce ne tiraient pas autrement à conséquence, car elles se bornaient à un marché sur lequel le Comité gardait la haute main, le marché des fournitures de guerre.

LE CONTRÔLE DE LA PRODUCTION ET DU COMMERCE.

Par la force des choses et en dépit de lui-même, le Comité avait été de plus en plus entraîné à contrôler toute la production nationale. Il ne réquisitionnait pas seulement les denrées alimentaires : céréales, avoines, fourrages. Il était devenu pratiquement le seul exportateur et le seul importateur. L'arrêté du 11 prairial avait mis, en effet, à la disposition de la Commission du Commerce toutes les denrées, matières et marchandises importées par terre et par mer. Quand les cargaisons appartenaient à des commerçants, la Commission réquisitionnait ce qui était à sa convenance et ne laissait aux propriétaires que le surplus. Quand les marchandises importées appartenaient à des étrangers, la Commission avait sur elles un droit de préemption. Pratiquement le commerce libre ne pouvait s'approvisionner à l'étranger qu'en traitant d'abord avec l'État représenté à Paris par la Commission du commerce et dans les ports par des agences particulières.

De même, le commerce libre ne pouvait exporter la plupart du temps que sous l'autorisation de la Commission.

La tâche principale de la Commission était de plus en plus une besogne de répartition. Elle disposait déjà de toutes les céréales. Le Comité mit à sa disposition, par l'arrêté du 22 germinal, la huitième partie des cochons existant en France. Le 30 germinal, elle fut chargée du soin d'approvisionner Paris, comme une place de guerre. L'administration municipale fut dessaisie. Les bandes de cochons réquisitionnées par la Commission furent logées dans le couvent de Longchamp et dans le château de Vincennes. La capitale était de même approvisionnée par voie administrative en bois de chauffage, charbon, savon, huile, sucre. Le système s'étendit peu à peu à toutes les grandes villes dont les municipalités créèrent de véritables offices de ravitaillement alimentés d'ordinaire par les cessions de la Commission centrale.

Quand on est maître des produits, on les vend au prix qu'on désire. Le maximum était d'une application aisée pour toutes les denrées et marchandises réquisitionnées, c'est-à-dire pour toutes celles qui étaient réellement de première nécessité et qui servaient à satisfaire les besoins indispensables des villes et des armées. La taxe ne pouvait plus être violée que dans les ventes de gré à gré et clandestines et ces ventes n'intéressaient pas d'ordinaire les produits de grande consommation.

On s'explique ainsi que le problème du maximum dans les préoccupations gouvernementales ait cédé la place à d'autres problèmes plus essentiels tels que la production, la réquisition et la répartition.

LES RÉSISTANCES.

Les réquisitions les plus difficiles à effectuer étaient toujours les réquisitions de céréales. Depuis que la loi avait mis à la disposition de l'État tout le stock disponible, depuis que la réserve familiale avait été abolie, on pouvait prendre au cultivateur jusqu'au nécessaire. On l'obligeait encore à d'interminables charrois. On lui avait déjà enlevé ses fils pour les armées. On comprend qu'il ait manifesté sa mauvaise humeur et qu'il se soit essayé à la résistance.

Bô, en mission dans le Lot, écrit au Comité, le 11 germinal, qu'une émeute a éclaté à l'occasion des subsistances dans un canton du département et qu'il a été, à cette occasion, l'objet d'une sorte de tentative d'assassinat.

Le 14 germinal, le Comité de Salut public est obligé de destituer les administrateurs du district de Tonnerre pour leur négligence à exécuter les réquisitions. Il prescrit au représentant Maure de traduire les plus coupables au tribunal révolutionnaire.

Le 29 floréal, Romme dénonçait au Comité les autorités de la Vienne pour leur mauvaise volonté.

Le 1er prairial, le Comité de Salut public ordonnait plusieurs arrestations dans le district de Montfort-le-Brutus qui avait résisté aux réquisitions de grains.

Mais, à ces quelques faits se borne à peu près tout ce que nous apprend la correspondance du Comité et des représentants en mission sur les difficultés opposées à l'exécution des lois. C'est fort peu de chose et on a l'impression que dans l'ensemble la situation s'était grandement améliorée. Les populations se soumettaient. Il arrivait même que leur soumission se montrât empressée. Ainsi, Romme, dans sa lettre du 30 floréal, félicitait les habitants du district de Périgueux qui avaient ravitaillé promptement les districts voisins en se privant du nécessaire. Ainsi, les patriotes de Pau envoyaient spontanément à Paris tous les jambons et salaisons qu'ils possédaient (séance de la Convention du 18 prairial). Payan, qui commentait ce beau geste après le maire Lescot-Fleuriot, en concluait triomphalement que le fédéralisme des subsistances avait vécu.

LES RÉSULTATS.

Payan voyait les choses en beau avec l'âme optimiste du fonctionnaire. Les réquisitions et les taxes étaient subies plutôt que consenties. L'égoïsme gardait ses droits. Mais, tant bien que mal, la loi s'appliquait, l'ordre régnait. Le gouvernement révolutionnaire, qui n'avait jamais cru que la législation exceptionnelle qu'on lui avait imposée fût une panacée, n'en demandait pas davantage.

Si la soudure fut difficile, si dans certaines régions on souffrait parfois de la disette, la chose était exceptionnelle et ne durait jamais que quelques jours. En somme, il y avait moins de misère qu'à l'époque antérieure. Il suffit, pour s'en convaincre, de consulter la correspondance des représentants en mission entre le 1er germinal et le 9 thermidor. Le témoignage le plus pessimiste qu'elle renferme est une lettre du représentant Ysabeau qui écrit au Comité, le 24 floréal, après une tournée dans le district de Bourg (Gironde) : « Je n'ai vu partout que des squelettes exténués par la faim, des hommes enflés par les herbes bouillies dont ils font leur seule nourriture. Cependant la culture des légumes farineux a été tellement stimulée depuis notre arrivée ici que les campagnes y trouveront dans peu de grandes ressources. » Ce témoignage est tout à fait isolé et il faut observer qu'Ysabeau, en le formulant, sollicitait des secours du Comité et qu'il avait par conséquent intérêt à noircir le tableau.

Dans le département voisin, le représentant Bô ne représentait pas les choses sous la même couleur. Il écrivait, de Gaillac, le 2 prairial : « La misère n'est pas si réelle qu'on le dit ; elle n'est véritable que pour le manouvrier ; le riche cultivateur ne manque de rien ; encore quelques jours et le peuple cessera de souffrir et les campagnes iront bien. »

Il y eut des souffrances, c'est certain, mais souffrances imputables à la guerre et au blocus, souffrances qui auraient peut-être été plus graves encore sans la réglementation.

Ce n'était pas le campagnard du reste qui souffrait le plus. Bien au contraire ! Isoré caractérisait très bien la situation quand il écrivait, le 3 floréal : « L'habitant de la campagne sent son aisance et il en profite. Avant la Révolution, il apportait dans les villes ce que sa misère le contraignait de vendre pour payer ses charges seigneuriales et ses impôts ; mais aujourd'hui, c'est le contraire. L'habitant de la campagne vit en bon artisan et il ne porte dans les marchés que son superflu. »

Le paysan maugréait contre les réquisitions qui lui enlevaient la disposition de ses denrées, contre le maximum qui réduisait ses bénéfices, contre les charrois qui lui prenaient son temps et ses attelages, mais en somme il obéissait, car il supputait intérieurement le profit immense qu'il avait retiré du changement de régime et il ne voulait pas le compromettre en favorisant la victoire de l'ennemi et le retour de ses oppresseurs.

Le Comité de Salut public avait lieu d'être satisfait des résultats obtenus. Maintenant que les factions étaient écrasées, que le péril extérieur s'effaçait devant les victoires, s'il avait cru la législation nuisible, il aurait pu prendre l'initiative d'y renoncer. Cette législation, il l'avait subie. Maintenant il ne songe qu'à l'appliquer et à la perfectionner.

Jusque-là les recensements et les réquisitions s'étaient succédé un peu au hasard, selon les besoins momentanés. Ils avaient fait l'objet de mesures de détail plus ou moins ordonnées, gardant l'apparence de mesures exceptionnelles. A la veille de la récolte de 1794, le gouvernement décida de procéder d'une façon plus franche et plus méthodique. En son nom, le député Eschassériaux, organe des deux Comités de Salut public et d'agriculture, fit voter, le 8 messidor, un décret qui ordonnait le recensement et la réquisition en bloc de tous les grains de toute nature et de tous les fourrages de la récolte. Le décret stipulait la déclaration obligatoire sur un registre déposé dans chaque commune. Les déclarations, qui devaient contenir le produit total de la récolte sans aucune déduction pour semences ou pour consommation familiale, seraient lues publiquement avant la clôture du registre dans une assemblée générale des citoyens de la commune. Les fraudes étaient punies par la confiscation prononcée par le juge de paix du canton. Le décret fut voté à l'unanimité. Merlin de Douai fit seulement observer que les dispositions nouvelles cadraient mal avec la loi antérieure du 11 septembre 1793. La loi ancienne n'avait pas prévu, en effet, de réquisition générale. Elle visait avant tout à garnir les marchés. Elle ne supprimait pas le commerce libre des céréales. Maintenant cette loi était bien dépassée, puisque la récolte était en bloc mise à la disposition du gouvernement avant même qu'elle ne fût moissonnée. Les observations de Merlin furent renvoyées purement et simplement à l'examen du gouvernement.

Le décret du 8 messidor était un grand pas vers le communisme des subsistances.

Que serait-il advenu de cette législation, si la catastrophe du 9 thermidor ne s'était pas produite ? Il est encore trop tôt pour le rechercher, mais nous pouvons affirmer dès maintenant que rien ne permet de croire que le gouvernement cherchait à ruiner la législation quand Robespierre est tombé.

Le seul point noir qui le préoccupait alors était l'application du maximum des salaires.

CHAPITRE X

LE MAXIMUM DES SALAIRES

Pour prendre une idée un peu juste du mouvement des salaires sous la Terreur et des modes d'application de la loi qui les fixait au taux de 1790 augmenté de moitié, il faudrait nécessairement distinguer entre les périodes, entre les catégories de salariés, entre les villes et les campagnes, entre les autorités révolutionnaires elles-mêmes. L'enquête est à peine commencée et je devrai me borner, dans ce chapitre, à indiquer les grandes lignes du sujet.

LES PÉRIODES.

Dans une première période qui précède l'établissement du maximum général édicté par la loi du 29 septembre 1793, les salaires restent libres. Il faudrait connaître le taux qu'ils avaient atteint dans les différentes catégories pour pouvoir apprécier la portée de la loi nouvelle.

Dans une seconde période, qui est remplie par la lutte des Hébertistes et des Dantonistes, des ultra et des citra, et qui se termine en germinal, le maximum des salaires s'établit concurremment avec le maximum des denrées et marchandises de première nécessité. Il faut donc examiner comment les deux maximums ont réagi l'un sur l'autre, dans quelle mesure les autorités ont favorisé les ouvriers et les marchands et dans quelles régions.

Dans une troisième période, qui se termine au 9 thermidor,

on assiste à un essai d'arbitrage du pouvoir central qui s'efforce de maintenir la balance égale entre les producteurs et les consommateurs, entre les acheteurs et les vendeurs. Il faudrait rechercher jusqu'à quel point le Comité de Salut public a atteint le résultat espéré.

Ce programme est vaste et ne pourra être complètement rempli qu'à l'aide de monographies qui restent à écrire.

C'est un fait bien connu que les salaires ne suivent que lentement la hausse des denrées [1]. Quand l'assignat avait précipité sa chute avec les défaites du début de 1793, les salariés qui n'étaient pas groupés, à qui le droit de grève était interdit, avaient presque partout recouru aux autorités pour leur demander d'agir sur leurs patrons, afin d'obtenir des augmentations. Mais ces autorités, placées pour la plupart sous l'influence des Girondins qui professaient le dogme de la liberté de l'offre et de la demande, n'avaient prêté qu'une oreille assez distraite aux vœux des travailleurs et ceux-ci n'avaient pas tardé à écouter les conseils des Enragés qui les

[1] L'économiste Saint-Aubin l'avait déjà remarqué au moment même : « Le riche, accoutumé à payer la journée d'ouvrier ou le talent à tant, en valeur nominale, n'a pas augmenté pour cela subitement et proportionnellement leur salaire, parce qu'il pouvait attendre davantage pour faire travailler que l'ouvrier, le journalier et l'homme à talent ne pouvaient attendre leur salaire dont ils avaient besoin pour vivre... [Les nouveaux riches] marchandent avec le maçon ou le manœuvre comme s'ils avaient gagné leurs richesses à la sueur de leur front. Or, si de pareils riches n'augmentent les salaires des ouvriers qu'autant qu'ils y sont contraints, comment peut-on attendre que des propriétaires, accoutumés à payer les leurs depuis un temps immémorial à un certain taux, passent subitement cette borne, pour doubler, tripler, décupler et vingtupler leurs salaires, proportionnellement à la cherté des denrées et au discrédit du numéraire ? L'homme aisé, en général, accoutumé à employer des ouvriers qu'il regarde comme lui devant, en quelque sorte, leur existence, n'applique qu'autant qu'il y est forcé à leur salaire la même valeur qu'il fait avec plaisir pour les denrées qu'il vend ou qu'il ne peut s'empêcher de faire malgré lui pour celles qu'il achète. L'ouvrier de son côté, accoutumé à recevoir tant par jour, ne songe pas même à élever son salaire avec le renchérissement d'ensemble des denrées, il faut que le prix de celles-ci commence déjà à être très haut, pour qu'il ose demander davantage. Je ne connais aucun salaire qui ait été augmenté graduellement et si quelques-uns ont atteint ou même surpassé le niveau, ce n'a été qu'un an et plus après le renchérissement de denrées... Saint-Aubin. *Tableau comparatif des prix des principales denrées et marchandises ainsi que de l'industrie et de la main-d'œuvre*, an III, p. 27.

invitaient à réclamer la taxe des denrées et à pratiquer en attendant l'action directe. Les Enragés, bien entendu, ne disaient rien de la taxe des salaires.

LA HAUSSE DES SALAIRES APRÈS LA CHUTE DE LA GIRONDE.

La chute des Girondins eut pour conséquence fatale d'enhardir les salariés. A partir du mois de juin 1793, ceux-ci cessent de faire figure de suppliants. Ils parlent haut à leurs patrons et ils obtiennent des avantages certains. La levée en masse qui s'opère en septembre 1793 raréfie la main-d'œuvre au moment même où les fabrications de guerre nécessitent des bras de plus en plus nombreux. On assiste à une hausse générale des salaires qui rejoint la hausse du prix de la vie. Les « observateurs » que le ministre de l'Intérieur Garat a envoyés dans les départments sont unanimes dans leurs constatations. L'un d'eux, Diannyère, qui « observe » dans l'Allier écrit au ministre, le 24 juin 1793, que les rentiers sont plus malheureux que les ouvriers. Les premiers, dont les rentes sont payées en papier de plus en plus déprécié, ne peuvent plus vivre. « Il n'en est pas de même des ouvriers. Tout ce qu'ils ont à demander, c'est que les denrées et l'ouvrage ne manquent pas. Une plus grande rareté de bras occasionnée par les levées immenses d'hommes, que les guerres intérieure et extérieure ont nécessitées, a fait monter le prix des salaires beaucoup plus que le prix des grains. La journée de travail qui dans les campagnes était au commencement de la Révolution de 14 ou 15 sols pour les temps ordinaires et de 24 ou 30 sols pour les moissons, est actuellement de 35 à 40 sols, et on croit que, pour la moisson prochaine, elle sera à 3 livres. Le surhaussement des salaires des ouvriers des villes est à peu près dans la même proportion. »

Un autre « observateur », Cailhava, écrit de même, au début de septembre 1793, au ministre Paré qui a succédé à Garat : « L'artisan, outré de voir tripler les légumes dont il a besoin pour son repas, se propose d'enchérir encore, sur le fripon qui les lui vend ; il augmente le prix de sa main-d'œuvre d'une manière exorbitante. Ainsi, de proche en proche, la contagion se communique, l'envie de se venger des usuriers fait qu'on le devient soi-même et, par l'effet de cette réaction, l'assignat de 5 livres ne vaut pas 20 sols et celui de 100 livres a été souvent vendu de 20 à 22 livres, surtout quand les journaliers ont refusé de livrer la récolte à moins qu'on ne les payât en argent... La taxe du blé doit amener nécessairement celle de tous les autres objets ; sans cela le laboureur sera seul écrasé et incapable de continuer ses travaux... Le patriote est pénétré de douleur en voyant à quel prix la Répulique paye les moindres travaux. Telle femme qui décharge un bateau de foin gagne 3 à 4 assignats de 5 livres par jour et cela fait dire aux malveillants que la facilité avec laquelle on prodigue ce papier-monnaie prouve le peu de cas qu'en font les agents de la République (1).... »

Il ne faudrait pas croire cependant que la hausse des salaires ait été la même dans toutes les corporations. Il semble bien qu'elle ait été plus forte pour les ouvriers manuels que pour les autres. L'économiste Saint-Aubin, qui avait été maître de pension à Sens, faisait remarquer que les femmes avaient été beaucoup moins bien traitées que les hommes : « Les femmes ouvrières surtout, dit-il, souffrent de cette révolution dans le prix des denrées, leur travail, ne pouvant s'appliquer ni à la terre ou aux ouvrages qui demandent de la force, n'est guère employé qu'aux productions de luxe et aux manufactures les moins nécessaires. Aussi les lingères, couturières, brodeuses, etc. ne gagnent-elles pas aujourd'hui le quart de ce qu'il leur faut pour vivre et même les blanchisseuses, dont le salaire surpasse celui de toutes leurs compagnes de misère, sont payées au-dessous du renchérissement des denrées (2). » Saint-Aubin fait cette remarque en l'an III, mais elle a une portée générale et nous comprenons aisément que Jacques Roux ait trouvé ses fidèles surtout parmi les femmes et que celles-ci se soient mises à piller le savon à Paris dès juin 1793.

Le même Saint-Aubin, dans un discours prononcé à Sens le 28 octobre 1792, constatait que parmi les ouvriers, les plus à plaindre étaient ceux des manufactures dont la production avait été touchée par la guerre. « Les manufactures

(1) P. Caron, *Rapports des agents du ministre de l'intérieur*, t. I, p. 134 et p. 270.
(2) Tableau comparatif déjà cité, p. 28.

de coton, disait-il, n'occupent en grande partie que des femmes, des enfants et des infirmes... la quantité de marchandises qu'on a fabriquées pour remplir les demandes momentanées (1) ayant fait renchérir les matières premières dans une proportion bien supérieure à la main-d'œuvre, il est arrivé, ce qui arrive constamment dans ces cas, que, quoique le prix des marchandises et des denrées ait augmenté de moitié, l'ouvrier ne gagne pas un salaire beaucoup plus fort que lorsqu'elles étaient bon marché, la consommation en vêtement, en nourriture, en chauffage, etc., étant toujours la même pour la quantité, il est appauvri dès que le prix de ces derniers objets augmente sans que son salaire suive la même proportion (2). »

Sans doute la confection des équipements militaires poussée avec vigueur dans la seconde moitié de 1793 dut améliorer la situation des ouvrières. Mais on se tromperait, si on s'imaginait que la hausse des salaires subit un relèvement proportionnel au prix de la vie dans toutes les corporations sans distinction.

Sous le bénéfice de ces réserves on peut admettre cependant que l'ensemble de la classe ouvrière avait réussi, en septembre 1793, à la veille de l'établissement du maximum général, à relever ses salaires.

M. Georges Lefebvre, qui a étudié avec soin la région du Nord, estime que dans l'été de 1793 les salaires avaient doublé ou même triplé depuis 1790. Il cite des chiffres : « en août 1793 », à Estaires, la journée était de 30 s. ; Saint-Jans-Cappel de 20 s. *en numéraire* ; à Flêtre, elle était de double au moins du taux de 1790 ; à Hondeghem, de 15 à 20 s. en 1790 elle avait passé à 40, 50 et 60 ; à Méteren, on donnait, en 1790, 10 s. et la nourriture, et, en temps de moisson, 17 à 18 s. ; en 1793, le prix avait cessé d'être fixe et allait jusqu'à 3 livres. A Marcq-en-Barœul en octobre on offrait 50 s. aux batteurs sans en trouver. Or il est rare que le taux adopté

(1) Saint-Aubin fait allusion à l'activité factice que la baisse de l'assignat avait imprimée à la production en 1791 et 1792. Les étrangers avaient passé d'énormes commandes. La guerre mit fin à cette prospérité en raréfiant à la fois les commandes et les matières premières.

(2) Le discours de Saint-Aubin a été publié par M. Porée dans son étude sur *les Subsistances dans l'Yonne*, p. CIX.

par les municipalités aille à 40 s. (1). M. Lefebvre conclut donc que le maximum général qui fixait les salaires au prix de 1790 augmenté de moitié réduisit les salaires dans une proportion considérable. Par compensation le maximum des denrées abaissait le prix de la vie dans une proportion plus considérable encore. Mais il allait de soi que si le maximum des denrées n'était pas respecté, les ouvriers seraient victimes de la législation créée à leur intention.

On se tromperait gravement, si on s'imaginait que les autorités révolutionnaires mirent partout plus de zèle à faire appliquer le maximum des denrées que le maximum des salaires. Même en pleine terreur, les municipalités les plus jacobines en apparence étaient aux mains des possédants. M. Lefebvre constate que dans la région du Nord celles des villes mirent beaucoup plus d'empressement que celles des campagnes à dresser le tableau de la taxe des journées. C'est que celles des villes étaient d'ordinaire de composition plus bourgeoise que celles des campagnes. Quant à celles-ci, elles furent loin d'appliquer la loi dans le même esprit, ainsi qu'en témoignent les grands écarts qu'on relève dans la taxe des salaires pour des communes cependant contiguës. Le Jacobin Vermærsch, maire de Saint-Pierrebrouck, fixa dans sa commune les salaires à un taux très bas. Il ne fut probablement pas le seul et il serait très intéressant de savoir comment le même Vermærsch et ses pareils faisaient appliquer la taxe des denrées.

A Paris, au contraire, tant que les hébertistes règnent dans les comités révolutionnaires des sections, il semble bien que la taxe des denrées fut plus rigoureusement appliquée que la taxe des salaires. Leurs commissaires aux accaparements mirent un zèle ardent et souvent intempestif à procéder aux visites domiciliaires. Mais on ne voit pas qu'ils aient tenu la main à réprimer les violations de la taxe par les salariés qui constituaient leur clientèle. Les rapports des « observateurs de l'esprit public » sont très éloquents à ce sujet.

Grivel et Siret constatent, les 13 et 14 nivôse, que le maximum de la main-d'œuvre est ouvertement violé. « Les voituriers, les cochers de fiacre, les ouvriers et les manœuvres à

(1) G. Lefebvre. *Les paysans du Nord pendant la Révolution*, p. 653, note.

tâche... demandent tous au-dessus du prix que la loi leur accorde et vous font mille chicanes, vous causant mille désagréments, si vous ne voulez les payer qu'aux prix de la taxe; beaucoup de personnes qui redoutent les contestations ou qui sont pressées pour leurs affaires cèdent aux prétentions de ces personnes à salaires et leur donnent ce qu'ils exigent, ce qui rend ceux-ci plus difficiles et fait en quelque sorte une nécessité à ceux qui veulent ensuite les employer de faire à leur égard comme les premiers. Il n'y a pas jusqu'aux ouvriers qui scient ou montent le bois, jusqu'aux garçons de chantier qui se font payer 15 sous par voie, jusqu'aux ramoneurs de cheminées qui n'exigent le double de ce qu'ils doivent recevoir. Ils forcent les particuliers à payer 8 livres pour le transport d'une voie de bois qui coûtait autrefois 1 livre 4 sols. »

Grivel et Siret reviennent à la charge le 28 nivôse. Ils signalent que les ouvriers et gens salariés « n'ont pas autant manqué d'ouvrage et de salaire qu'on l'a prétendu, que, loin de perdre dans la situation actuelle des choses, ils ont, au contraire, gagné et gagnent encore beaucoup. Les objets de première nécessité à leur portée, comme le pain, par exemple, ont peu augmenté de prix, tandis que leurs salaires ont été triplés et quadruplés. Tel ouvrier, tel commissionnaire qui ne tirait de sa journée que 4 ou 5 livres en tire aujourd'hui 20 et 24 livres et quelquefois davantage... Dans les marchés et surtout dans celui de la volaille ce sont les femmes des ouvriers et des commissionnaires qui achètent les meilleures pièces et à plus haut prix. Ce qu'on appelle le bourgeois n'en peut soutenir la concurrence et s'en retourne souvent sans acheter ou n'emporter de gibier ou de la volaille que d'une moindre qualité. C'est un fait qui se renouvelle tous les jours. Tout le monde peut le vérifier. Certes, cette classe de salariés ne souffre point et ce serait un grand bien, si leur trop d'embonpoint n'en amaigrissait d'autres... On a fortement crié contre les cultivateurs et les commerçants ; on a prétendu qu'ils voulaient faire la loi aux consommateurs ; on a taxé le prix de leurs denrées et de leurs marchandises, et, dans cette taxe, il faut le dire, on a eu moins d'égard pour les vendeurs que pour les acheteurs ». Il ne faudrait pas presser beaucoup Grivel et Siret pour leur faire dire que les comités révolutionnaires et les Commissaires aux accaparements favorisaient systématiquement la classe des salariés. Ils écrivent encore le 3 pluviôse : « Le charretier, le batteur, le journalier exige le triple de salaire dû à son travail, il se fonde sur l'augmentation du prix des denrées, mais les denrées ne sont pas triplées. Si le laboureur offre de les nourrir, il refuse de travailler. Le fait est que cette classe de citoyens se fonde sur la rareté des travailleurs pour exiger un prix exorbitant qui la met à même de se gorger de vin et de bonne chère et de passer la moitié de leur vie dans l'oisiveté. On en peut dire autant des gens de force, des commissaires publics et de tous les journaliers de Paris. Ils n'ont pas honte d'exiger 100 sols pour un léger travail qui eût été payé très généreusement 10 sols, il y a un an. Aussi se vantent-ils publiquement de gagner en un jour de quoi se reposer et s'enivrer à leur aise le reste de la décade. Il n'est pas rare de voir un journalier payer 12 livres, même 15 livres une volaille qui n'en vaut pas 4 livres. Quand l'argent ne coûte rien à gagner, l'on ne prend pas garde à la dépense. »

Sans doute Grivel et Siret sont des employés de l'État qui gagnent de petits salaires. La jalousie perce sous leurs critiques. Mais ils citent des faits précis qu'il était facile de contrôler.

Il semble incontestable que dans toute la France les salariés firent un effort vigoureux pour relever leur niveau de vie. Là où ils se heurtaient à la mauvaise volonté des autorités ou des employeurs, le cas était fréquent, ils osaient recourir aux refus de travail, à la grève plus ou moins concertée.

Aux mines de Littry on ne parvint jamais à obtenir des ouvriers qu'ils chômeraient le décadi et travailleraient le dimanche et ce ne fut pas un exemple isolé. Dans le Nord la résistance contre le maximum des salaires fut tenace et persistante. Dans le district de Joigny la coalition des bûcherons et des autres ouvriers ne put être brisée par les autorités locales. Il fallut que le Comité de Salut public intervînt par un arrêté du 28 pluviôse qui ordonnait d'interpeller les ouvriers. Ceux d'entre eux qui refuseraient de continuer leur profession ou qui exigeraient un salaire supérieur au maximum seraient regardés comme suspects. J'ignore si la crainte de la guillotine suffit à les ramener au travail, mais je ne connais pas d'exemple d'ouvriers traduits au tribunal révolutionnaire pour ce seul motif. Les ouvriers récalcitrants faisaient valoir une excellente excuse. Ils disaient qu'ils obéiraient au maximum des salaires le jour où le maximum des denrées serait réellement exécuté. Or, nous avons vu que ce dernier maximum était souvent violé. Quand par hasard il était respecté, il devenait très difficile d'approvisionner les ateliers en subsistances, tellement celles-ci se faisaient rares quand on prétendait les acheter au taux légal. Les représentants en mission signalent souvent que les fabrications de guerre ont dû être arrêtées, parce que les ouvriers ont dû passer leur temps à faire la chasse au blé dans les greniers des paysans. Le représentant Ferry, par exemple, écrit de Bourges le 5 germinal : « La plus grande partie de mon temps se consomme à empêcher que les ouvriers ne meurent de faim. »

LE COMITÉ DE SALUT PUBLIC ET LES SALAIRES.

Quand les factions furent abattues, en germinal, le Comité de Salut public s'efforça de tenir l'équilibre entre les intérêts opposés des ouvriers et des patrons, des marchands et des consommateurs. Le comité, cela n'est pas douteux, avait le sentiment de l'éminente dignité des travailleurs. Le 28 germinal, aux Jacobins, un membre ayant donné pour preuve de son patriotisme qu'il avait envoyé aux frontières 15 de ses ouvriers, Collot d'Herbois le reprit vivement : « Personne ne peut dire : c'est moi qui ait donné à 15 ouvriers ce mouvement de patriotisme, pas plus qu'un général ne peut dire : j'ai remporté la victoire tout seul. Dire que l'on a envoyé des citoyens aux armées, c'est ce grand moyen que les aristocrates emploient. Celui qui ne sert pas la liberté par lui-même dit qu'il la sert par les autres... On ne doit pas oublier le zèle et le patriotisme des ouvriers qui partent pour aller défendre leur pays. Il est temps que l'on oublie qu'il y a eu des chefs. La République est un vaste atelier où il n'y a aucun chef. Nous en sommes tous les ouvriers. Nous travaillons au salut de la patrie ; aucun de nous ne peut dire qu'il dispose du cœur et de la vertu des autres... La gloire est à ceux qui sont partis et qui se font tuer. N'allons pas leur ôter cette satisfaction qu'ils ont si bien méritée. Il me semble que si j'étais ouvrier, ce serait une grande peine pour moi d'entendre dire à celui chez qui j'aurais travaillé : c'est moi qui l'ai envoyé. Ce sont les ouvriers, ce sont les Sans-Culottes qui ont fait la Révolution, ce sont eux qui l'ont maintenue et qui l'ont couronnée de succès ; ce sont eux encore qui la finiront ! » La tirade était belle, mais les ouvriers ne fréquentaient pas les Jacobins et, s'ils les avaient fréquentés, il est douteux qu'ils se fussent contentés de bonnes paroles.

A Paris, ils firent un effort vigoureux pour maintenir et pour améliorer même les gains qu'ils avaient réalisés pendant la période hébertiste.

Le Comité de Salut public et la nouvelle Commune furent obligés de résister à leurs exigences.

Le 2 floréal, des ouvriers râpeurs de tabac se présentent à l'hôtel de ville pour réclamer une augmentation de salaire. L'agent national Payan interpelle leur orateur de déclarer si, pour tenir l'assemblée où ils ont délibéré leur pétition, ils ont eu soin de demander l'autorisation préalable à la municipalité. L'orateur répond d'abord oui, mais, pressé de questions, il s'embrouille et reste coi. Payan le fit envoyer à la police. Ainsi les ouvriers sont avertis qu'ils ne peuvent se réunir pour traiter de leurs intérêts professionnels que de la permission des autorités. Les lois restrictives de la Constituante restent en vigueur.

La Commune qui s'efforce de faire respecter le maximum des denrées entend, par contre, que le maximum des salaires soit de même observé. Le 13 floréal, le corps municipal prend un arrêté pour réprimer les exigences abusives des garçons boulangers qui, outre des salaires excessifs, réclament encore une ration de viande supplémentaire. L'arrêté leur rappelle qu'ils ont été dispensés de service militaire. Il leur interdit sous aucun prétexte de quitter la boutique où ils travaillent sans un préavis d'un mois au moins. Il les menace de les traiter comme suspects.

Le 9 floréal déjà, le corps municipal avait réprimé les tentatives des ouvriers des ports pour se coaliser en vue de faire hausser leurs salaires et d'écarter la concurrence des autres ouvriers n'appartenant pas à leur profession. L'arrêté assimilait leur entreprise à la résurrection des corporations et y voyait une atteinte à la liberté du travail. Les inspecteurs des ports reçurent l'ordre d'arrêter les meneurs.

Il faut croire que les arrêtés de la Commune furent d'une application difficile, car, le 16 floréal, elle dut adresser une proclamation sévère à toute la population ouvrière : « Les malveillants ont répandu, disait-elle, parmi les ouvriers employés à des objets de première nécessité un esprit de révolte et d'insubordination que les lois révolutionnaires punissent de mort. Nous avons vu presque en même temps les râpeurs de tabac, les boulangers, les ouvriers employés au triage, transport et empilage du bois flotté exiger des citoyens qui les font travailler des prix de journée au-dessus de ceux fixés par la loi, former des rassemblements illégaux, menacer de ne plus continuer leur ouvrage et enfin porter la malveillance jusqu'à l'abandonner entièrement ; nous avons vu surtout les ouvriers employés sur les ports refuser absolument d'y travailler... Nous déclarons à tous les ouvriers qu'organes de la loi, nous serons inflexibles comme elle, que nous ferons conduire sur-le-champ devant les tribunaux compétents tous ceux d'entre eux qui, au mépris des lois, abandonneraient les travaux qui doivent leur être d'autant plus chers qu'ils sont nécessaires à l'existence publique ». Mais, ces menaces exprimées, la proclamation révisait ensuite le tarif dans un sens favorable aux travailleurs. « Si nous sommes sévères, nous sommes justes, nous nous sommes occupés avec empressement des réclamations des ouvriers (1). »

Hanriot renforça les menaces de la proclamation par un ordre général qu'il adressa à la garde nationale : « Hier, mes frères d'armes les ouvriers des ports n'ont pas donné l'exemple des privations que nous autres, pauvres démocrates sans-culottes, avons contractées dès le berceau ; ils exigent pour leurs journées un salaire trop fort qui ne peut qu'occasionner la cherté des denrées et priver nos pauvres mères de famille des premières denrées nécessaires à la vie. Vivons honnêtement, vêtons-nous décemment et proprement, soyons sobres, n'abandonnons pas nos vertus et notre probité, ce sont nos seules richesses (2)... »

Il semble bien que la poussée ouvrière ait été générale dans tout le pays. Dans l'Yonne, à la fin de germinal, les vignerons

(1) D'après le *Journal de la Montagne.*
(2) DAUBAN, *Paris en 1794*, p. 354.

de Bussy refusent de travailler au prix légal (1). D'autres exigent en plus du salaire légal un supplément qu'ils appellent « la broutille ».

Les refus de travail furent fréquents et inquiétants, car Barère dut faire voter, le 15 floréal, un décret qui mettait en réquisition tous ceux qui contribuaient à la manipulation, au transport et au débit des denrées et marchandises de première nécessité et menaçait du tribunal révolutionnaire ceux qui feraient une coalition criminelle contre les subsistances du peuple.

Le 14 prairial encore, le Comité de Salut public, dans un arrêté spécial aux mariniers, les menaçait de les traduire en correctionnelle pour la première fois et de leur appliquer la loi des suspects en cas de récidive, s'ils refusaient le service ou s'ils exigeaient des salaires supérieurs au maximum. Le Comité était d'autant plus irrité contre les mariniers que, le 27 germinal précédent, il leur avait accordé des primes en sus du maximum pour hâter l'approvisionnement des ateliers d'armes.

Les menaces n'intimidèrent pas les ouvriers. On dut presque partout relever les tarifs ou arrêter les travaux. Le 9 messidor, par exemple, les administrateurs du département de Paris écrivaient à la commission d'agriculture et des arts que les ouvriers employés aux travaux du département refusaient de travailler au maximum fixé à 48 sous pour les manouvriers (2). Ceux-ci demandaient 3 livres 15 sous et que le travail ne commençât qu'à 6 heures du matin pour finir à 6 heures du soir, ce qui réduisait la journée de deux heures et en portait le prix à 41.7 s, 6 d. Les ouvriers charpentiers qui ne gagnaient que 45 sous par jour en 1790 exigeaient 8 et 10 livres. L'ingénieur en chef proposa de suspendre les travaux.

LES OUVRIERS DES FABRICATIONS DE GUERRE.

Les nombreux ouvriers des fabrications de guerre étaient plus mécontents encore que les ouvriers employés par les

(1) Ch. Porée, *Inventaire des archives révolutionnaires de l'Yonne*, p. 362.

(2) Archives nationales, F40 451.

particuliers, car ils n'avaient pas la ressource qu'avaient ceux-ci de refuser individuellement le travail, ce qui obligeait les employeurs à en passer par leurs volontés. Mis en réquisition, ils étaient soumis à un régime quasi militaire. Groupés en ateliers, enregistrés et surveillés par les agents de l'État, menacés à tout moment d'amendes et de pénalités variées, ils ne pouvaient obtenir le relèvement de leurs salaires que par des coalitions réprimées par la législation à l'instar des révoltes. Mais la tentation pour eux était trop forte d'égaler le salaire officiel au salaire libre. De nombreux témoignages tous concordants nous montrent qu'à Paris les simples manœuvres, les commissionnaires, cochers, porteurs d'eau se faisaient de 20 à 24 livres par jour, tandis que l'ouvrier spécialiste de 1ère classe des manufactures d'armes gagnait à peine 16 livres, celui de la 2e classe 8 livres 5 sols et le plus médiocre 3 livres (1). Ainsi n'est-il pas étonnant que les ouvriers des fabrications de guerre aient vécu dans une agitation pour ainsi dire permanente. Le Comité de Salut public qui avait un besoin instant de leurs services les ménageait d'autant plus qu'il craignait de les rejeter comme une proie facile du côté de ses adversaires. Il améliora leurs salaires, leur permit de nommer entre eux des commissaires pour en discuter avec ses agents, mais jamais il ne parvint à les satisfaire, car l'écart était trop grand entre leurs exigences et les prescriptions légales.

M. Camille Richard a remarqué qu'à toutes les crises politiques correspondit une recrudescence d'agitation dans les ateliers d'armes, soit que les ouvriers aient spontanément songé à utiliser ces crises dans leurs intérêts de classe, soit qu'ils aient été opportunément excités par les adversaires du Comité de Salut public. Le Comité eut beau ajouter des primes allant jusqu'à 10 % du tarif élaboré par la commission paritaire de 60 membres qui siégeait à l'Évêché sous la présidence d'Hassenfratz à partir d'octobre 1793, les ouvriers se mirent en insurrection à la fin de frimaire et au début de nivôse, quand les dantonistes faisaient un violent effort pour s'emparer du gouvernement. L'agitation recommença au début de ventôse et coïncida avec la levée de boucliers des

(1) Rapport officiel de messidor an II, dans Camille Richard, *Les fabrications de guerre sous la Terreur*, p. 720.

hébertistes. Elle reprit avec une ampleur accrue au moment de la fête de l'Être suprême quand les pourris de la Convention cherchaient à renverser Robespierre et elle continua presque sans interruption jusqu'au 19 thermidor.

Le Comité dut interdire aux ouvriers de changer d'ateliers sans permission, les soumettre à des appels, frapper d'amendes les absents, arrêter les meneurs (arrêtés du 21 frimaire et du 19 prairial). Un arrêté du 25 messidor fit défense aux particuliers d'employer les ouvriers mis en réquisition dans les ateliers de la République, sous peine d'être inscrits sur la liste des suspects. Barère fit voter, le 22 prairial, un décret spécial qui chargeait l'accusateur public du tribunal révolutionnaire de poursuivre comme contre-révolutionnaires ceux qui avaient « employé des manœuvres criminelles dans les ateliers de fabrication d'assignats, d'armes, de poudres et salpêtres ».

Les salaires n'étaient pas la seule revendication des mutins. Ils protestaient aussi contre la réglementation sévère des ateliers et contre l'arrêté du 3 floréal qui avait changé la composition de la commission paritaire chargée d'établir le tarif des salaires aux pièces et à la journée. Les ouvriers y étaient désormais en minorité en face des représentants de l'administration.

M. Camille Richard a montré que l'agitation ne fut pas limitée aux ouvriers parisiens des fabrications de guerre, mais qu'elle se répandit dans les autres ateliers du reste de la France. Cela suffirait à témoigner que la classe ouvrière prenait conscience de sa force et qu'elle n'hésitait pas à séparer ses intérêts de ceux des gouvernants terroristes eux-mêmes, quand ceux-ci ne lui accordaient pas tout ce qu'elle demandait.

LA MAIN-D'ŒUVRE AGRICOLE.

Si grave qu'était devenu le problème de la main-d'œuvre industrielle, il causait cependant moins de soucis au Comité de Salut public que le problème de la main-d'œuvre agricole, car la France de cette époque était essentiellement un pays rural. La rareté des subsistances qui arrêtait souvent les fabrications exigeait des remèdes prompts et énergiques. Les autorités locales n'attendirent pas pour les prendre d'y être invitées par le pouvoir central. La Terreur, si lourde qu'elle fût, n'avait pas encore brisé toutes les initiatives.

Dès que la moisson commença à mûrir, les districts se préoccupèrent des moyens à employer pour la récolter rapidement. Celui de Chaumont adressa, le 29 floréal, une circulaire à toutes les communes de son ressort pour les inviter à tenir la main à l'observation du maximum des salaires. « Nous sommes instruits, citoyens, que déjà plusieurs cultivateurs, pour assurer le succès de leurs récoltes, se sont empressés de régler à un prix très haut les salaires des journaliers qui doivent concourir avec eux à faucher leurs prés et à battre leurs grains. Quelques riches propriétaires entre autres ont porté ce prix à un degré si élevé que, s'il était maintenu, les fermiers et les propriétaires moins aisés auraient peine à pouvoir faire leurs moissons et, après avoir tant souffert, cette année, par la rareté des subsistances, nous serions encore exposés à éprouver de nouvelles angoisses pour recueillir les moissons abondantes qui nous sont promises. » La circulaire invitait donc les municipalités à faire appliquer strictement la loi et à requérir au besoin les bras nécessaires pour la moisson, s'ils ne se contentaient pas des salaires légaux. « Dénoncez-nous ces hommes vils qui préféreraient laisser périr les foins et les grains sur pied, plutôt que de se borner au salaire que la loi a fixé ; nous les traiterons comme suspects, comme ennemis de la République (1), les plus coupables seront incarcérés... » Les administrateurs rappellent que les deux maximum, celui des salaires et celui des denrées, sont solidaires et que la violation de l'un entraîne forcément la violation de l'autre : « Nous n'aurions pas été dans le cas de prendre des mesures si sévères contre un grand nombre de cultivateurs, si, l'année dernière, le haut prix des salaires des moissonneurs n'avait pas enlevé aux fermiers et propriétaires une partie considérable de leurs profits. Les journaliers leur ayant forcé la main levée, ils n'ont cru trouver de ressource qu'en vendant leurs grains au-delà du maximum ; de là leur intérêt à ne pas satisfaire aux réquisitions, à recéler leurs

(1) Les décrets du 8 et 13 ventôse avaient ordonné la confiscation des biens des personnes reconnues « ennemies de la République ».

grains, à faire paraître la disette plus considérable qu'elle n'était effectivement [1]... »

Le district de Soissons ne se borna pas à des exhortations. Il édicta, le 5 prairial, un règlement minutieux sur la réquisition des ouvriers agricoles :

1. Tous les citoyens du ressort du district, les vieillards infirmes et les fonctionnaires publics exceptés, pourront être mis en réquisition pour faire la récolte prochaine des grains.

2. Les réquisitions seront faites, savoir : par les conseils généraux des communes lorsqu'il s'agira de citoyens domiciliés et de récoltes à faire dans leurs enclaves respectives et par l'administration de district lorsqu'il s'agira de prendre des ouvriers dans une commune pour les faire travailler dans l'étendue d'une autre.

3. Elles seront faites individuellement et notifiées par les secrétaires-greffiers des municipalités où demeureront les citoyens à requérir.

4. Elles frapperont d'abord sur les ouvriers, manouvriers et généralement sur toutes les personnes qui moissonnent ordinairement ou qui travaillent à l'agriculture ;

En cas d'insuffisance des premiers, sur les citoyens désœuvrés et sur les domestiques mâles salariés par l'opulence qui, par leur force, leur structure, leur complexion seront jugés propres à ce genre de travail ;

Et subsidiairement sur tous les autres citoyens.

5. Les citoyens requis en vertu du présent arrêté seront tenus de se livrer aux travaux qui leur seront confiés, à la charge par ceux qui les employeront, de leur payer les salaires déterminés par le tableau du maximum dressé en exécution de la loi du 6 ventôse dernier ; en cas de refus, les peines prononcées par la loi du 16 septembre dernier leur seront appliquées.

6. Ils seront contraints par 3 jours de prison et 3 mois en cas de récidive. Cette peine sera prononcée par la police municipale.

[1] Ch. Lorain, *Les subsistances dans le district de Chaumont*, t. I, p. 500.

7. Ceux qui se coaliseront pour refuser leur travail seront regardés comme ennemis de la chose publique, arrêtés, dénoncés au tribunal et punis comme contre-révolutionnaires.

8. Dans le cas où, pour les travaux de moisson ou d'agriculture, il aurait été fait pour la présente année des conventions portant un prix supérieur à celui fixé par le maximum, elles seront réduites à ce taux.

9. Ceux des cultivateurs, moissonneurs, ouvriers et autres qui, à compter de la publication du présent arrêté, feront des conventions tendantes à enfreindre le maximum seront, conformément aux articles X et XI de la loi du 12 germinal dernier, passibles pour la première fois, d'une amende égale à 10 fois la valeur de la somme ou de l'objet porté dans lesdites conventions, applicables en entier au profit du dénonciateur, et, outre l'amende, à la peine de 2 ans de détention, en cas de récidive [1].

Mais le Comité de Salut public ne voulut pas laisser aux seules autorités locales le soin de réglementer la réquisition et les salaires des moissonneurs. Le 11 prairial, six jours après le district de Soissons, il promulgua un grand arrêté qui uniformisait les mesures à prendre. Tous les journaliers manouvriers, tous ceux qui s'occupaient habituellement des travaux de la campagne, tous ceux qui étaient obligés de suspendre l'exercice de leurs professions pendant la récolte étaient mis en réquisition pour la moisson ainsi que pour tous les travaux qui la précèdent, l'accompagnent et la suivent. Tous les ouvriers qui étaient dans l'usage de quitter leurs communes pour aller travailler dans d'autres seront tenus de s'y rendre suivant l'usage. Les municipalités dresseraient l'état des ouvriers habitués à travailler à la terre. Elles notifieraient la réquisition à tous, en général. Ceux qui refuseraient d'obéir seraient jugés et traités comme suspects. Une invitation et non une réquisition serait adressée aux autres citoyens, lorsque les municipalités le jugeraient utile, à venir se joindre aux travailleurs. Enfin les journaliers et ouvriers qui se coaliseraient pour se refuser aux travaux exigés par la

[1] Archives nationales, F[10] 451.

réquisition ou pour demander une augmentation de salaire seraient traduits au tribunal révolutionnaire.

Afin de ne rien laisser dans l'incertitude, le Comité compléta ce premier arrêté par d'autres de plus en plus précis qui se succédèrent les 13 et 29 prairial, les 7 et 20 messidor. L'arrêté du 13 prairial étendait à tous les genres de travaux les prescriptions du précédent. Il faisait défense aux entrepreneurs de travaux publics de payer un salaire supérieur à celui fixé par la loi. L'arrêté de 7 messidor concernait les salaires à l'entreprise qui ne devaient en aucun cas dépasser la moitié du taux de 1790. L'arrêté du 29 prairial défendait d'augmenter les salaires en nature et ordonnait de les acquitter exactement au taux de 1790. L'arrêté du 20 messidor unifiait les salaires des moissonneurs et ceux des batteurs, « afin que la différence de salaire ne soit pas une occasion ou un prétexte de différer de battre les grains nécessaires à l'approvisionnement des magasins militaires ».

Nous sommes assez bien renseignés sur l'application de ces arrêtés, grâce à une active correspondance que la Commission d'agriculture et des arts entretint avec les districts au moment même (1).

Si la Commission invita le district de Soissons à rapporter la mesure trop rigoureuse et prêtant à l'arbitraire par laquelle il avait rendu obligatoire la réquisition pour la moisson de tous les citoyens sans distinction, en général elle s'efforça de stimuler le zèle des autres districts et de les pousser à la sévérité.

Le département de la Manche ayant relevé au-dessus du maximum le salaire des ouvriers employés aux routes, la Commission lui infligea un blâme : « S'il était possible d'enfreindre le maximum des salaires, celui des denrées serait bientôt illusoire, nous serions livrés comme auparavant aux spéculations de la cupiditié et de la mauvaise foi. Vous n'ignorez pas, citoyens, que les ouvriers employés aux chemins n'ont pas droit de se refuser au travail et que le décret du 15 floréal vous accorde celui de les mettre en réquisition. Quant à nous, le décret du 15 frimaire (sur le gouvernement révolutionnaire) nous ôte la faculté d'interpréter la loi et, par

(1) Elle est conservée aux archives nationales, F10 450, 451 et 452.

conséquent, d'approuver votre arrêté » (lettre du 15 messidor).

La loi donnait aux municipalités le droit de fixer les salaires. Cela n'allait pas sans de graves inconvénients, car les ouvriers agricoles désertaient les communes où le maximum avait été fixé trop bas. De très nombreux districts prirent sur eux d'imposer à toutes les communes de leur ressort un maximum uniforme, afin d'éviter ces désertions : ceux de Bergues, de Mont-sur-Loir ci-devant Châteaudun, de Brutus-Villiers ci-devant Montivilliers, d'Autun, Hazebrouck, Moulins, Ussel, Nogent-le-Républicain, Lesparre, Val-Libre ci-devant Le Donjon (Allier), etc. Le district de Val-Libre exposa, le 9 messidor, qu'il avait voulu « réprimer la cupidité de certains journaliers et garantir les communes du danger de manquer de bras, danger auquel la diversité des prix pouvait les exposer ». Certains de ces districts, comme celui de Val-Libre, avant d'édicter un maximum uniforme, avaient pris l'avis des communes intéressées, mais la plupart s'en dispensèrent. Régulièrement la Commission d'agriculture et des arts leur remontra qu'ils avaient outrepassé les dispositions légales, mais elle ne leur demanda pas de rapporter leurs arrêtés qui entrèrent en vigueur.

Imitant le district de Soissons, celui de Brioude mit en réquisition pour la récolte « toutes les personnes des deux sexes capables de supporter les fatigues du travail et qui ne sont pas indispensablement attachées au service de la République ». La commission lui fit observer que la réquisition n'était légale qu'à l'égard des personnes habituées aux travaux de la campagne et que, pour les autres, on ne pouvait employer que les invitations fraternelles. Mais la remontrance vint trop tard, quand la plaine de Brioude était déjà presque entièrement moissonnée.

Il semble bien que, malgré les prescriptions impératives des arrêtés du Comité de Salut public, les salaires des travailleurs agricoles aient été fixés généralement à un taux supérieur au taux légal. A Brutus-Villiers, le faucheur fut payé 3 livres par jour et nourri et il recevait en outre 6 sous en plus, s'il fournissait sa faux, le « scieur » reçut 40 sous et nourri plus 2 sous quand il fournissait sa faucille. A Bergues, le salaire fut de 50 sous plus la nourriture, tandis qu'à Valenciennes il fut de 3 livres, à Hazebrouck de 30 sous et à Lille de

22 sous 6 deniers, la nourriture en plus dans tous les cas (1). On ne s'explique guère ces différences si considérables.

Dans de nombreux districts, probablement dans ceux où le maximum fut fixé à un prix élevé, la réquisition des moissonneurs s'exécuta sans troubles, par exemple dans les districts de Salon, Moulins, Cusset, Sisteron, Gap, Trévoux, Périgueux, Uzès, Carismont, etc.

A Salon, l'arrêté du 11 prairial fut exécuté « avec enthousiasme ». Les ouvriers réquisitionnés n'ont pas exigé une obole au-dessus de la taxe (lettre du district du 19 messidor). Périgueux note qu'il n'y a eu aucune réclamation contre la taxe (12 messidor), Uzès que « tout s'est bien exécuté avec zèle et attention », Sisteron que « personne ne s'est refusé aux réquisitions, qu'il n'y a eu aucune coalition, soit pour faire augmenter la taxe, soit pour refuser le travail », etc. Mais c'est surtout dans les districts où le vieil usage s'était conservé de payer les moissonneurs en nature par une partie de la récolte que la réquisition ne donna lieu à aucun incident. « Aucune difficulté, dit le district de Trévoux, ne s'est élevée à l'égard du paiement desdits ouvriers, l'on suit l'ancien usage de les payer en nature » (15 messidor). Montluel, qui fait la même constatation, le 17 thermidor, ajoute que les moissonneurs reçoivent de dix gerbes une. Cela nous fait comprendre la raison des troubles et des résistances qui s'élèvent dans les autres districts. Ce que désirait le travailleur, c'était de pouvoir vivre avec son salaire. Quand on le payait en blé, il ne réclamait pas. Il acceptait la taxe de son travail, mais à condition qu'elle eût comme contre-partie l'exécution de la taxe des denrées. Soyons assurés que la plupart du temps les districts troublés furent ceux où les autorités fixèrent les salaires à un chiffre trop bas ou ne surent pas tenir la main à l'application du maximum des subsistances.

Il y eut des coalitions d'ouvriers agricoles, causées par le refus d'accepter le maximum des salaires, dans d'assez nombreux districts : Laon, Bergues, Cambrai, Senlis, Sancerre, Marennes, Digne, etc.

Dans le district de Laon il y eut des refus de travail à Gros-Dizy et à Clermont, le 3 thermidor. L'agent national

(1) D'après G. Lefebvre, *Les Paysans du Nord*, p. 654.

vint sur les lieux, fit agir la gendarmerie qui ramena les récalcitrants sur les chantiers. Le même agent national transmit à l'accusateur public près le tribunal criminel les plaintes de certaines communes où les réquisitions n'avaient pas été exécutées. « L'accusateur m'a répondu, écrit-il le 19 thermidor, que le tribunal n'a pas cru que ces sortes d'affaires fussent de sa compétence, mais bien des tribunaux ordinaires. » Le tribunal civil saisi ne s'empressa pas de juger. Le commissaire national près ce tribunal répondit à l'agent national qu'il pensait que les peines prononcées par l'article 3 de l'arrêté du 11 prairial devaient être appliquées par les municipalités elles-mêmes et que les coalitions étaient justiciables du tribunal révolutionnaire. La Commission d'agriculture et des arts infligea un blâme à l'agent national et aux administrateurs du district de Laon pour leur mollesse dans la répression : « Il y a eu dans votre ressort un délit formel contre la loi révolutionnaire du 11 prairial et il est resté impuni. L'application des peines édictées devait être prompte pour remplir le vœu de la loi et le but d'utilité qu'elle s'était proposé. Au lieu de la promptitude et de l'énergie d'exécution qui peuvent seules imprimer aux lois révolutionnaires ce caractère d'utilité publique qui les distingue des autres, vous doutez, vous balancez, l'accusateur public renvoie au tribunal de district et le commissaire de ce tribunal refuse à son tour de faire les poursuites contre les réfractaires. Ce n'est pas ainsi qu'on seconde l'action du gouvernement... Celui qui refuse d'obéir à la réquisition doit être traité comme suspect... Le tribunal criminel du département de l'Aisne et le tribunal civil du district de Laon ont été mal fondés à ne pas poursuivre la dénonciation qui leur a été faite, puisque la loi les y autorisait et que d'ailleurs, la non-exécution du décret était dangereuse pour la chose publique. Ils méritent principalement des reproches graves... » (lettre du 13 fructidor).

Dans le district de Senlis la résistance ouvrière fut plus sérieuse que dans le district de Laon où tout s'était borné à une grève qui ne dura qu'un jour. Ici une sédition éclata dans la commune de Barberie. Il fallut en arrêter les auteurs. La Commission d'agriculture et des arts consultée répondit qu'on devait les déférer aux tribunaux, en conformité de la loi du 17 septembre sur les suspects.

Les résistances furent vives dans le département du Doubs où les journaliers demandaient pour battre une mesure de blé un prix d'une valeur égale, « de manière que, écrivent les représentants Foucher et Besson, quand le cultivateur a payé le battage, il ne lui reste rien » (4 frimaire an III).

A Sancerre, les ouvriers refusaient de s'embaucher pour le prix du maximum (lettre du district du 9 messidor). A Marennes, l'agent national consulta le Comité de Salut public pour lui demander s'il ne vaudrait pas mieux faire juger par les tribunaux criminels les refus d'obéir aux réquisitions, plutôt que de les déférer au tribunal révolutionnaire comme crimes de contre-révolution. Le Comité répondit qu'il était préférable de traduire les coupables au tribunal révolutionnaire pour l'exemple, car les jugements du tribunal révolutionnaire retentissaient dans toute la République.

Le district de Digne écrivait, le 19 messidor, que « la fixation des journées n'avait pas été du goût des ouvriers et qu'on voyait que c'était moins le désir du bien public que la crainte des peines qui les faisait agir ».

Dans le département du Nord l'agitation fut assez vive. « A Saint-Pierrebrouck, dit M. Lefebvre, les moissonneurs déclarèrent qu'ils ne travailleraient pas au maximum, puisqu'il n'était pas respecté à l'égard des denrées. » Il en fut de même à Esquerchin et à Auby. Il y eut à Auby des refus de travail.

Dans le district d'Arnay-sur-Arroux en Côte-d'Or, les vignerons de la Côte refusèrent d'obtempérer aux réquisitions qui leur furent adressées pour la moisson. Ceux de Bligny se coalisèrent le 11 messidor « et manifestèrent qu'ils voulaient de 80 à 100 fr. en sus du prix de la taxe pour le temps de la moisson et payés comptant ». Devant l'incurie des municipalités, dont le tiers n'avait pas publié le tarif des salaires, le district promulgua un maximum uniforme pour toutes les communes à raison de 36 sous pour les hommes et 28 pour les femmes. Cette taxe ne fut pas plutôt publiée que les ouvriers manifestèrent leur mécontentement. Ils demandaient 5 livres par jour ou 7 livres du journal de terre ou enfin 40 à 50 écus par individu pour tout le temps de la moisson (lettre de l'agent national du 24 messidor). De crainte de perdre leur récolte, les propriétaires consentirent à en passer par les exigences des moissonneurs : « Ceux qui ont voulu être fidèles observateurs de la loi se sont trouvés sans ouvriers. » L'agent national voulut sévir. Il envoya deux délinquants devant le tribunal révolutionnaire, croyant que cet exemple ferait réfléchir les autres. Il fut obligé d'avouer, dans sa lettre du 6 thermidor, que cela ne servit qu'à éloigner ceux qui travaillaient encore et il ajouta que la récolte était compromise par la grève.

Dans les districts où la moisson était faite d'ordinaire par des travailleurs venus du dehors, il fut très difficile d'obtenir la main-d'œuvre indispensable. A Saint-Maximin (Var), à Narbonne, à Béziers, les journaliers des montagnes restèrent chez eux. « Fort peu d'ouvriers étrangers sont venus, écrit l'agent national du district de Narbonne, le 16 messidor... je ne sais à quoi attribuer le peu d'empressement de tous ces étrangers qui venaient tous les ans en affluence... j'ai ouï dire qu'ils préféraient ne pas venir que de travailler au maximum. » Et l'agent national précise que plusieurs travailleurs qui avaient laissé leurs familles chez les propriétaires qui les avaient employés l'année précédente ont préféré abandonner leurs outils, plutôt que de venir travailler au maximum.

Il fallut dans bien des cas recourir, comme à Narbonne, à la main-d'œuvre militaire pour terminer la récolte qui sans cela serait restée sur pied. L'arrêté du Comité de Salut public du 20 messidor autorisa l'emploi des militaires non seulement pour la moisson, mais pour le battage des grains. Un autre arrêté du 27 messidor organisa dans l'armée de l'Ouest des compagnies de volontaires agriculteurs qui furent payés au même taux que les ouvriers ordinaires. Un autre du 4 thermidor autorisa l'emploi des prisonniers de guerre pour les travaux de la récolte.

Pour achever la moisson dans la Beauce et la Brie, on fit appel aux travailleurs de Paris. Le district de Meaux demanda 1 800 hommes, celui de Pontoise 200, celui de Dourdan 200, celui de Crespy 1 200, celui d'Étampes 100, celui de Gonesse 1 000. Les volontaires parisiens reçurent une indemnité de route de 9 sous par lieue. L'état qui subsiste aux archives comprend 2 360 noms pour une indemnité totale de 12 375 livres 4 sous. Certains d'entre eux se plaignirent d'avoir été mal reçus par les paysans. En revanche certains employeurs se félicitèrent des services que les Parisiens leur avaient rendus. On dut souvent leur prêter des outils, ceux dont ils s'étaient munis à Paris étaient inutilisables. A Gonesse et à Meaux, ils arrivèrent trop tard.

La crise de la main-d'œuvre était telle que la Convention dut voter, le 21 messidor, un décret aux termes duquel les laboureurs et manouvriers des campagnes habitant des communes au-dessous de 1 200 âmes furent mis provisoirement en liberté, quand ils avaient été arrêtés comme suspects. Comment, dans ces conditions, les autorités auraient-elles pu songer à appliquer aux travailleurs en faute les pénalités prévues par les lois précédentes ?

Il semble donc que les travailleurs des campagnes opposèrent la même résistance que les travailleurs des villes à l'exécution du maximum des salaires.

LES RAISONS DES RÉSISTANCES.

Ne nous hâtons pas de conclure que l'esprit de classe avait fait parmi eux des progrès décisifs. Si le maximum des denrées avait pu être appliqué, les ouvriers se seraient sans doute inclinés devant les prescriptions légales. Ils sont unanimes à justifier par là leur résistance et il paraît bien qu'ils sont sincères. Ils voulaient que leur travail leur permît de vivre. Ils n'avaient peut-être pas encore une conscience très claire que leur intérêt de classe s'opposait d'une façon irréductible aux intérêts antagonistes de leurs employeurs. Mais il faut reconnaître que la législation tendait à développer en eux cette conscience de classe.

A méditer ces faits on comprend mieux les raisons de la chute subite de Robespierre et de son gouvernement. Au 9 thermidor, les ouvriers parisiens, mécontents du nouveau tarif des journées que la Commune venait de promulguer les jours précédents, restèrent indifférents en majorité à la lutte politique qui se déroulait sous leurs yeux. Le jour même du 9 thermidor, ils manifestèrent contre le maximum des salaires.

La Commune eut beau rejeter sur Barère, dans une proclamation qui fut apposée dans la soirée, la responsabilité du tarif, ils se croisèrent les bras, et, quand Robespierre et ses amis furent conduits au supplice, ils s'écrièrent sur leur passage : « f... maximum! »

Le souci exclusif de leurs intérêts particuliers, leur manque d'éducation politique leur avaient caché l'intérêt général. Ils n'avaient pas compris que tout se tenait dans le système du gouvernement révolutionnaire, que le maximum des salaires était la contre-partie du maximum des denrées, qu'à ruiner l'un, on renverserait l'autre. Ils n'ouvriront les yeux qu'après la suppression du maximum général, quand la vie chère fit un bond prodigieux qui les réduisit à la misère. Ils regretteront alors et Robespierre et le f... maximum. Ils s'insurgeront pour rétablir les taxes, sans autre résultat que de se faire écraser aux journées de germinal et de prairial an III.

Ils avaient perdu l'appui du pouvoir politique et ils étaient économiquement trop faibles pour le ressaisir par leurs seules forces.

CONCLUSION

Au terme de cette longue étude, que nous essaierons plus tard de poursuivre par-delà thermidor jusqu'au retrait du papier-monnaie, il nous sera permis de rassembler brièvement les conclusions générales qui s'en dégagent.

La vie chère est sortie moins de la guerre encore que de l'inflation. A la veille de la déclaration de guerre, en avril 1792, l'assignat perdait déjà 25 à 30 % à l'intérieur de la France, 50 à 60 % à l'étranger. Les grandes émeutes de la Beauce, où Simoneau trouva la mort, celles du Noyonnais, du Nord, du Morvan, du Lot, du Gard datent de l'hiver de 1791 à 1792.

Ce n'est pas le manque de denrée qui cause la disette. La France, pays alors essentiellement rural, produit assez de subsistances pour sa propre consommation. Le blocus anglais ne commencera qu'en février 1793 et ne sera jamais hermétique. En pleine Terreur, la France reçut du blé d'Amérique, de Berbérie, des villes hanséatiques, de Gênes et de Livourne. La guerre n'a agi sur la disette et sur les prix que d'une façon indirecte pour renforcer les effets naturels de l'inflation.

L'inflation, c'est-à-dire l'émission indéfinie du papier-monnaie sans contre-partie, est la grande coupable. Pour faire cesser la disette et la vie chère, il aurait fallu retirer la fausse monnaie de la circulation. Marat, Saint-Just, Chabot préconisaient cette solution. On ne fit en ce sens que des efforts tardifs et insuffisants, parce que la guerre qui s'intensifiait dévorait des sommes de plus en plus énormes. La démonétisation des assignats royaux, la réduction de la dette perpétuelle de l'ancien régime par l'institution du Grand Livre qui l'unifia, la réduction de la dette à terme par les décrets de Cambon sur les rentes viagères, l'emprunt forcé de 1793, la vente par anticipation des créances de l'État sur les acquéreurs de biens nationaux, tous les expédients imaginés la plupart par Cambon ne furent que des palliatifs vite emportés par le torrent.

Les problèmes politiques dominaient le problème financier. Les révolutionnaires n'avaient pas seulement à lutter contre l'Europe monarchique, mais contre toute une moitié de la France dont ils avaient lésé les intérêts et qui souhaitait la victoire de l'ennemi. Une guerre civile, tantôt latente, tantôt ouverte, doublait la guerre étrangère. L'opposition habile et tenace des aristocrates d'abord, des Feuillants ensuite, des fédéralistes, puis des indulgents, compliqua singulièrement une situation déjà très difficile.

De peur de mécontenter les possédants qui achetaient les biens nationaux, gage unique du papier-monnaie, de peur de rejeter les « électeurs » à droite en leur faisant regretter la monarchie, les Assemblées ne demandèrent à l'impôt que des ressources insuffisantes, et cet impôt, dont la perception était confiée à des corps élus, ne rentra souvent qu'avec des retards invraisemblables. La Révolution vécut sur l'assignat, c'est-à-dire sur la fausse monnaie.

Les consommateurs des villes, les rentiers, les gens à revenus fixes, les artisans déjà frappés par la guerre, les prolétaires très nombreux dans les campagnes, tous ceux qui ne pouvaient pas compenser la perte de l'assignat par une hausse correspondante de ce qu'ils avaient à vendre, tous ceux qui n'avaient rien à vendre ou qui achetaient plus qu'ils ne vendaient, furent les victimes de l'inflation. Ils ne se résignèrent pas à faire les frais d'une Révolution dont la plupart s'étaient montrés les ardents soutiens. Ils se souvinrent qu'avant 1789 la royauté intervenait dans des cas analogues en faveur des classes populaires. Contre le libéralisme économique des Feuillants d'abord, des Girondins ensuite, contre la cruauté du laissez-faire et du laissez-passer, ils s'insurgèrent avec un ensemble impressionnant. Ils réclamèrent le retour à la réglementation abolie, aux déclarations, recensements, vente obligatoire sur les marchés, réquisitions, taxations enfin. Ils trouvèrent à point nommé pour exprimer et défendre leurs revendications des meneurs obscurs, mais décidés, qui leur servirent d'organes et de chefs. Au droit de propriété ces Enragés opposèrent le droit à la vie. Ils remirent en honneur, anciens prêtres pour la plupart, la notion chrétienne du juste prix. Ils dénoncèrent l'accaparement et l'usure. Ils proclamèrent que les denrées nécessaires à la vie appartenaient par destination à tous les vivants. Quelques-uns imaginèrent des plans de reconstruction sociale qui avaient pour objet essentiel une répartition plus équitable des subsistances. Bien qu'ils fussent accusés par les Girondins de vouloir « la loi agraire », très peu d'entre eux s'élevèrent jusqu'à une conception communiste claire et totale de la société. La plupart se contentaient de remèdes tout empiriques, comme la suppression complète de l'argent monnayé, la fermeture de la Bourse, la terreur contre les possédants, tous qualifiés de monopoleurs et d'accapareurs. Une jacquerie presque permanente troubla les campagnes. Les ouvriers des villes se mirent en branle à leur tour pour rajuster leurs salaires au prix de la vie.

Aussi longtemps que les Jacobins restèrent unis, les gouvernants résistèrent au mouvement populaire. Les émeutes du printemps en 1792 furent vigoureusement réprimées. Mais la scission des Montagnards et des Girondins ouvrit la porte aux partisans de la réglementation d'abord, des réquisitions ensuite, de la taxation enfin.

Pendant la crise de la première invasion, après le 10 août, le Conseil exécutif dominé par Danton et aiguillonné par la Commune insurrectionnelle, établit un premier système de réglementation qui disparut après Valmy sous les coups des Girondins vainqueurs aux élections à la Convention, grâce à la peur de la loi agraire.

Mais les Girondins se montrèrent incapables de résoudre le problème de la vie chère. Ils ne comprirent pas que l'inflation rendrait impossible la liberté économique. Roland, homme à formules, méconnut les réalités. Les récoltants refusaient de se dessaisir de leurs grains contre un papier de plus en plus déprécié. La disette factice s'aggrava. Les émeutes prirent une ampleur nouvelle. Elles groupèrent des milliers d'hommes à l'automne de 1792 et se traduisirent par des taxations populaires et forcées. Quand les Montagnards engagèrent contre les Girondins le combat décisif, ils durent, pour obtenir l'appui populaire, faire des concessions aux Enragés et jeter du lest. Au programme de réglementation qu'ils avaient adopté après le 10 août, ils joignirent alors un programme de réquisition et bientôt de taxation. Sous la pression menaçante des Sans-Culottes, ils firent voter la loi du 4 mai 1793 sur le maximum des grains qui se révéla impuissante.

En vain les Montagnards, en possession du pouvoir à leur tour, essayèrent-ils de faire abroger la loi désastreuse qui affamait les villes, en vain tentèrent-ils d'échapper au maximum général de toutes les denrées qui était la suite logique et inévitable du maximum des céréales, leurs diversions pour faire supporter aux riches la différence entre le prix du pain et le taux des salaires, pour réprimer l'accaparement par la loi du 27 juillet 1793 qui soumettait le commerce tout entier au contrôle permanent des municipalités, pour créer des greniers d'abondance, pour imposer le cours forcé de l'assignat, etc., se heurtèrent toutes à la toute-puissance des intérêts coalisés. La misère aggravée s'exaspéra des défaites extérieures et intérieures de l'été de 1793. La journée hébertiste du 5 septembre imposa le maximum général.

Les Enragés eurent beau être envoyés en prison ou à l'échafaud, leur programme s'exécuta, parce que l'obscur instinct populaire le voulait ainsi et qu'il était impossible aux Montagnards de gouverner contre la masse, quand ils avaient à réduire les royalistes et les fédéralistes révoltés.

Sous l'ancien régime, la politique de réglementation et de taxation avait pu donner des résultats appréciables, parce qu'elle n'avait jamais été que locale et temporaire, parce qu'on l'avait appliquée en période de monnaie saine et de paix civile, dans un pays moralement uni où l'opposition politique n'existait pas ou manquait de moyens de s'exercer. Appliquée par les soins des cours de justice peuplées de grands propriétaires, elle n'avait rien qui effrayât les possédants. Elle prenait les allures d'une politique d'assistance momentanée. Elle ne soulevait aucune colère, ne menaçait sérieusement aucun intérêt. Elle émanait d'en haut pour descendre en bas.

En 1793 et 1794, cette même politique avait un caractère entièrement différent. Elle était une révolte des petits contre les riches, elle s'était imposée par la violence d'en bas. Il fallait employer la contrainte pour l'appliquer, parce que l'inflation sévissait et dressait contre les taxes tous les possédants, parce que la moitié de la France se soulevait contre le gouvernement, parce que la guerre civile et la guerre étrangère avaient changé la nature et les données du problème. Elle n'était plus une œuvre charitable, elle apparaissait comme les représailles d'un parti, comme un acte de vengeance et de spoliation.

Le maximum général entraîna l'organisation de la Terreur. Ce n'est pas par hasard que la Terreur fut mise à l'ordre du jour le 5 septembre, le jour même où la Commune hébertiste arracha les taxes à la Convention. Pour essayer d'appliquer une législation qui s'attaquait à tous les intérêts particuliers, il fallut renforcer la dictature du pouvoir central, la systématiser, couvrir la France d'une armée de policiers et de garnisaires, supprimer toutes les libertés, contrôler par le moyen d'une Commission centrale des subsistances toute la production agricole et industrielle, généraliser sans fin les réquisitions, s'emparer des transports et du commerce, mettre la flotte marchande et les banques à la disposition de l'État, créer de toutes pièces une bureaucratie nouvelle pour mettre en marche l'immense machine du ravitaillement, établir le rationnement par le système des cartes, procéder à des visites domiciliaires, remplir des prisons de suspects, dresser la guillotine en permanence. Terreur politique et Terreur économique se confondirent et marchèrent du même pas.

Un tel régime, en antagonisme profond et violent avec les idées, les tendances, les aspirations d'une société passionnément éprise de la liberté qu'elle venait de conquérir, ne pouvait pas s'établir d'un seul coup sans d'âpres résistances. Les Indulgents, Montagnards repentis, relayèrent les Girondins dans le rôle de protecteurs des possédants menacés. Une lutte tenace dressa pendant l'hiver de 1793 à 1794 dans toute la France les Indulgents contre les Hébertistes qui avaient succédé aux Enragés dans la tutelle des classes pauvres. Le Comité de Salut public, prêt à être submergé, ne put garder la direction et exercer son arbitrage qu'en se débarrassant des factions par un grand procès révolutionnaire.

Victorieux parce qu'il personnifiait l'intérêt national, le

Comité voulut adoucir les procédés terroristes à l'égard du commerce, tout en conservant l'essentiel de la législation interventionniste qu'il perfectionna. Il se flattait de maintenir l'équilibre entre les intérêts opposés des salariés et des employeurs, des vendeurs et des consommateurs, mais l'inflation continuait ses ravages et les salariés n'entendaient pas perdre les avantages qu'ils avaient conquis dans la phase hébertiste.

Le maximum général, même atténué et révisé, se révéla d'une application très difficile. Le Comité ne réussit qu'imparfaitement à atteindre l'équilibre qu'il avait cherché. En dépit de la terreur maintenue, salariés et possédants manifestèrent une égale résistance, muette mais résolue.

Comprenant un peu tard que le salut de la Révolution ne pouvait résider que dans une audacieuse politique de classe, Saint-Just, Robespierre et Couthon, qui représentaient au gouvernement l'élément le plus démocratique, firent voter les décrets des 8 et 13 ventôse qui promettaient aux Sans-Culottes pauvres la riche dépouille des biens des suspects reconnus ennemis de la Révolution. Ainsi serait constituée de toutes pièces aux dépens des royalistes de l'intérieur dépossédés une classe qui devrait tout à la Révolution et qui assurerait son avenir. Mais les décrets de ventôse se heurtèrent à la résistance sourde, à l'inertie calculée du Comité de Sûreté générale et de la majorité des membres du Comité de Salut public [1]. Avant qu'ils ne fussent entrés en application normale, le « triumvirat » fut renversé par la journée du 9 thermidor qui fut le résultat d'une coalition étrange où se mêlaient les éléments les plus opposés, réunis cependant par la crainte commune de la Terreur et de la Révolution sociale et le vague espoir de lendemains meilleurs.

Mais le 9 thermidor, où les salariés jouèrent le rôle de dupes, ne résolut rien. Il aggrava la crise en lui imprimant une nouvelle orientation. L'inflation non seulement subsista, mais fit un bond prodigieux. Le maximum, qui avait grandement contribué à ralentir la dépréciation de papier, fut bientôt abrogé à la demande des possédants qui tenaient en mains les thermidoriens et rien ne s'opposa plus à la dictature

(1) J'ai étudié les décrets de ventôse dans les derniers chapitres du tome III de ma *Révolution française*. J'y renvoie le lecteur.

impersonnelle et invisible des détenteurs de valeurs réelles. En ce sens on peut dire que le petit peuple fit les frais de la Révolution autant que les prêtres et les émigrés. La bourgeoisie, qui avait failli être dépossédée en l'an II, acheva d'asseoir sa puissance sur l'inflation. Par l'inflation elle acquit pour presque rien la terre du clergé et des émigrés. Par l'inflation elle vainquit ses ennemis de l'intérieur et de l'extérieur. Par l'inflation elle outilla à bon compte ses usines de guerre. Par l'inflation elle domestiqua les classes populaires pour un siècle.

FIN DU TOME DEUXIÈME

TABLE DES MATIÈRES
DU TOME DEUXIÈME

TROISIÈME PARTIE

LE GOUVERNEMENT RÉVOLUTIONNAIRE ET LA VIE CHÈRE

ACHEVÉ D'IMPRIMER LE
30 AVRIL 1973 SUR LES
PRESSES DE L'IMPRIMERIE
BUSSIÈRE, SAINT-AMAND (CHER)

— N° d'impression : 453 —
Dépôt légal : 2e trimestre 1973.
Imprimé en France